Que jeunesse trépasse
de Patrick Brisebois
est le premier ouvrage publié
aux éditions de l'Effet pourpre

D1484509

Patrick Brisebois

Que jeunesse trépasse

L'Effet pourpre

Données de catalogage avant publication (Canada)

Brisebois, Patrick, 1971-
    Que jeunesse trépasse
    ISBN 2-922660-00-1
    I. Titre.
PS8553.R543Q8 1999   C843'.54   C99-941391-0
PS9553.R543Q8 1999
PQ3919.2.B75Q8 1999

Maquette de la couverture : Tomate @ Elastik
Photographie : Magalie Guérin
Mise en pages : François Couture
Correction d'épreuves : Constance Havard et Louise Dufour

La publication de cet ouvrage a été rendue possible grâce à un prêt de la Corporation de développement de l'Est de Montréal, mandataire du Centre local de développement de Montréal, ainsi qu'à des bourses de la Fondation du maire de Montréal pour la jeunesse et du SAJE Montréal métro.

Distribution :

Pour le Canada   Pour l'Europe
Diffusion Prologue   D.E.Q.
1650, boul. Louis-Bertrand   30, rue Gay Lussac
Boisbriand (Québec)   75005 Paris
J7E 4H4   France
Tél. : (450) 434-0306   Tél. : (1) 43 54 49 02
Téléc. : (450) 434-2627   Téléc. : (1) 43 54 39 15

Dépôt légal : Bibliothèque nationale du Québec et Bibliothèque nationale du Canada, 4e trimestre 1999
ISBN : 2-922660-00-1

Les éditions de l'Effet pourpre
2068, rue Darling
Montréal (Québec)
H1W 2W8
Tél. : (514) 596-0606
Téléc. : (514) 598-8890
Courriel : effetpourpre@sympatico.ca

Imprimé avec dignité au Québec

On écrit parce qu'on est malheureux. Votre monde dévore tout le reste.
Vous êtes seul. Et soutenu par le style. Les poètes n'ont pas de vie intérieure.
Les écrivains sont en général des bafouilleurs.

Louis-Ferdinand Céline

1. PERTE NOCTURNE / NID HILARE

Je ne veux pas me prendre pour un autre mais il me semble que ce n'est pas correct d'observer les oiseaux dans leur nid. Ce que tu vois n'a aucune espèce de réalité. La chair et l'âme, c'est pareil. Des cheveux blonds, des cheveux sans tête, c'est du semblable. Ce qu'ils pensent de moi les autres, les masses, les femelles, les fifs et compagnie, ça me laisse froid, ça me frigorifie d'indifférence. Je dois partir. Je ne partirai pas. Sinon, je ferai semblant... de m'en aller. Pour voir, pour rire, pour me moquer d'eux, parce que c'est tout ce qu'ils méritent, affreux qu'ils sont, encore et toujours et à jamais. Un paquet, un tas, une tonne d'ordures à défigurer... des dulcinées en manque, des mariés trompés. Tout ça, quoi.

Ils sont là, dans la cuisine, les joyeux vauriens, cloportes, heureuses hyènes de toutes sortes. Justin et quelques amis. Ils se racontent des histoires. C'est devenu une situation inévitable. Quand ils reviennent d'un party, qu'ils ne sont pas assez fatigués pour s'écraser, qu'il y a de toute façon juste des publicités débiles à la télé, ils n'ont plus le choix, ils sont dépourvus, ils doivent faire semblant de parler entre eux, de divulguer tout ce qui a été manqué en une journée, ce qui est perdu. Bon! ça peut aller! Ils boivent les dernières bières et après deux heures de discussion se retrouvent complètement étalés sur les divans en se disant que ce qu'ils viennent de vivre, c'est-à-dire ce qu'ils ont fait subir aux autres, c'était pas si grave que ça. L'avenir leur réserve bien d'autres surprises.

On a senti les maux de tout un continent sans frontières. On a prévu tous les mensonges de la vie. On a voulu fuir jusqu'au début du monde et se retrouver nu, humilié. Aujourd'hui, le jour s'est défini en un seul instant. Quand on s'éveille au milieu de la nuit, on se dit que les rêves n'ont pas voulu de nous plus longtemps, nous abandonnant sur le lit dans le noir froid de la chambre, ou du cercueil, comme le vivant que l'on croyait mort ouvrant les yeux sur sa nouvelle petite inexistence.

Ils me réveillent vers quatre heures du matin avec tout le vacarme d'une bande en boisson. Je reste abasourdi quelques secondes, je me demande où je suis, si la nuit du Jugement dernier n'est pas enfin survenue. Ils crient, trébuchent dans le couloir. J'entends des rires de filles stridents. Je m'étais endormi tout de travers, mon bras gauche encore engourdi. Ça m'exaspère. Pour une fois que je dormais bien. Le chaos de l'univers réussit de nouveau à m'atteindre. Si jamais un quelconque imbécile entre dans ma chambre, sans frapper, se met à me débiter des crétineries... je lui crève les yeux! Mais ils se réinstallent dans la cuisine, allument la radio... CHOM et ses vieilles chansons rock nauséabondes. Ils rient, se remémorent les faits saillants du party et moi je mords un coin d'oreiller, je bave de rage. Je veux crier «Je dors! Je dors!» mais je reste calme. Les voix ont déjà baissé. Le sommeil revient.

Mes fastes, atrabilaires, pour vous mettre au *Chanel nº 5* tout de suite, ils commencent avec du sensuel, bien juteux, bien coulant, juste pour vous faire plaisir, mes salivants. Alors que j'ai la tête sous les couvertures, quelqu'un entre dans la chambre et referme la porte. Un fragment de lumière. Je ne bouge pas, ne dis rien. L'autre ne semble pas respirer. Sinistre comme tout. Comme si j'étais encore seul. Je veux me rendormir. Ça se rapproche de mon lit... «Bon ça va... qui est là?» que je dis. La personne s'assoit au pied du lit. On parle pas. D'un coup, je me lance sur l'autre, le saisis. C'est une fille. Mes mains en plein sur des seins. «Oups!... c'est qui?...» Elle veut pas répondre. Elle m'embrasse. Hé! Je laisse les choses aller. Pas fou. Comment je réagirais sinon? Elle enlève les couvertures. Je suis nu. Elle... elle est vêtue d'une sorte de robe, moulante. Elle s'installe sur moi. Des cheveux fins sur mon front. Et elle sent la bière. Épouvantable comme elle dégage. Ça me coupe vite l'exaltation, l'inspiration d'excité.

— C'est toi, Nora?
— Oui...
— Mais pourquoi ça?
— Un peu pour me venger de Justin. Il m'a ignorée toute la soirée!
— Phoque! Débarrasse!

Elle pousse un soupir, sort de la chambre. Connasse. Je n'ai pas que ça à faire, moi là. Cocufier les amis. Pour qui elle s'éprend, l'autre?

8.

2. FEEDBACK SUR UN 4-TRACK

Effleure le reste, mon cher Irénée. On ne sait jamais. Tu t'en vas nulle part avec le réel bien jaillissant, la folie des uns contre les autres, une délivrance dans les os neufs. Te lever du lit soigneusement. Tu devrais écrire un poème, une chanson. Jusqu'ici, tu es prêt pour la gueule du *no future*...

Je me lève à onze heures. J'ai mal à la tête. Ma première action est de faire le tour de l'appartement pour voir si elle n'est pas quelque part, Nora. Dans le salon, trois drôles. Frantz, Fabienne et Lee... dormant sur les divans. Dans la chambre du fond, mon ami et colocataire Justin ronfle avec Nora entre les bras. Elle semble morte tellement elle est pâle. Je prépare du café, ne perds pas de temps. Je suis en retard déjà, Rudy en furie au téléphone, endiablé... «Kestufoukriss!»

Je vais au studio rejoindre le groupe. J'ai de la difficulté avec ma guitare, mes doigts bougent mal. Et le ciel. Il est si gris. Je sais que je ne peux faire confiance au soleil plus longtemps, que son éclat m'illumine inutilement. On enregistre une chanson sur un 4-track. À la fin, le feedback de mon instrument dure presque une minute. Je laisse tomber la guitare contre l'amplificateur. J'ai mal au cœur, je crois que je vais être malade. Par la fenêtre, la foule sur les trottoirs, des parkings obstrués; ça me fait grincer des dents à la longue, regarder ça.

Merveilleuse ville. Tonitruante existence.

Vers quinze heures je téléphone à l'appartement. Justin répond.

— Oui allô!

— Salut! c'est moi! Ça s'est amusé fort hier soir, hein?

— Euh... attends, oui! un peu!... comme ci comme ça!

— Mon œil! à t'entendre tu vivais fortement!

— Oui je sais! je sais! oui!... mais je jure que je ne boirai plus jamais autant!

— Nevermore!... Poe des fesses!... Tu es entre le laser et l'enclume, mon gars! je prévois un nouveau look! la mode du crépuscule!... ça s'emplit d'argent poli là!... et cette réalité plus ou moins vraisemblable! elle va nous enlever! nous arracher de l'album de photos du nouveau millénaire!... un lourd poignard pèse sur nous, Justin!... j'ai la vision d'un fleuve de sang dans lequel ta copine convenablement joyeuse se baigne!... mes tendres mains ne peuvent désormais...

— Bon! Au quai! C'est beau Irénée! Merveilleux!... mais j'ai vraiment pas la tête à écouter ta poésie prophétique de cul!... Finalement, hier soir, le party a fini assez tôt et j'avais pas le goût de dormir chez Nora et Murielle... En revenant, on a rencontré Frantz et les autres... sur Mont-Royal... on a bouffé des pizzas... on a marché jusqu'à l'appartement... j'étais pas mal paqueté!... eux aussi!...

— Ne te crois pas obligé de me conter l'histoire de ta vie...

— J'espère qu'on t'a pas trop réveillé?

— Un peu... c'est pas grave... Nora va bien?...

— Pas vraiment, elle est rentrée chez elle tantôt... Elle file pas le coton elle avec... Tout le monde est malade aujourd'hui, sauf toi!

— Je vais pas très bien moi non plus!... c'est pas parce que je suis resté seul que j'ai rien bu!...

— Ah? oui?

— Au moins quatre ou cinq grosses canettes... Bon! Je reviens tantôt!... Salut!... grenaille!

— Salut...

3. IRÉNÉE AU PAYS DE LA MARDE

Nora. Nora. Sois celle qui se joindra à moi à la ligne d'horizon de la plus vaste plaine. Sois celle à laquelle je m'unirai dans le même cercle. Comme du pain et du sang. Sois celle qui m'attachera à un grand mât d'acier pendant l'orage. Que cet éclair jaillisse de mon ventre et fixe des chaînes aux nuages. Sois cette fille pas assez parfaite que je retrouverai au fond d'un puits infini. Là où grouillent les rats. Que ce soit large, que ce soit charnel. La mort enfin définie. Toi. Violeuse en son pays. Cette joie qui nous attend. Pretty on the inside. Fille qui est toute démembrée, en état de construction avancée, en jouet de nuit. Celle ouvrant les bras pour rien. Par plaisir de ne rien saisir. D'avance sachant que celui-ci, ou celui-là, c'est pareil. Je t'attendrai. Nora. Nora.

Ça fait dur ce qu'on a sur le cœur, hein? On en mènera pas large avec des poésies comme ça, hein? Marde de taureau!

Je vois tout. Je sais tout ce qui se passe. Je connais mes amis comme les ongles de mes doigts. Je devine tout ce qu'ils font, tout ce qu'ils se disent... et comment ils se méprisent. Tenez, là, Murielle, chez elle, qui applique de la crème nettoyante sur son visage. Sa peau devient luisante, ses mains, collantes. Du salon, on entend de la musique classique. Nora qui entre précipitamment, claque la porte derrière elle, parle en gesticulant.

— Murielle! Il m'est arrivé quelque chose! Je revenais sur Mont-Royal!... j'avais pas long à marcher pour revenir à l'appartement!... mais je me disais que s'il passait je ne perdais rien de prendre l'autobus!... et puis je le vois! il avait l'air pétrifié!... quelques voitures s'immobilisaient!... je pensais: si ça continue ainsi, je le manquerai pas, mon bus!... Je marchais, prenais tout mon temps!... mais qu'est-ce qu'il foutait?... Quelques secondes avant, j'étais fâchée!... je l'entendais!... j'étais encore sur de Bordeaux... je savais que même en courant je n'avais aucune chance de le rattraper!... et là, j'ai souhaité qu'il ne bouge plus!... assez longtemps pour que je puisse arriver!... je marchais... le chauffeur est sorti devant le bus!... intrigant!... il s'est mis à parler à une femme qui pleurait!... qui se prenait la permanente!... elle criait!... «Je ne l'avais pas vu, monsieur!... je vous le jure! je ne l'avais pas vu!...» J'ai été voir de près!... il y avait un vieux bonhomme étendu au beau milieu de la rue!... sur le dos!... sa jambe gauche qui formait un angle bizarre!... des gens qui s'affairaient autour du blessé!... saignant!... agonisant!... c'était vraiment amusant!... t'aurais dû voir ça!...

Murielle écoute sa colocataire attentivement... a un frisson de dégoût... Elle secoue la tête comme pour chasser des images de son esprit, ses longs cheveux bruns volent dans son dos.

— Nora!... t'es dégueulasse!

— C'est un signe!... J'en suis certaine!... Ce n'est peut-être pas Dieu qui désire entrer en contact avec moi... mais autre chose!... on m'a poussée ici!... à passer ma vie à Montréal!... Le papillon que j'ai découvert à moitié gelé!... l'autre jour!... les couleurs qu'il avait!... C'était un messager, je crois!... Aujourd'hui, l'entité veut me contacter sous l'avatar d'un vieux monsieur accidenté!... Ça persiste!... insiste!... je sens une énergie!... elle m'a une nouvelle fois frappée au cœur!... ah!... ah!... Écoute-moi pas!... je déconne!

Mets-en qu'on s'amuse. Nous sommes raides et morts.

Revenons à moi. En marchant, je remarque une douzaine d'hologrammes derrière une vitrine. C'est dans la tombe que je me tranquilliserai. Pour toujours. Je suis un porc qui marche, sautille, foudroie du regard la rue agitée. Je ne comprends pas ce qui m'arrive; pourtant, je me regarde dans une vitrine... ce n'est pas un humain que je vois. Petit porc. Tu n'as pas la queue en forme d'antenne parabolique. Dans mon crâne, le bruit de la distorsion qui jamais ne se termine; une odeur de friture, sortant d'un restaurant. Je marche sur l'asphalte de dieux insipides. Dans ce quartier, il n'y a rien à craindre, sauf moi. Je convoite de nouveaux sentiments afin d'être entièrement perdu quand surgiront les vrais moments de malchance. Que je philosophe mal. Horrible. Je suis pas doué pour ça. Mes amis et moi sommes sous les décombres de cette fin de siècle, je perçois des grésillements d'insectes, etc.

Je m'écroule sur le trottoir. Malade. J'ai passé proche de m'évanouir. Je me relève. Au plus vite. La honte. Cette rousse-là qui m'a regardé de travers. Va falloir que je mange un morceau. Une bonne poutine. Je ne vis au fond dans aucune espèce de ville, mais dans un appartement de schizophrènes. Chaque jour est la même histoire sans trame, sans conclusion. Chez moi, il y a un manque d'air. On a le souffle court. Tout est trop commun. La planète se meut à une vitesse incroyable... à moins que ce soit le ciel? Nos vies sont engourdies. Un film sur pause... Des mots, des mots. Un effrayant gouffre noir, juste à côté de moi. Personne ne le voit. Ma raison est formée de cauchemars. L'attente de l'entropie est trop pénible. Les événements doivent se précipiter. Je veux mettre le feu à la poudre, à la foule, à mon cœur. Je marche droit mais je sais que je tourne en rond. Comme dans une forêt, un lion mutant dans sa cage. Un jour l'amour ne sera qu'une absurde proie. Insoutenable. Point final. J'ai beau me promener, franchir des rues, croiser des gens, rencontrer des connaissances, seul au monde, je le sens vraiment trop que... phoque... qu'au creux de mon être, juste là, y a quelque chose qui ne va pas. Je dois me munir d'une arme pour transpercer les jours. La détonation du changement.

Futilité! Allein!

Je marche dans les excréments d'un chien. La faim me tenaille. Je veux manger ma chair, gruger mes os, crier que rien n'est absolument désespérant dans cette rue, aucun chat n'a été écrasé depuis des jours, la mort en a trop plein les bras des humains. Parfois, j'ai le sentiment que ma vie est gravée dans un livre noir. Ça m'agresse comme une volée de froids corbeaux. J'ai peut-être raison. Je repense à Nora. Je lui dirais : «Ne va pas par là! près de moi! tout proche de moi!... Y a que mon ombre faisant l'amour au soleil!... D'heure en heure elle grandit sur le trottoir! ou dans l'herbe... ça ne change pas grand-chose alentour!... le décor reste le même!... des voitures passent! un papier journal t'enlace la jambe!... Que sera mon ombre comparée à cela?... que feront tes yeux à travers moi?... Mon double négatif est réel! ne va pas vers lui!... il aura disparu au moment où le soleil n'enflammera plus tes cheveux!... Mais je serai toujours au même endroit!... tel un fantôme!... que la noirceur étouffe!... avec les bras croisés! non!... non!... ne viens pas ici! au creux de ce piège rouillé... qui te dira des mots doux!...»

Les poètes, ils sont à tuer. Ça sert à rien les beaux mots.

J'entre au restaurant *La Belle Province* et lui demande une poutine italienne, au huileux. Je mange là, installé à une table, le buste d'Elvis à ma gauche. Je reviens à l'appartement, rue de Bordeaux. Justin dans la cuisine, au fond, devant la fenêtre, à regarder la ruelle, dans son silence. Il se contente de respirer, c'est déjà assez.

— C'est une journée à glander... qu'il me lance.

— Bon! bon!... commence pas à m'énerver, quoi!... t'as l'impression que ton cœur va arrêter de battre pour autant?... On travaille pas trop pourtant!... on a nos chèques de bienséance!... la vie coule doucement sur nos âmes de papier à sabler!... ça fait quand même un temps qu'on a dépassé le bout du tunnel!... le fond de la poubelle!... en tout cas, on toffe, non?...

— Je me sens comme se sent un requin mort sur la plage...

Il s'approche de moi. Il a une bonne tête de plus que moi, chevelue et blonde.

— Irénée!... On est au début de la vingtaine tous les deux et... on dirait que j'ai déjà un pied dans la tombe!

— Normal!... je suis comme ça moi aussi!... on se paye un lendemain de brosse magistrale!... exagérée! salement sale!... ça nous met les émotions à fleur de peau!... on croit qu'on va piquer une crise de nerfs!... on a la sensation que tout ce qui nous entoure est mou!... que ça va nous tomber dessus tellement ça nous tue!... verrues qu'on est!

On passe aux résolutions de repentants. Je téléphone chez Frantz et Fabienne pour leur dire qu'on n'ira pas à leur party, celui de la veille ayant été trop massacrant pour vos humbles comédiens.

Justin s'installe sur une chaise, se roule une cigarette.

— Irénée!... je suis un primate!... je rushe!... j'ai la poisse qui me colle aux fesses!... me voilà en lambeaux! parmi une foule aliénée invisible!... J'ai pris un peu de poudre tantôt pour me remonter mais ça fait juste me stresser! Tu sais... je pense que je suis le genre de gars que Nora recherche... même si je proviens d'un trou d'excréments et de légumes avariés... ça fait trois mois déjà qu'on est ensemble... Mais je m'ennuie encore de Corinne! cette fille-là elle va rester en moi pour toujours!... J'ai passé l'éponge! comme le condamné qui se relève après avoir été exécuté nettoie la lame de la guillotine!... Je suis ailleurs depuis qu'elle m'a laissé là!... je peux tout faire!... tout dire!... je considère l'importance très médiocre des autres filles!... de Nora!... des autres de surplus!... Je veux m'enfermer! Troglodyte!... Mais au moins je réussirai à respirer une fleur par la racine!... un oiseau ses traces!... découvrir le sens de tout!... un troupeau de moutons qui broute l'horizon!... et quand un des moutons commence à te croquer les orteils... ta vie est finie!... they will come to you!

Il tousse un bon coup, puis écrase sa cigarette dans le cendrier.

— Ah!... hum!... Justin! hé bien!... tu devrais pas aller te recoucher?... un peu?

Mais c'est lui qui tient debout. Moi, très vite, je me retrouve allongé sur le lit de ma chambre, à regarder le plafond, les affiches aux murs, le fouillis général. Dans ma main droite, je tiens un bracelet d'acier appartenant à Nora. Elle l'a oublié hier soir. Le drap, faudra bientôt que je le lave, ça jaunit. Je me mets à réfléchir. Je m'émeus à me laisser fléchir. Ça m'amène plein d'idées de blasé. Ça glisse. Le temps se perd seul, il n'a pas besoin de nous. Mon temps n'est pas le même que celui des autres, moi seul sais le perdre convenablement. J'ai l'expérience pour détruire une journée avant sa naissance, l'annihiler. Je suis d'une certaine façon mon propre repas. J'imagine des choses dans le clair-obscur de la chambre. Une araignée jaune, par exemple. Justin, il me montre un restant de crème de champignons oublié depuis trois jours dans une petite casserole, sur le poêle. On redécouvre la complexité du train-train de la vie au moment où on s'y attend le plus, on revient au point de non-retour, le plan initial qu'on avait un peu délaissé dernièrement. On ne peut pas se faire avoir, on forme une équipe du tonnerre. C'est sûr, je le sais en ce moment, malgré les partys, tout ça, je me fous de rien, j'aime mes amis, le monde un peu, surtout moi. L'élan de passion que j'ai pour le monde, ça ne vaut rien comparé à... je sais pas trop. Nous avons tous, moi, Justin, Frantz, Lee, Nora et plusieurs autres de mes innombrables amis, ces cornes rouges à la tête, cette queue fourchue, des ailes d'anges, de volatiles. Notre appartement est un espace sans joie réelle, une musique évanescente, celle qu'on touche à travers le désir. Que c'est beau. Oh! Ah! Nous sommes le cerveau et l'anus de la nuit. Ah! oh! poetry! das Gedicht!... C'est notre fin, notre ambiance de vie, de mort. À la télévision on constate, on observe le charme

14.

des reportages. On entend les individus de ce monde, on les voit les affreux, les reporters, ils nous le disent, en pleine face, derrière la vitre, on a bien compris.

«Vous êtes peut-être pas morts... mais à quoi bon! vous êtes les poissons que nous regardons! de nos studios! dans vos minables petits appartements de crapules!»

On descend une spirale qui mène au néant mais nous sommes bien contents, toujours ici, vivant parmi vous. C'est abject. Anarchie! On veut assassiner la radio, exécuter la vidéo... et garder juste la porno, please.

Ça va, ça va, sois jeune et tais-toi, salope. Journée de printemps ou journée d'automne, aucune importance. Nous sommes ici, en trop.

Je songe. Le développement complet de mes réflexions m'amènera à une langue pouvant me blesser, qui aime déchirer quelque chose de vivant, pour le torturer; le son strident d'une scie mécanique débitant des planches. Nous vivons des situations à la limite du supportable pour la sauvegarde de notre lucidité. Nous vivons des situations à la limite du tolérable pour la sauvegarde de notre individualité. Nous vivons... Voilà. Comme c'est bien dit.

Justin est parti depuis plus d'une demi-heure pour louer son film-culte, *L'incroyable homme qui fond*. Pas facile à dénicher. Si ça continue, je vais faire un malheur. Je regarde mes mains et ne peux y croire : j'existe... Va falloir remédier à ça. On n'a plus le choix. On n'a plus de voix. On glisse sur les parois intérieures de notre nature unique, comme un serpent. Notre chaos est hurlant. Tout est à être triste en ce lieu.

Je me rase dans la salle de bains, je vais à la cuisine, je m'ouvre une bière... un peu de musique, pas trop fort, m'installe confortablement, ferme les yeux... ça change, ça se transforme... je rêve maintenant... alléluia! allez! dans le fond du divan. Je rêve... Trois heures qu'on roule. La journée est merveilleuse. Le ciel horriblement bleu, sans aucun nuage. Il y a le bruit du moteur, du vent, de la musique. Justin conduit bien. Nora est verte de peur malgré son apparente bonne humeur. Ses grands yeux bleus regardent un autre monde, une dimension noire où chaque être doit s'écraser un jour. Je suis étendu sur la banquette arrière, j'admire les cheveux fins de Nora. Dehors, c'est la canicule et la voiture n'est pas climatisée. Nous sommes torse nu. Je m'allume une cigarette, regarde le sparadrap sur la paume de ma main gauche, j'imagine les sparadraps de Nora et de Justin au même emplacement, sur la paume de leur main gauche. Ma main me fait encore mal. Je sais que ma douleur est partagée. Nos sangs mélangés qui tombaient goutte par goutte sur l'herbe agonisante, dans la cour, chez les parents absents de Justin. On s'était baignés. Le crépuscule avait clos le tableau de notre pacte de suicide. Une bonne affaire. Et puis le jour encore, la vitesse. Une route sans voitures, ville noire au loin.

Les gratte-ciel invisibles sont élevés pour de beaux mannequins oubliés. Ici-bas, l'Enfer n'a jamais pris fin.

On roule. La musique est excellente, le soleil va encore se coucher et la frontière des États-Uzis n'est plus très loin. Je pense au fusil, un calibre 12, je l'imagine dans le coffre de la voiture. Il n'y aura pas de problèmes. Tout va bien, tout flotte. Hardwick, Vermont. On stationne le char dans la rue principale du village. Le gaz diminue. Faut faire le plein. Seulement, on a à peine de quoi se payer un café. Nora met son chandail blanc *Le lait franchement meilleur!*... Depuis qu'il fait nuit, la chaleur a un peu chuté. Ça devient supportable. Le pare-brise affiche un amas d'insectes écrasés. On parle pas. On sent qu'il faut agir bientôt mais sans même qu'on se regarde on sait que le moment n'est pas encore venu. Le voyage doit continuer. Il n'y a rien de hautement philosophique à ça, c'est juste une question de gaz. Faut poursuivre le road movie.

— Bougez pas! que je dis en enfilant une casquette *Québec 2002* et des lunettes style mouche.

Je sors de la voiture. J'ouvre le coffre arrière et y prends ce qu'il faut. Je suis un petit paquet de nerfs ambulant, corps mince, muscles saillants. Mes bottes écrasent les déchets du trottoir. Après être passé devant quelques maisons, j'ouvre la porte d'un genre de dépanneur, y entre. Au fond, se farcir un commerce, ça doit pas être si difficile, si grave que ça. Même si on a pas d'argent, c'est pas une raison pour pas nous aider, non? Après tout, on est dans un pays libre, oui?

Justin s'appuie la tête sur le dossier, les yeux fermés. Il fait semblant de se reposer, de ne rien voir, d'être ailleurs, comme il dit. Nora écoute la radio. Parfois, une voiture passe, éclairant son visage en sueur. Elle se mord une lèvre. Elle pose ses pieds sur la boîte à gants. Des cassettes tombent.

Aussitôt entré dans le drugstore, je pointe le fusil. Trop de néons ici. Mais je porte mes lunettes teintées. Ça donne une drôle d'ambiance. Le rouge est plus sombre, presque noir. Pas très beau comme décor... le plancher pas lavé depuis des semaines, de la poussière. La porte se referme derrière moi... deling-deling!... Pas loin de la caisse, y a des mégots collés sur la crasse du comptoir. Des conserves jonchent le sol, des sacs de chips, un deux litres de Sprite coule, se vide. Le plus drôle, c'est de contempler les traînées de sang. C'est éclaboussé un peu partout. Des traces de doigts souillés. On se demande ce qu'on fait là. C'est comme aller voir un film avec une heure de retard. T'as même plus le goût de t'acheter du pop-corn, la soirée est à l'eau, aux globules rouges, pense-z-y plus, retourne chez toi, ravale ta curiosité et pars.

Au fond du magasin, j'entends une femme crier.

—Take this, you bastard!... fucking bastard!...

J'avance. Lentement. Prends garde de pas marcher sur les globules. Elle me tourne le dos. Sa robe à fleurs retient difficilement sa masse de graisse. Elle joue au base-ball sur un gars étendu. Elle va maigrir vite si elle continue comme ça, dans cette chaleur. Avec le bâton d'aluminium, elle s'applique à broyer les jambes du gars. Craatch!... fraack!... tac!... krock!... La tête est déjà écrasée comme un melon, baigne dans le sang, la cervelle; c'est juteux à souhait.

— So you wanted my money?... my fucking money?... Well, take that, asshole! Eat it!...

Et elle poursuit son œuvre de destruction. Vlatch!... crac!... critch!... crounch!... sprak!... Elle est vraiment pas contente, l'affreuse. En calvaire. L'adrénaline trop forte. Sa peau, couleur tomate. Le gars tient encore dans une main un couteau de cuisine à manche de plastique Wiltshire Staysharp. Pauvre imbécile. Je contourne le comptoir. Je ne sais pas ce que je fais. L'instinct. La caisse est déjà ouverte. Je me sers. Pas de problème. Ramasse cinq billets de vingt au sol, le fusil toujours pointé vers l'autre. Je vois pas de caméra.

— What are you gonna do now?... Cry to your parents?... It's too late now, motherfucker!... fucking too late!...

Yeah right... *and in God you are trusting*. Pas besoin d'équipement de surveillance ni de chiens méchants à Hardwick. Ils s'occupent personnellement de leurs maux quotidiens. La vache. J'en reviens pas. Je pars, madame. Je pars et j'ai votre money dans la poche. Plus de deux cents dollars au moins. Je la regarde encore de longues secondes travailler sur sa purée. Rien à faire. Elle est bonne pour la psychiatrie. Le monde s'est effondré autour d'elle. Le Great Collapse of America... Le off total, suprême. Je m'en fouette.

«Sale cul!... Putain du Christ!... Chienne!... Bitch!... Dans le couvent des horreurs multiples!... Désintégration virtuelle!... Moi je suis bien réel!... Ça ne fait rien!... Toi tu es mouillée comme le vagin de la Joconde!... Avec la bouche en forme d'anus illusoire!... Jusqu'au lendemain!... Éjacule ce que tu es, miss!... La tombe!... La bombe!... Ça ne me fait plus rien tout ça!... Je suis à l'épreuve de tout!... Du temps!... des angoisses!... de l'amour!... Nora!... Nora!... Viens à moi!... Je te tiendrai dans mes bras ma belle chenille!... sous le crépuscule moisi!...»

Avant de partir, je m'empare d'une carte d'affaires de l'endroit, pour me rappeler. *Molly's Drugstore*. Le chaos nous a devancés, mes chers. Le diable n'est pas en nous. Sors, mon gars. La voie est libre. La vie est laide. Tu as les mains propres. Pour une fois. Comme à ta naissance. Presque.

J'ouvre la porte de la voiture et me lance sur le banc arrière.

— Vite! On roule!

Justin n'attendait que cela. Il n'ose rien dire, on est dans un cauchemar, c'est pas réel, il tourne la clef de contact, fait démarrer le moteur, son pied écrase l'accélérateur, les maisons sinistres sont bientôt loin derrière nous.

— Et puis!... et puis!...

Nora ne cesse de me demander comment ça s'est déroulé. Les ceintures de sécurité pendent sur les côtés, inutiles. Il n'y a aucune vie à préserver ici-bas... Ça change!... Ça se transforme!... Plus tard!

No man's land paradise... Plus tard.

Honda! Honda! qui est le plus beau dans tes miroirs?

Sûrement pas toi! espèce de loser! de drop-out!...

Honda... Honda!... où es-tu?...

Je suis cachée dans des branchages! à l'orée d'un bois!... sur le bord de la 14 allant à Woodbury!...

Que fais-tu là?...

Demande ça à mon fou de conducteur!... c'est à peine si on peut distinguer ma carrosserie grise dans cette verdure assoiffée!... et pourquoi pisses-tu donc sur moi?... Il manque pas d'arbres dans les environs!... maudit zéro!... et arrête de te contempler dans mes rétroviseurs!... t'es pire qu'un polluant!... et en plus ces bêtes qui copulent en moi!... ça m'énerve!... leur odeur m'agace le similicuir!...

J'achève ma bière, la lance vers l'obscurité de cette végétation plus vieille que moi. La voiture brasse. J'entends Nora. Ses gémissements me cassent le cœur. Justin fait du zèle. Le coffre est rempli de bière tiède. Je me fous de tout. Je suis revenu en moi. L'univers intelligible a redécouvert son homme sur une pente sans sommet, sans chute. Je m'allonge pour te retrouver, ciel minuscule, m'appartenant comme cette bouteille à mes lèvres. L'Enfer est en ce lieu malgré mon cœur qui me gèle l'âme... et les membres, les veines. Je deviens ce que je suis réellement. Ma maudite fée Nora me mord l'esprit par son orgasme, ses dents sont des émeraudes emplies de cyanure. Je connais si bien tout cela. Ça me tue de respirer l'avenir pollué d'un si beau destin. Voilà un temps pour la mutilation. La vraie forêt est celle que je déchire par cette feuille entre mes doigts. Je suis revêtu de néant. Ma peau est un vêtement d'absence, je n'ai plus de mots, je me suis laissé envahir comme si de rien n'était. Je glisse avec le temps tel un crotale sec et ça me fait pas un pli.

Je reprends le fusil. Je vais dans le bois. Je veux m'y perdre. L'éclairage de ma lampe de poche faiblit. À chaque pas, je passe proche de recevoir une branche dans l'œil. Je marche dans un ruisseau... mes bottes ne sont plus très imperméables... de l'eau entre les orteils. Je bute contre une roche, m'y assois. De mon sac à dos je me sors une bière, la bois, vite. Quand notre amour est mort, on ne sait plus à quoi penser. J'écoute autour. De temps à autre, une voiture sur la route, plus loin.

À part ça, pas grand-chose... le bruit de mes gorgées, une chanson dans mon crâne. Je me demande s'ils vont finir par s'inquiéter, me chercher un peu partout, crier mon nom...

Non. La nuit avance, achève, le soleil va bientôt se lever. Avec mon stylo, j'écris Nora sur la paume de ma main gauche, sur le sparadrap. Ça fait mal. Je suppose avoir écrit correctement le nom, on ne sait pas trop dans cette obscurité et ma gueule dans le bois. Je rêve... Je rêve... Je récolte les quelques brindilles dispersées par le vent de l'orage qui arrive, dispersées par la foudre rouge dans mes yeux. J'imagine le monde extérieur et comprends que ça ne sert à rien de l'imaginer. Je meurs au fond de moi. Aucune thérapie ne peut m'aider, ni personne ni rien. J'appuie le fusil contre ma tête. Il est lourd, un peu froid... Ça change, ça se transforme à nouveau!...

Changement de scène... de lieu... de jour...

Nora qui entre dans une salle de bains en se tenant contre le mur. Quand elle appuie sur l'interrupteur, elle a la sensation que son front va fendre tellement la lumière est vive. Ah!... Ah!... Je vois tout. Témoin de tout. J'entends même ses moindres pensées. Écoutez. Du pathétique.

«Ce matin, Murielle, ne me demande pas de faire du ménage ou d'aller chercher du pain et du lait au dépanneur parce que j'ai la tête au-dessus de la toilette et je crois que je vais mourir tellement je suis malade comme une pauvre chienne!... Si quelqu'un téléphone pour moi, dis que je suis décidément décédée!... Si une personne vient me voir, cache-moi dans la garde-robe!... Je veux être certaine qu'aucun élément ne vienne gâcher ce merveilleux petit lendemain de brosse que je me tape!... Je t'en supplie! fais ça pour moi, chérie!... Ma belle bile jaune mousse dans l'eau!... à moins que ce soit un restant de pipi!... La chasse tire si mal! c'est la mauvaise saison des toilettes!...»

Ah!... Nora! Nora!... Elle reste quelques minutes les mains sur les cuisses, accroupie, à contempler d'un œil nébuleux ses rejets internes. Elle se lève, tente de combattre son étourdissement. Faut qu'elle prenne une douche, ça va lui faire du bien. Elle se déshabille, saute dans la baignoire. J'entends tout, je vous dis! Ses pensées!... Je lui viole l'âme, la chère!

«Surtout ne pas perdre l'équilibre sinon je me casse la gueule...»

L'eau chaude lui coule le long du corps, le jet est faible, le shampooing glisse difficilement des cheveux. Elle observe de haut son long corps maigre, les petits seins qui pointent, les côtes qui saillent... Irénée!... Irénée!... Allons! Obsédé voyeur... Elle a de belles jambes. Elle le pense.

«Aujourd'hui c'est encore dimanche... mais ça ne change rien... parce que je ferai rien... comme tous les jours... shit!...»

Le savon lui glisse entre les doigts, va se promener dans l'eau.

«Faudra enlever les cheveux du trou... beurk!...»

Elle se penche pour ramasser le savon.

«Shit!... faut que j'aille chier!... urgent!...»

Elle se sèche à moitié, se précipite sur la toilette, l'estomac lui brûle, ça gargouille... Et soudain une nausée violente qu'elle a, un eurk profond, abyssal, pas d'autre choix que de vomir entre ses cuisses. Ah! Le jet!... Y en a sur le plancher et sa douce peau. Elle pleure, elle trouve ça honteux, tout à fait dégueulasse.

«Si on me voyait!»

Elle veut disparaître. Puis, elle se nettoie un peu et se regarde dans la glace... ses cheveux blonds qui lui collent au visage; entre les mèches, ses yeux clairs qui scintillent. Elle a des poches sous les yeux. Mais c'est tout de même un beau brin de fille, pour vous informer, une belle petite blonde qui fait érecter les mâles. Ah!... Le vulgaire.

Elle se parle à voix haute. Encore. Elle est à enfermer.

«Regarde-toi plus attentivement, ma chère Nora... avec ton air de jeune vierge récalcitrante... ton étroite gueule fendante aux lèvres retroussées... tu pourrais faire une belle salope si tu le voulais!... Mais... je suis salope!... Mais non, voyons!... c'est ce que tu désires!... Je le veux! oui! oui!...»

Elle s'observe dans le miroir avec le regard d'un autre.

«D'Irénée, par exemple... Pour lui, je suis une belle salope!... oui!... mais ça ne compte pas!... l'idée qu'il se fait de moi ne vaut rien!... il ne comprend rien de moi!... il est trop... naïf!... trop prévisible!... Mais il me veut!... ça je sais!... Mais prends-en un autre! disons Justin!... Oui!... Oui!... Justin!... il est parfait, lui!... c'est un vrai homme, lui!... son jugement a du poids autant que ses muscles!... Regarde-toi encore mieux, Nora... imagine que c'est le grand Justin qui scrute ce reflet... qu'est-ce qu'il voit?... que perçoit-il de toi, Nora?... Une connasse!... Voilà!... C'est ça!... Je ne vaux rien pour lui! je ne suis qu'un être secondaire dans sa vie! qu'une sorte de vague fantôme qui rôde autour de lui!... à balayer du revers de la main!... Voilà! Voilà!... Que ça me rend triste!... c'est pas par hasard qu'il m'a laissée là! abandonnée là! qu'il a cassé!... shit!...»

Ah! Je rêve... Je rêve!... Ja! ja!... Mais tout ça, c'est pas du toc. C'est la réalité. Tout est vrai. Par mes songes, je ne fais que vous dévoiler la pure vérité. Véridique!... Ma rêverie d'après-midi a pris possession du réel. Le temps a passé. Tous les rêves se sont enchaînés. Comme la trame d'un film. Ça m'aide à tout vous décrire. Je suis avec les autres... Nora ici!... Vous verrez plus loin... Justin aussi!... Murielle... Dans leur tête que je peux me trouver. Tout voir, entendre, deviner, prévoir!... Tous préprogrammés qu'ils sont de toute façon, des pantins sous mes mains, ficelles au bout des doigts. Facile. Le Paradis!... Suffit de rêver.

On continue. Tenez!... Nora reprend une douche, constate que son corps ne prend pas beaucoup de temps à laver, sa main savonneuse qui exécute rapidement la tournée de sa chair, là, le dedans des cuisses, les mollets, on remonte, les fesses... oup! la craque des fesses, son sexe, soigneusement, avec une douceur experte. Arrête ton char, Irénée, tu t'excites pour rien.

Elle a un peu faim.

«Oui!... Une bonne toast! avec un bol de céréales!... Non!... je pourrai pas avaler une seule bouchée!...»

Elle s'essuie avec vigueur, la serviette jaune laisse des traces rouges sur sa peau sensible. Elle enfile un t-shirt blanc, qui lui descend jusqu'aux genoux; elle sort de la salle de bains, reste plantée au milieu du couloir.

«Oublie les gars, imagine que c'est Murielle qui te regarde, te juge, pense : est-ce que Nora est une salope ou une sainte?»

Nora réfléchit. La Murielle dans Nora réfléchit. Les deux filles se reflètent.

«Elle est jalouse de moi parce que je suis pas timide!... Je peux me pêcher un gars comme je veux!... mais pas elle! parce qu'elle a une certaine retenue... son honneur ou sa vertu... je ne sais pas trop... mais quelque chose qui lui tient à cœur!... Ah! Quelle conne! Elle est bien mieux foutue que moi! roulée comme une déesse! avec sa longue chevelure brune! sa peau caramel!... Elle et ses complexes! qu'elle aille se faire mettre!»

Elle se donne un coup sur le front.

«Bon! bon! d'accord! au quai!... Murielle, c'est ma belle!... ma sage amazone! et moi je suis son amie écervelée! sa sale coloc!... Un jour, j'aurai son corps... il sera mien...»

Elle va dans le salon, constate le bordel. C'est une forêt de bouteilles de bière vides, de cendriers pleins à ras bord, de cassettes jonchant le sol. Elle cherche les corps morts, la viande humaine imbibée d'alcool et ronflante sur le divan ou par terre, n'importe où... Mais il n'y a personne.

«Tous les invités ont quitté les lieux avant que le soleil se montre, aucun gars n'est venu me caresser dans mon lit alors que je divaguais, que je dévoilais à nouveau les vieilles rengaines de mon malheur... Ah! Lésion! C'est quoi qui s'est passé hier soir?... On était une bonne vingtaine... ah oui! c'était ma fête!... J'ai vingt et un ans maintenant!... Majeure et euthanasiée!... Je n'ai plus de comptes à rendre à présent! je suis une femme! j'ai cette vie devant moi! j'ai mal au crâne et j'emmerde l'univers!... En tout cas... pas question de ramasser l'appartement pour le moment... Oh là là!...»

Elle met de l'eau sur le feu pour son premier café instantané.

«Murielle! qu'elle crie... prends-tu un café avec moi?»

Pas de réponse.

Elle marche jusqu'à la chambre de sa colocataire et ouvre la porte. Le lit est défait, vide.

«Murielle travaillait ce matin?... On ne travaille pas le dimanche!... pauvre elle! c'est son boss! il a dû appeler pour qu'elle remplace une autre employée... pauvre elle!...»

De retour à la cuisine, Nora s'installe devant la table et sirote sa tasse fumante. Elle voit l'horloge au mur. Il est presque midi. Dehors le ciel est gris et des oiseaux volent entre les arbres dans la cour arrière.

«Je ne sais même pas de quelle espèce ils sont, ces moineaux-là!... ça pourrait être des souris avec des ailes que je ne verrais pas la différence à cette distance!... Par contre... là... je vois un écureuil... sur un fil électrique... il a plein de poils gris et blancs avec une grosse queue... il fait son bonhomme de chemin habilement... c'est un écureuil... j'en suis certaine... un écureuil funambule et je suis probablement la seule personne au monde à voir à l'instant présent cet écureuil!... Il est à moi!... Je ne le touche pas mais je le possède et le jour où je mourrai je me souviendrai de lui parce que c'est mon secret!... je serai sur mon lit de mourante et je dirai à un parent ou un ami proche : quand j'étais jeune, j'ai vu un écureuil funambule!... Non! Je garderai cette image pour moi seule!... Quand mon organisme s'éteindra, mon souvenir s'envolera comme un téléviseur qu'on ferme!... Cependant, tous les écureuils sont funambules!... c'est un souvenir stupide!... je ne veux pas mourir avec celui-là!... je ne possède plus l'écureuil!... il appartient à tous les humains!... Je comprends maintenant pourquoi je me suis jamais intéressée aux oiseaux! ou aux écureuils!... ils sont trop banals! ils font partie du décor! comme les arbres ou les autres animaux en liberté!... ils peuvent être possédés par tous!... et c'est ça qui ne fait pas mon affaire!... Il me faut une existence juste pour moi!... Faisons un inventaire... Je possède mes parents, je possède Irénée, c'est-à-dire que je peux si je le veux le mener par le bout du nez, ou plutôt de la queue... je possède... le livreur de pizzas, ça c'est sûr!... Ah! ce n'est vraiment pas assez!... Justin, je veux bien mais c'est impossible!... Murielle?... Peut-être?... Avec un peu de patience?...»

Nora, ses yeux tombent sur une jeune fille qui regarde elle aussi l'écureuil. Une pas plus de six, sept ans assise sur son vélo rose. Nora veut tuer l'animal, avec une flèche ou une roche ou n'importe quoi. L'enfant comprendrait alors qu'elle n'avait pas le droit de regarder l'écureuil, qu'il appartenait à Nora seulement.

«Il sera à moi si je le tue... Tuer, c'est comme prendre possession... c'est un corps qui te revient de droit... t'as fait l'effort pour...»

22.

Nora joue avec un élastique qui traînait sur la table... elle chante, tout bas...

Ils étaient quatre...
Qui voulaient se battre...
Contre trois...
Qui ne voulaient pas!...

Elle se lève, ouvre la fenêtre. L'air est agréable, les oiseaux font des bruits d'oiseaux. Elle prend un couteau sale dans l'évier, le cache derrière son dos.

«Je veux posséder cette petite fille! brune! avec sa robe à fleurs!...»

Elle se montre.

— Hé!... toi là!... Oui toi!... la petite sur le bicycle!... Regarde ici!... regarde-moi!...

L'enfant se tourne vers Nora.

— Viens dans la cour!... Come on!... j'ai un cadeau pour toi! des... des biscuits que j'ai préparés moi-même! ils sont super bons! tu vas voir!...

La fillette descend de son vélo, s'approche de la clôture.

— Je peux pas! je dois aller dîner! mon papa m'attend!...

Nora touche la lame du bout des doigts.

«Je la veux! je l'emmènerai dans ma chambre! je ferai ce que je veux avec elle!... Elle sera ma poupée à démembrer!... Elle est prudente... c'est normal... on leur a bourré le crâne de tous les dangers qui les guettent...»

— D'accord!... mais tu pourrais emporter mes biscuits! et les manger pour dessert! han?... tu pourrais en faire cadeau à ton papa! il serait content! hein?... viens chez moi! t'as pas à avoir peur! je vais pas te manger!... au quai?... la porte de la clôture est pas barrée!... t'habites où?...

Nora ouvre la porte près de la fenêtre, sort un bras, lui fait signe de venir. Elle dépose le couteau sur le comptoir. Finalement, elle se décide, la fillette. Elle entre dans la cour, ses sandales s'enfoncent dans l'herbe haute, humide.

— Bon je veux bien mais faut que je me grouille! mon père il reste dans la rue Lanaudière et en plus j'ai mal aux jambes!...

Elle contourne le jardin, elle évite les étrons du chien d'en haut, elle approche.

«Elle n'est plus qu'à deux mètres de moi!... je vais l'avoir!... c'est excellent! parfaitement mirobolant!...»

— Allez! viens! entre!

La fillette met un pied puis deux puis plein d'autres dans la cuisine.

«Elle est comme moi!... elle n'a pas froid aux yeux!... avec ce regard... si elle voulait... elle pourrait me défier! m'envoyer promener!...»

— C'est quoi ton nom?

— Zoé...

— Pourquoi?

— Hein?... Pourquoi que mon nom c'est Zoé?... Mais parce que!... C'est mes parents qui l'ont choisi!... tu l'aimes pas mon nom?!...

Nora s'approche de la table, prend les trois biscuits qui restent dans le sac de Fudgee-O. L'enfant observe minutieusement la cuisine et le salon d'un air dégoûté.

— Y a vraiment trop d'affaires qui traînent ici!... on dirait que t'as pas fait de ménage depuis des semaines et des semaines!... Et puis ça sent drôle!... Toi c'est quoi ton nom?...

— Moi c'est Nora!...

— Nora quoi?...

— Naurapas... Nora Naurapas!

— Mais ça, c'est pas un vrai nom!

— Pourtant oui!... Victime de mes parents! moi aussi!... Mais je suis chanceuse!... ça aurait pu être pire!... imagine!... Gwendoline Pépipétos!... Neufalette Semiringuette!... Pas d'allure!... Y en a!... Je te dis!... Des fois!... Des pas gâtés de la désignation!... Les rejetons des hippies! le L.S.D.!... Gelés raides!... Les complètement hallucinés!... Ah ils y passent certains! certaines...

Zoé rigole un peu. Nora lui tend les biscuits.

— C'est pas des biscuits que tu as faits!

— Non! non! tu as raison! excuse-moi!... c'est parce que je suis pauvre! et c'est le seul cadeau que je puisse te faire!... Les veux-tu quand même? Zoé?...

— Bon, au quai, mais là je dois partir vite!...

Elle prend les biscuits, se dirige vers la porte. Nora se place devant elle, regarde le couteau, lui dit :

— Qu'est-ce qu'on dit?...

— Merci...

Elle se faufile jusqu'à la porte. Nora la saisit, quasiment brusquement, par les épaules, lui donne un baiser sur le front. Elles se regardent.

«Quand j'étais petite, j'étais comme elle... Elle m'a remplacée... elle m'a volé la place...»

— Allez, va!

Zoé sort dehors, traverse la cour, se dandine vers son vélo. Nora prend le couteau et le plante dans le panier à fruits. Le jus d'une orange lui gicle sur les doigts.

«Je te possède!...»

24.

Nora se verse un deuxième café, s'allume une cigarette. La porte est restée ouverte. Une brise fraîche qui lui donne la chair de poule. Le téléphone sonne. Elle ne répond pas, regarde l'afficheur, *Restaurant Misto*. C'est Murielle. Elle ne veut pas lui parler.

«On fait quoi aujourd'hui?...»

Elle réfléchit.

«On se teint les cheveux en rouge! en écarlate! vif!...»

Elle retourne dans sa chambre, fouille dans la pile de vêtements qui débordent de ses tiroirs, se décide pour la robe noire et ses bottes d'armée.

«Un peu de rouge à lèvres, de mascara et ça va!... je peux me contempler dans un miroir sans me décourager... Fabienne s'occupera de mes cheveux mais elle m'avancera pas d'argent pour le produit... je lui en dois déjà pas mal... Où trouver quelques dollars?... Pas question de rapporter les bouteilles!... j'aurais l'air alcoolique!... et l'odeur m'écœure!...»

Au salon, elle prend quelques disques compacts qu'elle ne désire plus entendre, les fourre dans son sac.

«Je vais me faire au moins vingt piastres avec ça...»

Avant de sortir, elle se regarde une dernière fois dans le miroir de l'entrée.

«À la lumière du jour, on voit mieux les défauts de ma peau!... saletés de poches!...»

Elle sort, ferme la porte à clef derrière. Le vent plaque la robe contre les jambes. Des mèches de cheveux lui fouettent le visage. Elle se fait un chignon et monte jusqu'à l'avenue du Mont-Royal. *L'Échange* n'est pas très loin. Elle ne peut s'empêcher de scruter régulièrement son reflet dans les vitrines des commerces, étudier sa démarche, s'envoyer un regard farouche, s'imaginer mannequin. Elle se fait accroire qu'elle s'intéresse à une confiserie, un livre, une revue, une paire de souliers, un morceau de linge... mais irrémédiablement son attention revient toujours à son reflet. Parfois elle croise des beaux gars aux cheveux longs, son genre, fait semblant de ne pas les voir, sent leurs yeux brûlants fixés sur ses formes, sur son visage. Ça lui est agréable. Elle ne les regarde pas plus d'une seconde, ne se retourne pas quand ils ont passé à côté d'elle, car elle sait que souvent il y en a qui le font, se retourner. Nora de face, Nora de côté, Nora de derrière, et la vision s'estompe, déjà leur intérêt se pose sur une autre passante.

Elle rencontre une amie, Coraline, qu'elle connaît comme ci comme ça, lui dit un salut discret, sans engager de conversation.

«Une autre des amours avortées d'Irénée!...»

Quand on marche rue Mont-Royal, on croise presque toujours un visage familier, c'est inévitable. Elle reçoit une goutte d'eau sur son épaule nue. Il va pleuvoir.

«J'aurais dû mettre mon jacket!...»

Elle s'arrête un moment devant le *Misto,* cherche Murielle dans les profondeurs, dans l'obscurité de la salle; ne la voit pas.

«Elle doit être en break...»

Cinq punks jasent sur le trottoir devant *L'Échange.* Des jeunes, des ados. Ils rient, innocemment.

«Ils ne savent pas!... Ils ont de l'espoir en eux!... Ils habitent chez leurs parents!... Le ciel ne s'est pas encore écroulé sur leur vie!... Chanceux bébés gâtés!...»

Nora passe au milieu du groupe comme s'ils n'existaient pas, entre dans le magasin, va jusqu'au fond, à droite. Y a une chanson de Jean Leloup qui joue. Elle attend devant le comptoir. Un employé vient vers elle.

— Bonjour! j'ai des CD à vendre!...

L'autre, il fait une moue faussement attristée.

— Je m'excuse... on achète pas le dimanche...

Nora est étonnée... et puis se souvient.

«Ah! c'est vrai!... Y a que le dimanche qu'ils prennent pas!... et je choisis ce jour-là pour venir!... merde! c'est frustrant!... j'ai marché pour rien!... j'ai l'air ridicule, là! avec mon sac au bout des bras!...»

Elle reste figée, les yeux dans le vide, la bouche ouverte.

«Il me prend pour une droguée! c'est certain!... fais comme si ça n'avait pas d'importance!... Tiens! je vais lui sourire...»

— J'avais complètement oublié! je suis pas trop réveillée ce matin!... euh... cet... aujourd'hui!... Bon! dans ce cas-là je vais plutôt m'acheter de la lecture! merci!...

L'employé ne dit rien et retourne vaquer à ses occupations.

«Nora!... Espèce d'épaisse!...»

Elle marche dans une allée, regarde les livres de poche, feuillette un polar au hasard, le remet en place, évite la file d'attente à la caisse, se sauve dehors. Consternation.

«J'ai encore oublié de prendre le *Voir!...* Tant pis!... y en a partout!... J'ai pas le goût de revenir à l'appartement!... Je la veux rouge ma chevelure! et elle va rester blonde!... Christ!... Quoi faire maintenant?... C'est l'absence totale d'un projet quelconque!... Je vais fermer les yeux et ne pas bouger!... Les gens ne vont quand même pas me rentrer dedans!... Quelque chose finira bien par arriver!... Retenir ma respiration aussi!... Trois secondes!... quatre secondes!... cinq! six!... sept!...»

Un homme s'arrête devant Nora.

— Vous allez bien, mademoiselle?...

Elle ouvre les yeux, se détend, voit un vieux monsieur à l'air intelligent se pencher sur elle, le genre inquiet et amusé. Il porte une barbe grise finement taillée, une chemise de soie blanche.

— Oui! oui! ça va! je pensais à quelque chose d'important!...

— Pensez pas trop fort!... vous allez faire peur au monde!

— Vous êtes prof?

— Cela transparaît si aisément?...

Elle rumine.

«Encore et toujours, ma chère Nora, les événements se suivent et se ressemblent!... Rien ne m'empêche de converser avec ce grand-père de bonne élocution... je suis sympathique! il semble gentil! c'est ce que je désirais de toute façon! qu'il arrive quelque chose!... Et voilà! ce monsieur, il m'a adressé la parole! c'est un gentleman! il se passionne pour les jeunes femmes!... causons quelques minutes sur le trottoir! comme si on se connaissait!... vous êtes libre? que je lui demanderais... il ne le serait pas réellement mais sa réponse indiquerait tout le contraire... allons prendre un café au *Second Cup*!... c'est fou comme on a des points en commun!... ou vous me rappelez une jeune dame que j'ai connue il y a longtemps!... Bla bla bla!... Fla fla fla!... Pas fameux comme résultat de jouer la schizo en crise!... Pas suffisant! Faut faire plus!... par exemple, me coucher dans la rue! lancer une roche dans une vitrine!... chanter le *Ô Canada* très fort!... Là! ça c'est du sérieux!...»

Elle lui envoie un clin d'œil qu'elle veut sexy et le quitte.

— Bonne journée, monsieur!...

Elle rit. Se fait aller les hanches. Se trémousse.

«Ah que je suis agace!... Ah que j'aime ça!... C'est mon territoire ici-bas!... je vaux cher! un prix exorbitant! personne ne peut se permettre de me mettre!... Menteuse! tu te fais des idées!... Je suis trop maigre!... Certains aiment ça!... Perdue!... Perdue! ah que je suis perdue!... Et pourquoi suis-je si triste?... Parce que t'as mal au cœur!... Je dois bouffer!...»

Nora pense au garde-manger presque vide de la cuisine.

«Il reste des pâtes!... dans le frigo j'ai vu un pot de sauce entamé!... Magnifique!...»

Un spasme la prend au ventre... l'idée de s'envoyer de la nourriture dans l'orifice buccal. La nausée tout à coup. Elle va entre deux voitures pour vomir. Rien ne sort. «On me regarde! on trouve que je fais pitié!... Misère humaine!... Pas d'endroit où me cacher!... Aucune échappatoire! aucune sortie de secours!... L'impression de rêver!... ce qui m'arrive n'est pas réel!... on ne peut pas me faire ça à moi!... Les témoins, les chiens, allez voir ailleurs!... allez!... circulez! circulez!... ce n'est qu'un incident! ça sert à rien de s'attarder!... laissez-moi crever en paix!... let me dive in my misery!...»

Elle prend sur elle, marche jusqu'à la rue Brébeuf.

«C'est chez moi! j'habite ici! mon corps est entretenu dans cet immeuble! depuis deux ans!... je mange là! je dors là! j'y ris! j'y pleure!... c'est simple! cette rue n'existe pas sans ma présence!... Si je veux, je peux y mettre le feu! m'arracher les yeux pour l'annihiler! penser à plein d'autres mots qui finissent par "eu"!... Mon crâne va éclater! ça n'a plus d'allure! faut que je trouve des aspirines!... Un jour, un gars m'a dit : "Toi, tu es une nihiliste!"... J'ai aimé ce mot! je lui ai répondu qu'il avait un peu raison! je me sentais flattée! ça me donnait un genre! une aura de mystère! une personnalité sévère, quoi! froide, quoi!... À ce moment-là, je me suis promis de ne plus jamais rire!... Oh là! Pas facile!... J'ai consulté le dictionnaire pour bien con-naître mon sujet... Nihilisme : Négation des valeurs intellectuelles et morales com-munes à un groupe social, refus de l'idéal collectif de ce groupe... Elle me plaisait pas, la définition! Trop vague!... "J'en ai rien à foutre!" collerait mieux, je crois!... Si je revois le gars, je lui dirai : Hé, je suis pas une nihiliste ni une liste de définitions qu'on trouve dans un livre!... je suis juste une salope et toi un cave!... Ouch! La tête va me fendre en deux!... Réagis, Nora! fais quelque chose!... À défaut de te rendre utile comme Murielle, occupe-toi au moins de ta migraine!... Bon! tiens! je vais aller chez Fabienne... et Frantz!...»

Elle se dirige vers l'est. La pluie se met à tomber, raide. Sa robe qui lui colle à la peau, pesante, l'eau qui lui coule sur les cheveux, le visage, au bout du nez... les grosses gouttes des corniches lui cognant sur le crâne. Son sac s'imbibe.

«Merde! Catastrophe! Outrage!... mes cigarettes!...»

Des hommes la dévisagent encore plus intensément. Elle court. En elle la saveur de la panique, le désarroi.

«Me faire frapper par une voiture!... la scène serait parfaite!... avec le sac qui s'ouvre! les CD qui volent partout autour de moi écrasée sur l'asphalte! la bouche en sang! commotion cérébrale! mes beaux bras qui tremblent!... Ça pourrait aller! je croirais être à peine blessée! plus de peur que de mal! sous le choc! la pluie toujours sur moi! me battant! qui lave le sang au fur et à mesure qu'il gicle!... puis un at-troupement de badauds! l'eau mauvaise dans laquelle je baigne! riante à côté des rigoles!... un homme qui mettrait la main sur mes cheveux! qui crierait : "Ne la bougez surtout pas et laissez-lui de l'espace s'il vous plaît l'ambulance va bientôt arriver!..." Et il me regarderait tendrement! dans le fond des yeux! tout gentillesse! compassion! et là je mourrais!... couic! adios!... Ah! Ah!... Je cours! je cours! la pluie tombe! ma culotte est trempe! je suis une sale romantique! rien de tout ça ne se produira! je serai vieille et je n'aurai pas le choix d'avouer que j'ai eu une vie heureuse! que j'en remercie le bon Dieu!... shit!»

Nora continue de courir. Quand elle passe sur un feu rouge, elle surveille comme il le faut, comme on lui a montré à l'école, si une voiture s'en vient. Des piétons rasent les murs, les épaules basses. Nora ouvre les bras, tente de boire la pluie, d'avaler le ciel, de posséder la rue... crache l'eau.

«Je suis tout à fait consciente!... ils me croient dérangée!... ça ne fait pas mal un orage! ça me purifie! mes larmes sont invisibles dans tout ce déversement de liquide!... camouflées! dissimulées!...»

Elle arrive à l'immeuble où habitent Fabienne et Frantz, rue Fabre. Elle sonne, attend.

«Je parie qu'ils sont même pas là!...»

Elle sonne de nouveau.

«Je vais partir, je perds mon temps! ils magasinent leurs petits trucs! ils font de la paranoïa! ils dorment! ils baisent! ils font une tonne de choses mais ils ne peuvent me répondre!... j'ai besoin d'eux!... et moi qui ne voulais voir personne aujourd'hui!... y a pas de vérité! y a que du mensonge! je ne peux me faire confiance! ni à personne!... je voulais cacher que j'étais malade! maintenant je me montre à tout le quartier! je fais ma belle! ma laide! je joue du mélo!... faudrait qu'on pleure sur mon sort!... Ah! Le voilà! Frantz!...»

De l'autre côté de la porte vitrée, son ami descend l'escalier et lui sourit. Tout joyeux, qu'il paraît. Ses yeux brillent... sourire en coin, comme s'il venait de lancer une bonne plaisanterie.

«Ça doit être moi qui le mets dans cet état-là!... Il se paye la gueule que je lui fais!...»

Frantz lui ouvre la porte.

— Hé Nora! Aurore boréale! Belle en ce jour!... Martyre mouillée!... Humide Athéna!...

Il la laisse entrer. Elle dégoutte sur les carreaux, n'ose pas le regarder en face... la honte de sa beauté ravagée lui pèse.

— Frantz! ça va pas trop bien!... je veux pas vous déranger mais j'ai vraiment mal à la tête!... j'ai pas d'aspirines! j'ai pas une cenne!...

— Viens! monte! t'as pris toute une douche pour venir! je te retournerai quand même pas de bord!... désolé si j'ai pris du temps mais c'est parce qu'on pensait que c'était le propriétaire! il nous lâche pas deux minutes, le lipome!...

— T'es sûr que je dérange pas?... J'aurais dû appeler avant mais j'y ai pas pensé! j'étais en train de me promener et puis...

— Suis-moi! Viens t'essuyer! Fabienne va te prêter des vêtements secs!...

29.

Ils montent l'escalier jusqu'au troisième étage, jusqu'à l'appartement 6. Sur la porte, un poster des Subhumans. En entrant, Nora voit courir vers elle au fond du couloir Barbie, la chienne bull-terrier.

— Ah non! Pas le monstre!

Elle entend Fabienne, au salon.

— Barbie!... Reste!... Ici!...

L'animal s'énerve autour de Nora, fourre son museau partout, ne sait plus où se placer, exige sa dose d'affection. Nora lui flatte le dos, lui donne quelques tapes sur les flancs.

— Votre chien... il est fou comme de la marde!...

— C'est pas un chien! qu'elle crie Fabienne, joyeusement... c'est une chienne!... Non, c'est un dinosaure!...

Frantz devine que l'invitée en a assez. Il ordonne à la bête d'aller se coucher dans son coin, avec un succès moyen. Nora aime bien l'appartement, elle trouve que ça fait très pop... des murs verts, bleus... des portes d'armoires orange dans la cuisine, la table de salon en vitre qu'elle désire depuis des lunes.

— Ouah! s'exclame Fabienne... t'es trempée jusqu'à la moelle!

— Une petite Cosette... dit Frantz, que j'ai ramassée dans une ruelle... veux-tu qu'on l'adopte?... j'ai eu un faible! ça m'a serré le cœur de la voir traîner, la pauvre!... Mais j'y pense! Nora! c'était ta fête hier!... Bonne fête en retard!...

Il l'embrasse sur les joues. Fabienne aussi, qui tient à s'expliquer.

— Excuse pour hier! qu'on soit pas venu, au party!... On filait pas pour voir du monde!...

— Bah... vous avez rien manqué!... c'était comme d'habitude!... Justin énervait!... Irénée voulait se battre avec le gars d'en haut!... il aimait pas notre musique, le voisin!... et Murielle!... malade!... le bordel habituel, quoi...

Elle observe Fabienne.

«Celle-là me bat d'aplomb sur la mode!... Toujours un look d'enfer!... Non mais regarde-moi ce short latex!... ces hautes bottes en cuir mauves!... ce chandail quasi transparent!... c'est la reine des vamps!... Je suis ridicule!... que ça m'écœure de m'habiller au *Village des valeurs* des fois!... habitante!...»

Frantz lui donne une serviette. Elle se sèche du mieux qu'elle peut. Le maquillage tache la serviette.

— C'est pas grave! dit Fabienne... Viens dans la chambre!... on va te dénicher quelque chose à te mettre!...

Elle ouvre la garde-robe, étale sur le lit une quantité incroyable de vêtements, une quinzaine de robes, jupes, cinq ou six jeans... une trentaine de chandails courts et longs... Tu désires un look années soixante? soixante-dix?... punk? grunge? go-

30.

thique?... cyber?... Tout est là! Tout!... Tu réinventes la mode fille. C'est là la caverne d'Ali Baba de la fringue. La fierté de Fabienne.

— Mets ce que tu veux!...

Nora enlève sa robe et l'accroche sur un cintre. Ses bottes sont un peu mouillées à l'intérieur.

— Mes sous-vêtements aussi, ils sont...

— Pas de problème!

Fabienne plonge les mains dans un tiroir.

— Prends ceux-là! C'est des Calvin Klein!...

Elle fait semblant de mettre de l'ordre dans ses affaires pendant que Nora se change... enfile une robe au hasard, blanche et longue. Elle se mire dans la grande glace fixée au mur.

— C'est décolleté pas mal...

— Ça te va bien! Un ange! Elle est à toi!...

— Sérieuse?...

— Pour ta fête!... Mon cadeau!... Je vais t'arranger la face... installe-toi sur le lit!...

Elle sort sa trousse, maquille Nora. Elle a le doigté.

— Coudonc! T'as passé la nuit sur la corde à linge?... Le fer t'a repassé dessus?... T'as les yeux fripés!... Bouge pas!... Là!... Voilà!... Ça fera l'affaire!... J'ai sauvegardé ton charme!...

— Fabienne... j'ai un mal de bloc épouvantable...

— Ah oui!... Frantz! (hurlant) va me chercher les aspirines dans la pharmacie!...

— Ouch!...

— Pardon!... Il bouge pas si je suis trop gentille avec!... Bon!... tu veux de quoi à boire?...

— D'accord, juste un verre d'eau... je me sens déshydratée...

— Hier j'ai fait un gâteau au chocolat! t'en veux un morceau?

— Non merci... Vous faites quoi cet après-midi?...

— Rien!

— Moi non plus...

— Si! tu viens nous rendre visite! je t'ai pas vue depuis deux semaines!... Ça va, la vie?...

— Et toi?... ça va, la mort?... Le beau petit couple! la bulle parfaitement agréable!... on croit voler sur des nuages!... c'est propre! pas une assiette sale qui traîne! le sourire fendu jusqu'aux lobes! un soleil éternel qui plombe sur vos fronts!... ah c'est le gros fun noir! ah la magie de l'héro dans vos cerveaux!...

— Voyons Nora! C'est quelle mouche qui t'a piquée?...

— Sûrement pas la même que toi!...

Elles restent silencieuses un instant, se donnent l'air de réfléchir.

— Ah never mind! Excuse-moi! C'est la fatigue! La douleur! Le reste!... Au fond, je vous comprends!... le smack ou autre chose, peu importe! faut se trouver une substance! être plus léger!... j'en aurais fait autant si l'occasion s'était présentée!... Je vous aime comme vous êtes! gelés ou pas! sur le top ou pas!... sur le hi ou le low!...

Frantz revient avec deux pilules et un verre d'eau.

— Merci...

Il l'invite à venir s'asseoir dans le salon. Elle accepte; il se plante devant le téléviseur.

— Pas de commentaires!... Oui je sais!... encore sur mon jeu de fous!... mais ça m'empêche pas de pouvoir te parler!... Fabienne!... Barbie a bouffé un de tes livres!... Quoi de neuf, Nora?... t'aurais pas rencontré un gars dernièrement?... on te voit plus souvent ces temps-ci!... Hostie!... j'ai failli me faire avoir par le zombie! il était juste derrière le coin!... tiens!... prends ça, mon salaud! tiens!... bang! en pleine face!...

Sur l'écran, une policière tire au fusil et fait éclater la tête d'un mort-vivant. La créature tombe sur le tapis, le sang forme une zone d'ombre, qui s'étend... la flic continue son chemin dans un couloir du Manoir de la Terreur... la place grouille de zombies, de crapauds sur deux pattes, d'indices qu'il faut découvrir pour tirer sa révérence. Elle a déjà tenté d'y jouer une fois, Nora, mais il n'y avait rien à comprendre à cette foutue manette de commande... elle s'est fait grignoter par le premier monstre venu. Par contre, ça l'amuse, les prouesses de Frantz. Il a terminé le jeu une dizaine de fois. Il n'en est pas encore lassé. C'est un dur, un captivé du tridimensionnel. Ah! les graphiques... que c'est beau, on croirait s'y trouver!

— T'avais pas été porter ton Playstation au pawnshop?...

— Oui... Je l'ai repris mardi dernier!... Je m'étais ennuyé de mon bébé!...

Fabienne, qui ne peut s'empêcher de bouger deux secondes, qui marche de long en large dans l'appartement, déplace des objets, chicane la chienne pour le livre endommagé, se trouve mille et une occupations anodines, vient finalement s'interposer entre Frantz et l'écran.

— Et c'est moi qui écope!... Il passe ses journées sur son *Résident mauvais* ou je sais pas quoi! et quand Justin ou Rudy viennent jouer, ils y passent même les nuits!... Et moi je suis là! je reste là! dans le lit! à me retourner d'un bord! de l'autre!... même que dans mes rêves j'entends les gémissements des macchabées! les détonations des fusils! des bazookas! tous les machins! gadgets!... anyway!... si c'est pas lui qui vire fou, ça va être moi qui va griller! puis l'étrangler pendant son sommeil!... Aaaah!...

Elle décoche un sourire en coin à Nora.

— Fabienne... qu'il dit l'autre, distraitement... tu me caches l'écran!...

— Décide!... c'est moi ou ton Sony!...

—Y a des locations gratuites avec?... Dans ce cas, mon cœur penche pour mon bébé!... lui il parle pas tout le temps, alors...

— Je vais te déchiqueter dans le blender!... te donnerai comme nourriture à Barbie!... et je suis même pas certaine qu'elle pourra te digérer! Ah!...

Et ainsi de suite pendant une demi-heure. Nora est habituée à ces fausses scènes de ménage. Ils jouent la comédie. C'est une façon pour eux de passer le temps, de se dire qu'ils s'aiment. Du spectacle. Les amis en ont pour leur argent. Les vraies disputes, les graves, elles se font en privé. Ils ont un langage spécial pour ça. Des fois, Nora se demande s'ils viennent d'une autre planète. «Ah! C'est des renards! Impossible de les apprivoiser...»

L'après-midi s'écoule. Frantz termine sa partie en désintégrant le zombie-cyborg du dernier tableau. Ils regardent une vieille série au Canal D. Nora peine à conserver son attention sur le téléviseur. Ses yeux bleus larmoyants glissent sur le plafond, une chaise, la table, la chaîne stéréo, les laminés, la fenêtre, Barbie qui dort, le cendrier... mais elle ne voit rien, ne possède rien, sauf peut-être sa douce respiration. Fabienne fume une cigarette avec élégance, comme l'actrice à la télé. Frantz... Nora... complètement avachis au fond du divan, de la brume dans les yeux. Nora pense qu'enfin elle ne pense à rien. La pluie tombe sur les gens dans la rue. Son ventre gargouille. C'est dimanche, et ça ne fait aucune différence.

4. LA VIE COMME UNE VIVISECTION

MANAGUA (d'après Reuters)

Un unijambiste a été écrasé à plusieurs reprises par des voitures dans le centre de Managua et est resté huit heures sur la chaussée sans que personne ne vienne à son secours. L'homme a été accidenté une première fois samedi vers 22 h, heure locale, mais n'a été secouru que le matin vers 6 h. Hospitalisée, la victime a perdu la seule jambe qu'il lui restait.

Je dépose le journal sur la table.

Ce n'est pas pour me prendre pour un autre mais qu'est-ce que j'ai à me plaindre?... Pauvre unijambiste!

Je consulte ma montre. Deux heures de l'après-midi. Justin n'est pas encore levé. Je nettoie la table, le comptoir, range un peu de vaisselle, m'étire la colonne. Ah! le dos! il me fait mal! Je peux rien y faire, c'est génétique il paraît. La journée me pèse déjà... Je me croyais immunisé contre ces moments de vide complet, ces instants où rien n'arrive, la sensation de mon corps en apesanteur. Je m'installe dans le salon et monte le volume de la musique. Il est assez tard, je me sens pas coupable de réveiller Justin. Pendant une heure, je reste allongé sur le divan à contempler une affiche, la gueule de Boris Vian, plus vivante que la mienne. Après une certaine période d'immobilisation, je ne vois plus que l'illustration, tout le contour devient noir, la musique me semble tangible... des formes mouvantes dans la pièce, les notes volent comme des chauves-souris, elles peuvent même me toucher. Le sommeil se repointe. Faut m'activer un peu. Je me ferai pas avoir. Je connais trop bien ce genre de journée. C'est fatal. Jamais plus je me laisserai prendre par la déprime. Je suis prêt à me battre pour cela. À courir à l'autre bout de la ville. Manger une deuxième, une troisième portion de spaghettis. Déranger tout l'immeuble en mettant le volume au maximum. Je veux rien savoir de ce dimanche. Jésus peut aller se faire tuer une autre fois sur une chaise électrique. On l'a assez attendu... Je m'agite, je me secoue la tête, crispe les muscles. Avec effort, je réussis à me décoller du divan. Agis. Ne reste pas ici. Sors du salon. Va dans l'entrée. Ouvre la porte. Jette-toi du deuxième étage. Casse-toi une jambe. Et une côte... Râle! Insulte le voisin qui vient à toi. Crache-lui au visage. Fais pitié.

Retour à la cuisine. Une autre tasse de thé. Je regarde la pluie. Non... C'est ces milliers de gouttes, ces milliards de petits yeux humides qui me regardent, moi qui suis ici, mais pas réellement. Ma main prend la tasse, ma bouche boit le thé, mon cerveau s'éveille lentement... mais ma pensée, elle, est en bas. Elle agonise. Elle tend ses tentacules vers le trottoir pour saisir les gens qui passent, qui me voient pas... les tentacules de ma pensée gonflent. Ils baignent dans l'eau. Paroles perdues dans la noirceur et le silence de l'inexistence. Mon corps, ma viande, dans la cuisine d'un appartement... rue de Bordeaux... côté ouest... entre Gilford et Mont-Royal. Une prison. Mon corps est une illusion, un ensemble virtuel, la vision d'une désillusion. Ah! Ça rime... Mon cadavre, invisible... Une pieuvre sans substance, sans odeur; mais tous les gens que je côtoie perçoivent sur eux les ventouses d'un tentacule... qui les frôle... subrepticement. Je regarde dehors. Il pleut. Montréal est un aquarium géant.

Je pense à Nora.

Nora veut penser à ses cheveux mais elle pense à Justin.

Justin, dans son demi-sommeil, rêve qu'il joue une partie d'échecs avec Murielle.

Murielle pense à renverser un plat sur un client chiant.

Ne pense pas à Nora, Irénée. Termine ton thé, rince la tasse, mets tes souliers, va faire un tour. Pour rien.

J'enfile une chemise, sors sur le balcon. L'orage est moins intense. De l'autre côté de la rue: trois téméraires; deux femmes, un homme. Ils s'occupent de leurs plants de légumes dans le jardin public. Je descends une marche, remarque pour la première fois que la peinture de l'escalier est fortement écaillée. Je ne fais jamais attention à ces choses-là... les fissures dans les murs, les robinets qui coulent. Je descends une autre marche, dont la peinture est également usée, enlevée, craquelée... elles sont toutes à repeindre. Rendu à la troisième marche, je me dis qu'il faut être pas mal stupide pour prendre autant de temps à descendre un escalier. Comme un vieillard. De vingt-quatre ans. Qu'on a oublié d'enterrer, de mettre dans la fosse... un ver de terre sectionné en deux parties, qui continue à vivre. Ah la vie!... Laboratoire. J'en suis le rat... le vivisecté... Marcher lentement sur le trottoir. Mes jambes... elles ne font qu'imiter le mouvement de la marche. C'est le trottoir qui bouge, sous moi. Si je tombe, c'est le trottoir qu'il faudra tenir responsable des blessures subies. Je ne suis que victime.

Je me dirige vers le dépanneur, ouvre la porte, achète une bière. Pas le choix. C'était inévitable. Faut me punir d'avoir trop bu la veille. Ça t'apprendra! Tu veux boire? Alors bois! Envoye-toi-z-en! le plus de liquide! au possible! dans le ventre!... go! go!... Dépense l'argent qui te reste. Comble le vide de cette journée. Invite les amis. Reprends le party... Ah! elle est trop puissante la nostalgie. Mein Gott! Impossible! Le téléphone!... coupé!... pas moyen de joindre personne. Une chance que les cabines publiques, ça existe. Je sais... mais une excuse, il m'en faut une pour me faire croire que je ne peux voir personne... la dèche! désolé, amis! compagnons! téléspectateurs!... Peux pas vous parler aujourd'hui. Le téléphone... coupé! sectionné! éventré!... Ah moi alors!... N'importe quoi.

36.

J'ouvre la bouteille. Une Wildcat. La vide de son contenu dans une bouche d'é-gout. Voilà. Je fais un homme de moi. On ne sera plus voyou. Fini tout ça. Je désire la lancer la bouteille, ah oui! vlaf!... fiuut!... dans le jardin! mais y a mieux à faire. Faut pas blesser quelqu'un. Et pense pas à Nora. Elle pense pas à toi, elle. Faut être quittes. Où irait le monde sinon? han? néant! boum!... folie! madness mistress!

Je prends une grande inspiration. Nettoyage de pensées, d'idées. Rue Mont-Royal je tourne à gauche, traverse De Lorimier. Les pompiers ne sont pas installés devant leur caserne à regarder les dames passer. C'est à cause du temps... ou peut-être qu'y a un feu, quelque part, qui sait, on s'en fouette. Ah! Arrêt à l'épicerie Métro. Remplissage de panier. Des trucs essentiels... du pain, du jus d'orange méga-pulpe, du beurre d'arachnides. J'attends là où la file d'attente est la plus longue. Juste pour voir de près la jolie caissière. Mais elle reste indifférente, la salope. Elle me prend pour un client comme les autres, ni beau ni laid. Pour la pulpeuse je ne suis que client, boulot... on est de la marchandise dans son shift. Pas plus intéres-sant que ce qui passe sur son lecteur codes-barres. Ah!... Quand j'ouvre mon porte-feuille, une poignée de monnaie qui était coincée tombe sur le comptoir, par terre, partout.

— Ah flûte! que je m'exclame, tout poli.

Je fourre dans mes poches quelques vingt-cinq cents, dix cents. Elle me dit qu'y en a encore sur le plancher, l'autruche. Je lui renvoie que c'est juste des noires et que c'est pas demain le jour que ça va me déranger d'en perdre. Elle n'ajoute rien d'autre. Nos âmes, si j'ose ainsi philosopher, sont froides comme de la crème glacée. Qu'elle les ramasse elle-même, les cennes noires.

Encore une fois, la porte automatique me surprend... magie!... La poignée du sac en plastique se tend, me lacère les doigts de la main droite, creuse la chair. Je me loue un film aujourd'hui? Est-ce que ça me tente de louer un film aujourd'hui? Est-ce que ça lui tente? Est-ce que ça nous tente?... Et lequel?... Wouaf! Non! non sir! Pas question! Pas aujourd'hui!... Je remonte de Bordeaux. C'est une belle rue. Y a un gars qui a eu l'idée de peindre la façade d'un immeuble en rose. Une tapette. Je reviens à l'appartement. Justin, il s'est pas encore levé. Il dort trop. C'est le som-meil facile comme lui que j'aimerais bien avoir. Le bon repos du guerrier. Mais je suis qu'un gaz nocif, qui flotte, sur le monde. Le vent m'aura un jour.

Je place les produits dans le frigo. Il a l'air moins vide maintenant. Tiens! le restant du chili de la semaine dernière. À un moment donné, faudra envisager de penser de peut-être le jeter. Sur la table, un recueil de poèmes d'Alain Grandbois. Les yeux fermés, je pointe un index sur une des pages au hasard. Ce sera mon ho-roscope pour ce jour. J'ouvre les yeux. Quatre vers juste sous mon doigt.

Rien n'est plus parfait que ton songe
Tu t'abîmes en toi et tu crées
Le paysage ultime de ta beauté

Tout le reste est mensonge.

Je ne pense pas à Nora. Je regarde la plante sur le bord de la fenêtre, suis surpris qu'elle vive encore. La verdure n'a jamais fait long feu chez moi. J'ai des trous de mémoire. J'ai perdu des bouts d'hier soir, chez Nora. Combien de bières j'ai bu?... Attends... On a commencé par une caisse de douze. Après, juste avant onze heures, trois boss de Black. Ensuite, tout devient flou. Des gens sont venus... le salon bondé, Murielle qui dégueulait... J'étais dans la chambre avec Nora. Elle me parlait de ses malheurs. Je tentais de la consoler mais je ne pensais qu'à la caresser. Ça a dû se passer. Elle m'a foutu en dehors de sa chambre. Ah! l'orgueil blessé!... Justin qui dévoilait les trente-six vérités de tout un chacun, s'en servait pour bitcher!... publiquement! ah! quel boute-en-train pour les camps de concentration. Un gars voulait lui casser la gueule. Moi je voulais casser celle du locataire d'en haut. Phoque! il m'aurait aplati vite fait, l'autre. J'ai été épais. Je leur ai montré aux filles l'homme que je suis. Ah!... on l'écœure pas l'Irénée Faiblengras!... danger! J'ai ça dans le sang, l'agressivité. Je passe mon temps à me faire violence. Supporter tout ça. Rager de jour en jour. Attendre. Suspendre toute forme d'activité rentable. Faire la taupe. Jouer des psychodrames. Détester. Ne pas dire son nom... Nora.

De peine et de misère, à la suite d'une escale de dernière minute au *Quai des Brumes*, on était rentré à l'appartement en marchant. Justin avait pleuré au souvenir de Corinne, son ex. Il ne s'en était pas encore remis. Je tentais de l'aider. Pas ma spécialité. Le retour à de Bordeaux m'avait semblé durer une éternité. Les lampadaires bougeaient, les chauffeurs de taxi gueulaient, des plus jeunes que nous quêtaient. Le temps s'était arrêté net. Nuit aux mille néons sans fin... Nous recouvrait d'une aile noire, en son sein étions sauvés, en sécurité. Absolument aucune forme de vie ne pouvait nous atteindre. Ah! le salut par la misère. Les lendemains ne valaient rien, les résolutions n'avaient pas de poids, la raison se faisait hara-kiri. La grande soif jusqu'au sommeil. Des vampires traversaient les corps des mortels, décidaient de s'y installer. L'espoir qui s'étouffait dans les yeux des autres comme un enfant mort-né. Ça n'avait plus d'allure, plus de bon sang. Trop!... Ah!... On se comprend.

Allons voir Murielle! Là! De suite! Immédiatement!

Que fait-elle là la Murielle?

Que trafique-t-elle la belle?

Ah! Oui! On la voit! Là!

Ah! Ah! Elle travaille!

Pauvre fille... Là. Elle tient les menus contre elle, ses collants descendent; ça l'agace, elle passe son temps à les remonter, avec discrétion.

Elle pense :

«Pourquoi elle n'a pas rentré Sophie ce matin? pourquoi le patron m'a appelée?... Je voulais rester couchée! dormir jusqu'à trois heures! profiter de mon dimanche!... Va falloir que je prenne une autre aspirine... je ne sais même pas à quelle heure je termine...»

Coup d'œil rapide sur l'horloge. Quinze heures. Elle décide de prendre son break. Elle se prépare un sandwich, ouvre son livre... «Face à un sujet reconnu schizophrène le problème qui se pose à nous est toujours le même : découvrir dans quelle mesure l'interaction entre la personne malade et d'autres personnes, passées ou présentes, peut nous rendre son comportement intelligible...»

Elle referme le livre, soupire.

«Et dire que ce soir je voulais aller au *Central*, prendre ça relax... rencontrer des gars, causer, idéaliser une relation qui pourrait durer plus de deux semaines... Ah! Utopie! Je vais sacrer!... Oui! Calice! oui ça y est! envoyer promener les clients!... Non! je me calme!... ah! c'est l'histoire d'une fille qui a viré une brosse la veille! qui se demande si elle pourra passer à travers sa journée!... Obtusion! Marasme! Ces voix : Murielle... tu n'étais qu'une petite fille!... mais tu es grande à présent!... faut que tu fasses ta vie!... tu n'as plus besoin de nous!... ton chemin est préparé! tu vas finir tes études! on a un peu payé pour! tu as vingt-deux ans! faut que tu t'arranges!... Piraterie!... Demain je vais demander un congé!... Faire du vélo sur la montagne, ça va être bien... le vent dans mes cheveux! mes cuisses qui forcent! mes yeux qui pleurent! les cons qui veulent me dépasser! qui réussissent pas! qui se frustrent! qui rushent!... Bouh!... Le break est terminé!... Retour dans la salle!... Bonjour!... Voici les menus!... Oui ça va!... Je ne suis pas pressée comme une orange!... Un café avec ça?... Hé! Va chier, sale con!... Je t'emmerde, toi et ta blonde!... J'en ai rien à foutre de tes sourires discrets! de la mine réservée de sale snob de ta dulcinée!... Ta blonde est grosse! moche! soupçon d'intelligence pas loin! pas plus! une écrivaine sûrement!... Tu me regardes!... Tu payes l'addition!... Tu pars!... Il faut que cette journée expire!... Je vais arracher le comptoir!... Bouffer les réserves de sauce piquante!... Devenir encore plus méchante!...»

Murielle court de table à table, d'assiettes à tasses, regarde l'état de ses cheveux dans un miroir, les cernes. Elle a une mine mauvaise elle avec... ses bas collants... les replacer... L'heure du souper passée, elle peut rentrer.

«Je vais imploser à l'extérieur, exploser à l'intérieur... la rue est trempée, le peuple presque absent... mon parapluie pour rien... le fermer... mon imperméable léger... bleu... revenir à l'appartement, me coucher... non, avant, regarder *Les Beaux Dimanches*... de la danse contemporaine...»

Elle marche dans une avenue que ses pieds ont empruntée un millier de fois.

«Je pense toujours à Lee, les trips de coke à quatre heures du matin... j'ai oublié ça... ça appartient au passé... je suis une fille correct là... boulot, dodo, vélo... je suis certaine que Nora n'est même pas éveillée... ses douze heures de sommeil sont nécessaires... elle se sent si moche sinon... je dois continuer à étudier pendant l'été, relire Jung... j'ai oublié des notions... que va-t-il penser, mon père, si je coule un cours?... je veux qu'il soit fier de sa fille... oh! et puis non! je m'en fous! je vois trop bien son bureau, les bouquins partout... le taxi pour mieux vivre, l'illusion de la presque réussite... maman qui s'amuse avec le chat... la vaisselle propre qu'on sort du lave-vaisselle... cet esprit que je ne réussis pas à maîtriser... qui se perd... la violence des émotions en moi... la ravaler... jusqu'à mon ventre... labourer mes ovaires... me tromper moi-même sous l'ère de nos jours sans fin... lendemain de brosse... le peigne pour me coiffer, la peine sur mon front... la guerre invisible des esprits... mon cerveau comme un champ de bataille... neurones... gaz... visage d'argile se mêlant aux murs... vitrines... qu'est-ce qui va changer ma vie? qui est mon amoureux? qui viendra me recueillir dans le gravier?... Ce que je fais doit être bon... T'aimes-tu? aimes-tu les autres? crois-tu qu'il y a une personne en ce monde qui se préoccupe de ce que tu viens de penser?... Marche, oublie... tout...»

Bon. C'est assez pour Murielle. Ça ne sert à rien de s'attarder trop longuement sur les petites serveuses frustrées. Y en a d'autres à aller voir. Tenez; allons visiter Justin. Il se passe un tas de choses intéressantes dans sa grosse caboche.

Il est dans sa chambre.

L'éveil ne lui est pas facile. La lumière trop frappante, la musique trop aliénante. Il se retourne sous la couverture, replace l'oreiller, se souvient d'un rêve dans lequel il voyait passer des tanks, des bergers allemands qui étaient à ses trousses...

«De la marde... À quoi bon me lever?... Fait chaud! ma peau colle sur le drap! j'ai soif! je boirais bien quatre ou cinq verres d'eau!... oh! oh! oh!... Lève-toi et marche! ordure!...»

Justin ouvre les yeux. Ses cheveux lui recouvrent le visage. Ça lui pique à une jambe. Il se gratte. Le pénible est de se remémorer ce qu'il avait à faire aujourd'hui.

«Des téléphones, je crois... Oui mais qui? quoi?...»

Va falloir qu'il se lève, l'épreuve!... qu'il prenne un café, qu'il mange, qu'il se lave, qu'il aille à une cabine téléphonique, pour appeler... des personnes... Ah! il se souvient! on lui doit de l'argent, sa sœur Alfréda, Rudy, Frantz, environ trois cents dollars au total.

«Les endettés... ils sont toujours de plus en plus endettés!...»

Il constate qu'il s'empêtre dans un état d'âme sans suivi, l'ami Justin. Sa journée est perdue, il ne sera pas capable de rien faire, il est trop magané du party... Il m'entend grouiller dans l'appartement.

Il a des pensées cochonnes.

«J'ai envie de baiser, là, maintenant... d'avoir une fille juste à côté de moi! de me l'enfiler raide là!... Les lendemains de beuverie, c'est trop à vif, c'est juste parfait, t'as une énergie sexuelle incontrôlable!... comme une libération de tous tes maux... sauf que tu pues de la gueule... Bon, je vais bientôt sortir de ce lit, je vais faire ce que j'ai à faire... aller rendre visite à Frantz pour l'argent... passer la soirée à jouer sur son Playstation... Et pour demain, on verra...»

Justin observe le ciel par la fenêtre de sa chambre. Il est encore gris, ça devient une manie. Il ne voit pas bien, est-ce que ça mouille? est-ce que ça tombe des clous? Il réussit à s'asseoir au bord du lit. Les dommages physiques ne sont pas si terribles, pas de mal de crâne, juste un peu étourdi. Il a vu pire.

«Réaliser ma routine sans signification... comme une fourmi... Continuer à recommencer les jours... comme si de rien n'était... dans mon semblant de vie... Vas-y mon Justin! t'es capable! t'en as!... Ah! Corinne! Je te reveux!... C'est le gros vide sans toi!... Je ne vaux et veux plus rien!... J'ai l'impression que tout meurt autour de moi... Je ressens la mort des gens sur moi, de mes amis, c'est indéniable... tout doit finir et je ne pourrai affronter ça...»

Rideau.

5. UN FLANC MOU, QUOI

Lundi.

Il ne s'est pas amélioré, le temps. À boire debout, qu'ils disent. Je marche dans l'appartement. Justin est absent, chez d'autres amis. Je balaye, j'époussette, je m'occupe les dix doigts. Une façon comme une autre de combattre la fatigue. Ou l'ennui. On sait plus trop. La vie est plate, parfois. Faut réussir à se rétablir, gérer la violence qu'il y a au fond de nous, la diriger vers l'extérieur et l'appliquer à quelque chose. J'ai déjà détruit des objets, blessé des gens par mes gestes, mes paroles. Mais tout cela ne mène à rien. Je renvoie sans cesse l'agressivité contre moi, je la laisse me détruire, me ronger, me rouiller. J'ai rêvé que je me suicidais. J'ai suivi des thérapies, je me suis fait accroire que j'étais heureux de vivre... pour ensuite retomber dans le marasme, le sarcasme et la déprime. Je n'ai trouvé qu'un seul but à mon existence : moto-détruire!... Vraoum!... C'est un changement radical qu'il nous faut. Un événement inusité, n'importe quoi. Un tremblement de terre qui rase la ville, une catastrophe qui prouve que l'enfer, c'est bien ici. Parfois, j'ai l'intuition que la fin du monde s'est produite il y a longtemps et qu'on s'en est même pas rendu compte. Y a quelques années, j'ai fracassé un téléviseur à coups de hache. Ça a fait du bien. Aujourd'hui, ce geste m'est puéril. Voilà. Je vais me lier avec une fille, vivre avec elle, attendre la fin, attendre que nos vies s'effacent... Se contenter d'un amour quelconque... C'est décidé mais improbable. Je ne parviens pas à imaginer mon enfant me courant entre les jambes, me demandant un verre de jus... papa papa! Je ne vois rien de ça, je ne réussis pas à imaginer. Je manque d'imagination. Je ne suis pas le premier à me dire que je manque d'imagination. Je vais crever, m'étoufferai dans mon vomi... Et ce sera excellent, ce sera extra, ce ne sera pas un suicide. Seulement un accident simple, tout net... Mourir dans son sommeil, dans son bain, bavant. Se faire pleurer pendant quelques semaines. Et puis plus rien. Les gens ont d'autres chats à fouetter, d'autre crème à raser. Très drôle. Il y en a tellement de choses que je ne ferai pas. Vu négativement, le verre est à moitié vide.

6. CLINT EASTWOOD S'ÉNERVE

Le *Café Central*, le vendredi soir à onze heures et quart, c'est pas mal bondé. C'est du tassé compacté comme des sardines. Y a plus une maudite chaise de libre. À l'étage, les danseurs se marchent sur les pieds. Ceux qui veulent aller au petit coin doivent circuler par un étroit passage... à côté de la piste de gesticulation, qu'une mince rampe d'aluminium délimite. L'escalier qui monte à l'autre étage est pas loin d'être impraticable à moins de pas s'en faire avec ce mouvement perpétuel de viandes qui ne cessent de monter et descendre. Elles ont toute la misère du monde, les serveuses, à quitter le bar et à se rendre aux clients. Y a toujours quelques abrutis qui ne regardent pas où ils vont. Sur la mezzanine, l'étau se resserre. Une multitude de populace, assise, debout... l'espace rachitique qui permet d'aller jusqu'aux toilettes des filles, ou des gars, on sait jamais, et à la terrasse arrière, qui se fait vider à toutes les heures, donne pas le choix de s'acharner à coups de coudes et de hanches quand on désire y cheminer...

J'ai un scoop pour mes petites calamités.

— Justin a pris la poudre d'escampette de l'allumette...

De gros points d'interrogation dans les quatre yeux de Nora et Murielle. Ça se comprend. Je force sur la rime.

On est assis à une table, coincés entre deux autres tables où une armada d'adolescents s'envoient des pichets derrière la cravate sans avoir l'air d'être trop en connaissance de cause. On peut s'estimer chanceux que nos fesses aient de la surface où se poser. Ça s'esclaffe fortement, à côté... Je suis installé au fond, sur la banquette fixée au mur. Je suis vêtu tout de noir, les filles aussi. On a l'air macabre, comme on se dit. Ma main droite n'arrête pas deux secondes de faire tourner un verre vide, attendant qu'une des filles le remplisse avec le pichet. Murielle a décidé de me payer la traite. On a les traits tirés, la peau blafarde comparée à celle des autres jeunes de la place. On se demande un peu ce qu'on fait là. Nora a les cheveux rouge sang. Murielle, sa tignasse, elle est toute tressée. C'est Fabienne, notre coiffeuse officielle, la grande responsable de tout ce chambardement de poils-là. Ça faisait peut-être dix minutes qu'on ne se parlait pas quand j'ai ouvert la bouche pour dire : Justin a pris la poudre d'escampette de l'allumette.

— Quoi? Quoi? Quoi? demande Nora, tu veux nous dire quoi, Faiblengras? Tu veux nous insinuer artificiellement que le copain Justin a mis les bouts? Plié bagage? Jésussé son camp?...

— Affirmatif! camarade Naurapas! Il a fait sa valise, il a pris sa bouche à musique, sa brosse à dents, ses caleçons colmatés, puis il a flyé avec le char rejoindre sa Denise...

— Pardon?

— Sa Corinne...

— Mais? Mais? Mais? demande Murielle, pourquoi ça? et où ça? pour longtemps? pour pas plus loin que demain? pour jusqu'à quand? il a rien dit? volatilisé comme ça? ah là! réponds!...

— À l'autre bout du monde pour un hostie de boutte... Là où de grandes dames du géologique se tuent au travail...

— Les Rocheuses?...

— Là où le vent se couvre...

— À Vancouver?...

— That's it, girls!

— Ah la mule! lance Murielle.

— Ah le nandou! relance Nora.

Finalement, je remplis mon verre moi-même. Je risque de mourir de soif si j'attends qu'elles digèrent la nouvelle avant de me resservir. Quand même, elles exigent quelques explications.

— Ça n'allait pas vraiment depuis un temps, elle stagnait, sa vie, qu'il disait, plus rien le retenait ici, qu'il chialait... il se sentait inutile, mort... nos factures s'accumulent et ça semblait pas l'agacer une miette. Pour faire de l'esprit, il avait la mort-aux-rats dans l'âme... ça tenait plus...

— Ah! Je m'en doutais! qu'elle dit Nora, tentant de cacher son trouble.

Murielle sort une cigarette de son paquet, se l'allume, souffle la fumée au-dessus d'elle, puuf!

— Tu parles!... et on t'écoute!... T'affirmes! et on a pas l'idée de te contredire, de se méfier de tes propos!... C'est pas une farce plate que tu nous fais là?... Hein? Avoue!... Qu'est-ce qui nous prouve que tu mens pas? quelle preuve à l'appui tu peux nous étaler?...

— S'il est question de s'étaler, je suis pas contre...

— Ah! Dans tes rêveries de promeneur solitaire, mon gars!

Nora me fustige, me mitraille, me canonne.

— Il pense juste à ça! toujours! il arrête pas! non mais! on est pas catins, Chose! y a plus important! plus actuel!... le disparu! l'évanoui! mon barbu! mon chevelu! Justin! il va revenir, hein? crache, le croche! dis! parle! il va revenir?...

Elle en est à son huitième ou neuvième verre.

— Aucune idée... ça s'est passé vite, je savais pas quoi lui dire, moi! je n'ai rien tenté pour le faire changer d'idée, moi! c'était tellement surprenant... Toute la journée je l'ai attendu... J'attends encore...

— Il a pris le char?...

— Bien sûr, le vois-tu voyager en montgolfière?...

Murielle s'inquiète, à tout hasard.

— C'est une ride!... Mais qu'est-ce qui va arriver au loyer?... Comment tu vas tout payer tout seul?...

— J'ai appris tantôt qu'à la ville d'Irkoutsk, en Sibérie orientale, y a plus de cinq cent mille habitants et que l'économie de la région repose sur la centrale hydro-électrique, l'aluminium et le chimique...

— Niaiseux!

Nora commence à ronger son frein sérieusement.

— Justin pas là, ça va faire un vide!

— Mais non, mais non, ça va juste l'agrandir...

S'il y a de quoi qu'on a réussi à s'inculquer, c'est d'arrêter de parler quand on a plus rien à se dire. Le sujet est clos. Justin n'est plus dans le décor. Éclipsé de la carte, faut en faire le deuil jusqu'à son retour. Nora, ça l'a ébranlée. Elle prend une gorgée, regarde ses ongles, les ronge, les laisse, s'allume une cigarette rapidement. Murielle penche la tête et joue avec ses tresses. Son attention se porte sur les gars de la table voisine; ils discutent de choses tout à fait obscures, elle ne comprend pas pourquoi ils rient. L'un dit que la musique du *Café* est à chier, l'autre regarde Murielle et lui fait un clin d'œil. Si ça l'impressionne, ce n'est pas sur la même longueur d'onde qu'eux. Elle tient à se confier. Ça me donne la chair de poule sur la nuque, son murmure dans mon oreille...

— C'est quoi ces petits caves-là?... ça a même pas dix-huit ans!... comment ils font pour s'habiller de la sorte?... tous pareils!... une génération de clonage!... ah Nike!... ah Adidas!... regarde-moi ça!... et ça pense m'accrocher avec leurs 'tites casquettes à l'envers!...

— Tu vilipendes vite...

— Hum... vrai...

— Peut-être qu'ils aiment pas mieux ça, eux, notre linge monochrome... Pas de la même batch!... C'est tout!...

Elle les observe une autre fois, grimace puis détourne le regard. Ah! Elle bondit sur place. C'est sa toune. *Les cactus*! Elle se trémousse sur sa chaise, chante. De quoi m'inciter à me cacher sous la table quand Nora se met de la partie. Ah! Ça fausse!... Oh! De quoi se faire remarquer un mille à la ronde! Tactique!... Le genre de truc qui me désespère. Qui va me vacuumer le dedans. Me faire souhaiter de m'évaporer parmi la fumée. Cet endroit-là m'écœure. Aucun lien possible avec personne. Même Murielle et Nora me paraissent en orbite. Fallait-il donc que j'en broie autant pour venir ici?... Je suis fantôme. Je peux passer à travers la table, m'envoler. Non... Au contraire... Je suis lourd... comme du béton, je suis fixé au siège, au sol, rien ne peut me bouger; je ferme les yeux. C'est noir, la musique est trop forte; j'ai chaud... horrible... J'enlève ma chemise. Une odeur de désodorisant me monte aux narines. Quand je pense qu'auparavant j'aimais danser, suer et m'épuiser sur des rythmes techno jusqu'à trois heures du matin, sans arrêt, au *Thunderdome*, par exemple. Je buvais moins à l'époque, j'étais plus en forme, je découvrais la ville, la vie de nuit. J'avais l'âge de ces humides à côté de moi. Je riais souvent. Comme eux, je découvrais le monde. Ah! J'aurais dû m'occuper de mes études, poursuivre la médecine. Ç'aurait été différent aujourd'hui. Petit loser de mes deux. Remplis donc ton verre plutôt que de penser à tout ça. Oublie le passé. Vis maintenant... Impossible. Je suis que spectateur, je n'ai de prise sur rien... Peux pas me forcer. Rien! Nada!... Bof! Sans importance. Vide de sens. Vacuum.

— Salut, vous autres!...

La surprise! Elles nous passaient au-dessus du nez sans qu'on les voie. Elles nous entourent, là. Elles se penchent sur nous. Tout sourire. Tout parfum. Bonheur... Les vieilles copines. Coraline! Alfréda, la sœur de Justin! Ainsi que les jumelles Juliana et Cécile! Elles font un mur devant nous. Elles sont heureuses de nous rencontrer. Un tas de choses à dire. Ah! Elles se retrouvent six à jacasser en même temps autour de moi. À ne plus rien comprendre. Seul de gars. Confusion! Une vague de nymphes se déverse sur moi. Ah! Les fées! Si je pogne pas là, ça sera jamais. Je tente de m'inclure dans leurs conversations de «ah ça fait longtemps qu'on s'est vues» et «oh mais c'est super beau ce que t'as fait à tes cheveux»... Le mâle s'essaye.

— Hé Coraline! Ça avance ton reportage sur Lénine?... Alfréda! Quand est-ce que tu viens faire un tour chez moi?... Ah! Chère Juliana! Coquine! Tu souviens dans le bois?... Hi Cécile! Toujours dans la lune, toujours sur ton île?...

On parle, on déparle... mais elles bloquent le passage. Ça se bouscule dans leur derrière. Y en a qui poussent, bousculent! Faut qu'elles se tassent, les demoiselles. Un vrai embouteillage. Quelques-uns s'excitent.

— Hé! Vous allez prendre racine? Faut qu'on vous arrose?

Des vulgaires, quoi. Une grande Noire pousse Alfréda contre la table! Choc sur la cuisse!

— Dégage!

— Ouch!

Des violentes de l'urgence du pipi, quoi. Ah! Elles se sentent brusquement mal à l'aise, les amies, de provoquer ce bouchon-là. Elles ont des mines de filles sur le point de déguerpir. Ah! Voilà! Fallait s'y attendre. C'est plus tenable. Faut qu'elles bougent. Mais où? où?... Pas une place! Pas une seule chaise de libre. Même les debout inclinent à gauche et à droite comme des quenouilles, tiennent à peine en équilibre, s'accrochent à leur bouteille. Coraline explose!

— Simonac!... Putains!... Vauriens!... Sloops!... Pas moyen de... socia... liser ici!... Nous on part! Je veux pas... passer le restant de la soirée... à me faire... rentrer des coudes... dans le... cul!... On va al... ler voir ailleurs si... c'est meilleur!... Y a des li-mites! Ci... bole!

Elles nous quittent. S'en vont voir au *Bleu Est Noir* ou au *Dogue*.

— Nora! Murielle! Irénée!... On se rappelle!...

— C'est ça! C'est ça! Adieu! À l'année prochaine!

Un des gars à casquette de l'autre table profite de l'accalmie de viande, se lève, se colle sur Murielle un peu trop à mon goût, effronté, intrépide... Souriant, il lui chuchote à l'oreille. Murielle l'écoute... puis fait non de la tête. Il insiste. «Non!» elle réplique... Le gars reste là. Debout entre les filles. Il prend ses aises, gluant. Je me penche vers Murielle, l'interroge.

— Qu'est-ce qu'il te veut?...

— Rien... Il déconne...

Ah! Attentat!... Le gars! Il pose ses mains sur les épaules des filles, se met à les masser. Scandale! Nora le laisse aller, pas décontenancée, ayant même l'air d'apprécier. La honte! Murielle, elle donne vite un coup d'épaule pour l'enlever, sa sale patte. Je m'offusque.

— Regardez-moi ce don Juan!

L'autre copain du gars il ose, il approche sa chaise.

— On peut se joindre à vous?

Les filles ricanent jaune, répondent pas... Bon! Que faire? Que dire? On va pas jouer les sauvages, non? Ah! Je courbe le dos... j'abandonne... Mon attention portée sur ma bière. Lâche. Nora parle au premier venu, la traîtresse... Murielle semble gênée, intimidée... puis elle perd patience! de la couleur aux joues. Elle leur dit sa façon de penser à ces malotrus.

— Wo back!... Je pensais avoir été assez claire!... J'ai pas la tête à me faire baratiner, ce soir!... Ouste! Faites de l'air! Allez péter dans les fleurs! Déguédinez, dégénérés!...

Ça décide de s'incruster. C'est leur technique.

— Ben voyons, les filles! on restera pas longtemps! faut qu'on y aille bientôt anyway!... c'est juste que moi et mon ami on vous trouve pas mal cutes... on a remarqué que vous écoutiez nos blagues tantôt... Moi c'est Christian, mon ami c'est Mathieu... vous?...

Murielle, ça lui gâche sa soirée ces machos-là.

— Je vous dirai pas mon nom!... Sinon que c'est Patvozonion! que c'est Patvozafer!... Compris, là? Détritus?... Bon! Christ! Vous me l'avez sapé là le moral

49.

avec vos avances de fonds!... Je suis fatiguée!... Je vais aller me coucher!... Je travaille demain!... Tu viens, Nora?...

Les dénommés Christian et Mathieu se consultent. Nora fait une moue d'enterrement. Elle s'en était fait accroire avec son baratineur. Murielle lui coupe l'herbe sous le pied qu'elle s'imaginait prendre. Christian sort une autre carte de son jeu.

— On peut y aller avec vous!...

Pour Murielle, c'est du gaz propane sur le feu.

— Vos pelles, elles m'intéressent pas! gardez-les et partez avec! y a un carré de sable pas loin!...

Je sors de mon trou. Elle m'inspire, l'amie. Elle me remonte le courage. Suffisait de me réchauffer. Je les fixe dans le blanc des yeux, les porteurs de casquette. Je prends mon air solennel de circonstance et déclare :

— C'est beau, les gars... vous savez ce qui en est... retournez à votre table... votre chien est mort...

Le Mathieu, de sa hauteur, m'observe curieusement, comme s'il venait tout juste de constater ma présence. On dirait qu'il n'a pas l'intention de s'attarder plus qu'il ne faut sur la situation de mon karma.

— Je t'ai parlé, toi?...

Pas besoin de répondre, on voit trop bien où il veut en venir. Je serre les dents, je tente de me convaincre qu'on a pas à en faire un drame shakespearien. On va rationner la réplique. Il est peut-être cave ce con-là mais il se défend pas mal côté carrure.

— Sens-toi pas obligé d'interpréter le moron de la farce... je te demande juste de nous calicer patience... on a pas le goût de faire du social...

Un peu surchargée, ma déclaration. Sûrement pas ce genre d'envolée qui m'assurera de vieux jours paisibles. Une sorte d'éclair de malice lui traverse les organes de vision. Si rien d'adrénalisé ne se passe de son bord, je pars immédiatement pour le *Casino*. Jeune mais pas à jeun niveau boisson, le Christian en question. Ça lui donne une allure torve, ça lui bout le sang froid. Ça me surprend pas, sa petite crise du digne qui veut pas s'en faire imposer. Brusquement, il me vole mon verre et m'en envoie le contenu au visage... Vlash!... Ça réveille!... La sortie de mes gonds s'en vient! la sauterie des plombs est imminente! Si y a quelque chose qu'il attend, le provocateur, c'est bien ça: que je lui donne le feu vert ou carte blanche d'engager les hostilités. Créer un os. Hostie!... Pas le temps de m'emporter, je suis trop pesant. Patience! Sagesse!... Marbré!... Quasiment serein, je m'essuie la face avec ma chemise. De toute façon, Murielle se fâche à ma place.

— Non mais ça va pas!... Le con!...

Bien dit. Comme dans les films français.

50.

Nora, elle se retient de rire. Christian se tourne vers son copain, satisfait de sa répartie gestuelle... Le malaise plane... Et puis Nora pouffe!... Murielle pâlit, elle m'observe attentivement. Ça se met à tourner autour de moi... comme un mauvais rêve qui refait surface... mes cheveux sont trempés de bière, ça me coule dans les oreilles, sur mon t-shirt, ma cigarette plus fumable, les petites sacoches des filles... souillées... Je regarde Nora à la manière de Clint Eastwood. Elle cesse de se désopiler. L'arroseur et son complice font mine de partir mais quand même ils brettent, ça les intéresse d'expérimenter si l'arrosé va se venger. Ils prennent le temps qu'il faut. Je bouge pas. Murielle me prend la main.

— Bon, eh bien les filles, Sioux next time! on va sûrement se revoir!...

Ils partent, nonchalants, en balançant leurs bras musclés.

Je me lève. Murielle aussi.

— Calme-toi, Irénée!

— Facile à dire!

— C'est des imbéciles, ils valent même pas la peine que tu t'occupes d'eux!

— Meus-toi de là!

Elle reste sur place. Les viandes des autres tables me lorgnent, intensément. Nora ramasse nos affaires sur la table pour que la serveuse, arrivée à grand renfort, puisse essuyer le dégât. Je rassure la peacemaker.

— Fétoézampa, je veux juste lui parler un peu, entre gens civilisés... je cherche pas l'affrontement! je veux juste pas trop perdre la face qu'il m'a honnie, humidifiée, humiliée!... Han? laisse-moi passer...

Elle hésite un moment, me scrute l'arrière-pensée, vois rien, pousse un soupir, me laisse aller.

— J'aime pas la chicane... qu'elle me confie.

Je me faufile dans la masse de corps à queue, de corps à seins. J'en brusque quelques-uns, quelques-unes, qui se déplacent en sens inverse de moi. Je vois le dos de Christian, plus loin, deux, trois mètres devant. Murielle me suit derrière. Tant pis!... Si ça l'enchante de participer au branle-bas, c'est de ses affaires. Je rejoins le gars, lui donne un coup de poing derrière le cou, quelqu'un m'accroche de côté, ça me déséquilibre, je ne fais que frôler l'autre... Il se retourne, me reçoit tout sourire, tout machiavélique. Son bras part! par en bas! Ça me surprend. Je m'apprêtais à le bloquer d'en haut... vlang!... Les jointures en plein ventre. Ça me le coupe le souffle! iuuf!... Pas le choix de m'affaisser, me plier en deux... Il a pas terminé, il en veut pour son argent! c'est son sport, le gland! il continue! vient pour me frapper au crâne... mais mon amie s'interpose. De justesse. Cloc!... sur la mâchoire qu'elle encaisse, la pauvre Murielle!... ah! ça la sonne raide!... ding! dong!... elle en voit des cloches!... pit! pit!... des oiseaux! ah!... Le chum du boxeur s'époumone, s'épouvante.

51.

— Qu'est-ce que t'as fait?...

Christian tente de s'excuser auprès de Murielle qui pleure en se tenant la bouche, Mathieu de s'expliquer avec la clientèle courroucée de tant de manque de savoir-vivre... Christian caresse la tignasse de Murielle en lui disant des gentillesses.

— J'ai pas fait exprès... pourquoi tu t'es placée là?... petite chatte... minouche... minouche... pleure pas...

Je recommence à voir clair. Je voyais tout rouge. Des espèces de bons Samaritains parfumés m'aident à me relever.

Je juge la scène. J'analyse comme un ordinateur.

Mon amie est assise par terre, souffrante, avec toute l'attention de Christian centrée sur elle. Il ne sait plus comment se placer pour montrer combien il est désolé. Il dit des sornettes. D'autres gars se mettent à gueuler après lui et l'autre, en beau pétard. Des filles veulent aider Murielle. Ça me laisse pas beaucoup de secondes avant qu'il soit trop tard pour renvoyer le petit change de la pièce. Je calcule l'attaque. Il reste encore une ouverture étroite pour atteindre mon adversaire. Ça ne durera pas. Faut en profiter... mais c'est du chirurgical comme travail de précision. Je m'appuie sur une table, détends la jambe droite, violemment. C'est des bottes d'armée à caps d'acier que j'ai aux pieds. Ça passe à deux poils au-dessus de la tête de Murielle, va percuter celle de Christian en plein sur le nez. Je sens le talon qui écrase quelques dents, crac!... Juste après ça, c'est la panique générale. Y a des témoins dans l'arène. Ah!... la situation explose! tout se met à déborder... Le gland pisse du sang, gémit. Une vraie fontaine, boyau... ça inonde le plancher, ça arrose Murielle. Ah l'immonde! saleté! puant! branleur cochonnant!... Je suis fier, content!... allez! que ça gicle! asperge! que ça se transforme en fleuve de sang! Styx! qu'il souffre! râle! S'il demande l'ambulance j'en jouis! ah chacal!... Mathieu, il comprend pas encore le comment et le pourquoi de ce renversement. Des bras m'empoignent. On me parle, on y va avec de la morale.

— Hé là l'énervé! reste tranquille!...

Nora se fraye un chemin, tente de sortir Murielle de notre tas de viandes superposées, entremêlées. Un tour de force. Mathieu se débat avec les outrés. Deux, trois doormen surviennent. Ils demandent à tous de se calmer les nerfs. Comme s'ils en avaient vu d'autres, des bacchanales sanglantes. Pas impressionnés. Ah! imbéciles! C'était à filmer, mes prouesses. À photographier, laminer, clouer sur un mur du *Café*!... Ça demande ce qui s'est déroulé. Ça se laisse emberlificoter. Ça saute vite au verdict : tous les protagonistes, dehors!... Et que ça presse! Ouste! On nous pousse. On amène Christian aux toilettes se refaire une beauté. Mathieu me lance un regard glacial, fiich!... Ça fond. S'évapore. Je suis lave! Magma! Napalm!... Il reste avec son ami blessé pour le soigner. On nous fait descendre l'escalier en deux temps trois mouvements à moi et mes copines. Pas de bavardages! Pas de protestations! Hop! Dehors, chipies! Dehors, matamore! Fini, les Folies bergère! Sur le trottoir! Sans trop de manières avec les filles! Vite fait, bien fait... Zappés. Remplacés par trois autres du line-up!... Veulent plus rien savoir. Game over!... Get out!... Go!... Et revenez pas!

On en revient pas. On est tout traumatisés.

Murielle va mieux; elle s'arrange, elle n'a qu'une sorte d'ecchymose. Moi je sacre, moi j'en ai gros sur le cœur.

— Je l'aurais tué l'ostiofolliculite staphylococcique!...

Elles m'enlacent, me bercent, me calment. Faut que je me fasse une raison. Je m'en sors finalement sans trop de contusions. C'est Murielle qui a tout pris! l'avare!... On reste plantés là sur le trottoir comme des cactus, sous le choc, comme ils disent. Nora dit de quoi.

— De quoi on va avoir l'air la prochaine fois?... Qu'est-ce que ça va penser de nous quand on va aller y remontrer nos fraises, mes oies?... Hé bain sale à l'or!... On devait pas passer une soirée relax?... On était pas supposés sortir pour se renflouer le moral? se régénérer le vécu?... En tout cas, comptez pas sur moi pour reparader au *Café* avec vous!... Puis de toute façon, Irénée, t'es barré de la place! Sans aucun doute!... Bon! on fait quoi là?...

Elle m'a repompé.

— Quand t'auras terminé tes grandes phrases, on pourra en bavarder, Naurapas...

Murielle s'est branchée sur le sujet.

— On rentre... J'en ai assez bavé pour ce soir... Je vais me mettre une compresse avec de la glace... Tu viens chez nous, Irénée?... On va boire quelque chose... décompresser...

— Si tu m'en veux pas, ça va...

— Mais non! allez pitou! viens!

— Scie tulle dis...

***

— Je comprends pas pourquoi ce gars-là m'a provoqué comme ça... qu'est-ce qu'il avait mangé?... de la vache engagée?...

Murielle a la réponse à tout.

— Arrête de t'en faire... ils étaient paquetés, ils voulaient nous impressionner...

— Mais ils m'ont pris pour qui? pour quoi?... qu'est-ce qu'il n'aimait pas chez moi ce Christian-là pour me faire ça? à quoi il pensait?... J'aurais pu être n'importe qui! Votre frère! Votre chum! Je sais pas!... Je suis votre ami! Si toi, Murielle, ça t'accommodait de te faire courtiser, j'aurais fermé ma trappe!... De plus, avant l'escarmouche, je pensais retourner chez moi... Je voulais juste t'appuyer! Je voyais bien qu'ils seraient tenaces! vivaces limaces!... En passant, et toi Nora, merci pour l'aide!

— Hé! J'ai rien fait!

— Justement!...

Murielle fait un geste.

— Bon! On oublie tout ça! Je veux plus en entendre parler... C'est moi qui ai écopé le plus dans cette histoire...

Nora cherche de la musique dans la boîte à cassettes. Le percolateur flambant neuf fait des gargouillis. Murielle se lève du divan et va préparer les cafés. Je prends le dernier *Voir*, qui traîne entre deux cendriers, le feuillette, lance un coup d'œil à l'horloge de la cuisine... une heure du matin. Je n'ai plus sommeil. Murielle me sert une tasse. Nora fait jouer un vieux vinyle de Françoise Hardy. Une voix douce envahit l'appartement, avec le bruit des égratignures. On boit notre café sans parler. On sent l'absence de Justin dans la pièce. Je dis :

— Il me semble qu'on était quand même plus nombreux l'année dernière!

— Ah! pousse Murielle, toi et ton ultra-nostalgie!

— Ça va avec l'âge! dit Nora, c'est normal!... en grimpant la vingtaine, on commence à se disperser d'un côté et de l'autre!... Irénée! t'es un vieux croûton!

Je lui fais une sorte de sourire.

— Voyons donc, Nora!... Fais pas trop ta philosophe, Nora! fille aux os!... ça te va pas bien!... Ton grand Justin pas là, ça te désespère à en mourir! ça te tue!... Vermont! Arkansas! Texas! Ça te met dans tous tes états!... avoue! avoue donc! passe aux aveux, la veuve!

— Pas autant que tu penses, Faiblengras!... Je m'en fous de son rire gras!

— Comme gars, il vous reste juste moi! ou presque!

— Avec Frantz et Lee! ajoute Murielle.

Ah! La mémoire! Faculté de l'Oubli.

— Quoi? J'avais oublié de vous le mentionner? Lee, il a embarqué avec Justin! Ça fait de l'effet.

— Subsaturated!... Subthreshold!... Comment ça?

— Eh bien, oui! avant que Justin parte, Lee est venu faire un tour à l'appartement!... Justin lui a demandé s'il voulait venir avec lui! à Vancouver!... Moi j'étais encore à moitié endormi! j'entendais tout d'une oreille! voyais tout d'un seul œil!... Lee a considéré l'offre... c'était plutôt imprévu! il a hésité un bout de temps! Justin lui a offert d'aller chercher ses affaires chez ses parents!... Puis ils se sont sauvés! ensemble!... Bye Irénée! Use pas trop tes semelles! Dis bye-bye au groupe! Ciao! Cyanure!... Vous connaissez Lee... influençable! il lui en fallait pas beaucoup pour se laisser entraîner dans la galère de l'autre! L'aventure! On the road!... Sauf que je me demande si la Honda pourra se rendre jusque là-bas!... quelle tôle!

Murielle tressaute sur le divan.

— Felony!... T'es sûr qu'il y en a pas d'autres d'évanouis? d'évaporés avec eux?... C'est encore une chance que tu sois là!... Ça veut pas finir, les surprises, aujourd'hui?! No break?!... Te rends-tu compte, Nora? T'allumes-tu?... Nos deux ex ont décidé d'aller courir la galipote en Colombie-Britannique! Les lâches! les magouilleurs! les topinambours! les déliquescents! les charcuteurs de nos cœurs! les anthérozoïdes! phalloïdes!... Ils nous abandonnent, les Judas! les hublots! les pas beaux!... Eh bien tant mieux! tant pis! soit! bref! qu'ils crèvent! qu'ils pognent un flat! qu'ils s'étalent! qu'ils aillent se faire soigner par des Anglaises!... Au point où ils en sont rendus, ils ne méritent que ça, coucher avec des têtes carrées qui font la planche sur le bord de l'eau!...

Nora en a à ajouter.

— La Corinne! Elle habite avec deux autres filles! Des filles d'ici! Des Kébékékoises! Et pas des gouines! Des dévoreuses d'hommes, à ce qu'on m'a conté! Des pros!... Ils vont pas s'ennuyer, nos colons instinctuaux!

— Ah! Les filles! Paniquez pas! Je serai là, moi! Je vous tiendrai compagnie! Je vous quitterai pas! Je suis pas de cette trempe-là! J'ai pas le feu au cul comme nos énervés écervelés émancipés! Non!

— Tu l'as pas nulle part!... dit Nora.

— Toi, par contre, tu te débrouilles bien côté chauffage!

— Fais-toi pas des accroires! Faut du maniement pour que ça fume et que ça flambe!

— Je me casse pas la tête avec ça! Suffit juste de trouver l'interrupteur!

— Pour ça, faut savoir se déniaiser!

— J'ai pas de temps à perdre avec ton type de déniaisage!

— Parle toujours!

— Étouffe toujours!

Murielle s'en mêle.

— Astonishing!... Quel réconfort! Tu nous sauves la vie, Irénée! Non! sans farce! une chance qu'on t'a!... Qui on étamperait dans la fange sinon? Qu'on ferait avaler du mercaptan?...

Je la serre entre mes bras, très théâtralement.

— Ah! Une qui me comprend! Enfin!

***

À deux heures du matin, je quitte les filles. Je marche jusqu'à chez moi. J'ai dit à mes amies que j'allais me coucher mais je me sens en pleine forme. Je ne peux m'empêcher de repenser à la bagarre du *Café*. Je revois tout ce qui s'est passé, les moindres mots prononcés, comment ça a éclaté, dégénéré. Je lui ai quand même massacré la face assez correctement au magot! paf! Il a probablement le nez cassé. Qu'il aille pleurer chez sa mère. Sauf que si jamais on se retrouve dans un coin... avec la taille qu'il a... je donne pas cher de ma viande. Et puis après? Qu'est-ce que ça changera dans ma vie?... Je tourne rue de Bordeaux, grimpe l'escalier, entre dans l'appartement. C'est sombre. J'entends le robinet de la cuisine, plic! ploc!... Je vais avoir des problèmes avec le propriétaire question argent. Les ennuis arrivent. Et ça survient avant d'avoir le temps de dire ouf ces choses-là. Je commence à m'y faire. C'est pas la première fois. L'économie du pays ne s'est jamais effondrée pour autant. J'allume... m'installe à la table du salon pour me rouler une cigarette. J'ai même pas le goût d'écouter de la musique. Je regarde la guitare dans un coin. Faudra changer les cordes, la nettoyer... elle prend poussière. Le voisin d'en haut marche du talon. Un vent frais s'est levé... fait du bruit dans la fenêtre de la cuisine. Le mois de juillet achève, le moisi s'en vient... On dirait qu'il va y avoir un autre orage. Je regarde la porte close de la chambre à Justin. Une araignée a déjà tissé sa toile dans un angle de moulure. L'absence de l'autre va me permettre de continuer à remarquer de légères transformations du décor comme ça.

On avance avec le temps, sans se plaindre.

Hé! Quand même. On reçoit une lettre.

15 septembre.
Salut Irénée!
J'espère que la vie à Montréal se passe pas trop mal. Excuse-moi de ne pas avoir donné de nouvelles avant. Ici à Vancouver j'ai trouvé un emploi de serveur dans le restaurant où travaille Corinne. Je suis retourné avec elle. Et elle me fait tourner la tête. C'est sûr que c'est pas comme avant. Mais au moins on se chicane moins souvent. À part cela je sors beaucoup. C'est une ville vraiment divertissante. Je ne sais pas quand je vais revenir exactement. Je vais essayer de te donner d'autres nouvelles. Tu peux m'écrire. En passant, Lee te dit salut et Corinne te donne un bec.
À bientôt.
Justin.

Plus réjouissant que ça, tu en meurs.

***

Centre-Sud, l'automne; je suis sens dessus dessous, atone. Je branche ma guitare dans l'amplificateur. Elle est un peu désaccordée mais ce n'est pas grave. Ce qu'on joue comme musique, c'est du bruyant, de toute façon. Ça va faire deux semaines que je suis pas venu pratiquer au studio. L'après-midi ne sera pas un cadeau. Rudy, bassiste et chanteur, me demande si je vais bien.

— Si on peut dire... J'ai encore des problèmes d'argent...

— Puisque tu en parles... je veux pas t'embêter mais c'est que tu nous dois encore ta part de location pour le studio... Il a fallu que David et moi on débourse ça de notre poche.

— C'était bien gluant?

— Penses-tu que tu pourras nous rembourser?

— Oui, prochainement, je ferai de mon mieux, mais c'est que là j'ai des pépins plus gros que le fruit, j'ai même de la difficulté à m'alimenter...

— Bon... Y a pas d'urgence, prends ton temps tant qu'il faudra, arrange tes affaires, mais je compte sur toi!... En passant, t'as appliqué aux magasins dont je t'ai parlé?...

— Euh... non... j'étais malade... j'avais le rhume... ça m'a duré plus d'une semaine... c'était pas l'euphorie...

— Ah bon... (comme I don't give a shit).

Pendant trois heures on pratique quelques-unes de nos compositions mais le cœur n'y est pas. David, le batteur, a la gueule de bois. Son rythme manque d'énergie. Rudy n'a pas terminé les textes des chansons et baragouine n'importe quoi, ce qui nous fait rire, David et moi. J'en arrache sur les accords, je ne suis pas la basse de Rudy, je fais plus de bruit que de notes... Vers la fin de l'après-midi, on est tannés; je me distrais en provoquant le plus de distorsion possible. Les dernières chansons s'achèvent dans une cacophonie ahurissante... Rudy se débrouille pour toujours avoir ses cheveux colorés crasseux sur le visage et chiale plus qu'il ne chante. On range les instruments. Rudy me demande si je veux venir avec lui prendre une bière, à la taverne d'à côté.

— Ah! Yes sir!...

— J'ai affaire à te parler...

— Quoi, c'est du sérieux?

— Plus ou moins...

On enfile nos vestes, on sort, on monte jusqu'à Ontario. David nous salue et retourne chez lui. On décide d'aller au *Cheval blanc*. Rudy commande un gros pichet de blanche. C'est pas ma meilleure mais je me la ferme, c'est pas moi qui paye. Rudy me parle des derniers spectacles qu'il est allé voir, des nouveaux courants musicaux. Il économise son argent pour s'acheter un bon synthétiseur, il a hâte que le hockey commence, de faire un pool de parieurs... Après une demi-heure à tourner autour du pot, il vide son sac.

— Je pense que je vais quitter le groupe...

Je le regarde avec de grands yeux pour lui faire comprendre que s'il voulait me prendre par surprise, il a réussi. Je cale mon verre.

— Pourquoi?

— Je trouve que c'est rendu trop stagnant... Ça fait plus de six mois qu'on avance à rien, on est pas foutus de jouer correctement, on peut pas enregistrer comme ça et... comment dire... tu vas rire mais je commence à me sentir vieux!... je suis pas certain que ça me plaît ce qu'on fait!... J'ai revu mon cousin, il y a quelques jours, et il m'a offert de créer des trucs avec lui, un genre plus expérimental, avec plus de machines... son sous-sol, c'est débile! tu devrais voir tout ce qu'il a comme équipement!... j'ai l'impression d'être un homme des cavernes avec nos ballades de garage!

Je me choque, pour la forme.

— Bon! C'est beau! Accouche maintenant!... Si j'ai bien compris, tu laisses Sass Pupu pour faire dans le synthé?

— C'est ça, avec mon cousin... sauf qu'il habite sur la Rive-Sud, à Longueuil, ça va faire pas mal de déplacements!

— Mais Sass Pupu?... Shit!... T'en as parlé à David?

— Oui, hier soir...

— Il en pense quoi?

— Il s'en fout...

— Ça le dérange même pas?

— Disons que, d'avance, il prenait pas trop ça au sérieux... il va se trouver un autre passe-temps...

— Phoque!

— T'es fâché?

— Hum... non, mais ça me prend un peu au dépourvu!... J'ai pas une tonne de hobbys moi!... Va falloir que je cherche dans les petites annonces... pour trouver du monde avec qui jouer... moi!...

Quelque chose l'agace. Il me met au parfum.

— À ta place, je tenterais de m'y remettre un peu plus...

— De quoi tu parles?

— La guitare... Je trouve que tu en as perdu ces derniers temps...

— Pis ta sœur?... Pituite!...

Il reste songeur. La serveuse vient nous demander si on désire de quoi d'autre. On dit non.

— Je te dois combien pour le studio?

— Oh, pas énorme, environ cent soixante-quinze dollars...

— Je pourrai pas te donner ça avant un mois ou deux... loyer en retard, la bouffe... J'ai même le téléphone de coupé!

— Ça va, y a pas d'urgence...

On se sépare à dix-neuf heures. Je décide de rentrer à pied, pour m'éclaircir les idées. De jour en jour le ciel est de plus en plus sombre. Je prends plaisir à marcher dans les tas de feuilles mortes. Une odeur particulière autour de moi... ça fait ressurgir les souvenirs d'enfance en banlieue, les jeux avec mes petites voisines de l'époque, les parents qui nous criaient de rentrer parce qu'il faisait noir... Elle me paraît triste, là, la ville, mais j'aime ça comme ça. Je fais une belle figure de solitude, je reviens chez moi seul, la tête basse; un appartement vide m'attend. Je devrais peut-être me prendre un animal de compagnie... Tiens! un petit chien! Je pourrais le lancer sur les murs... l'écrabouiller avec mes bottes. Je regarde les gens que je croise et conclus qu'ils n'ont pas l'air vraiment plus heureux que moi. La saison pèse. C'est toujours pareil. «C'est une maudite année pourrite!» affirmerait Justin. Rien n'arrive! et si quelque chose se produit, c'est tout le temps un malheur. J'ai même plus l'intérêt de parler aux gens, je n'ai pas vu Nora et Murielle depuis trois semaines. Je me demande ce qu'elles foutent, ce qu'elles fouettent. Murielle doit se démener comme une folle, Nora courir après tout ce qui bouge. Rien ne change. Je peux être ici ou ailleurs. Je peux retourner chez moi ou aller m'asseoir dans un McDonald avec les vieux. Je peux prendre l'autobus jusqu'à Laval, ou Brossard, Lachine, Pointe-aux-Trembles. Ça ne fera pas de différence. J'aurai la sensation d'être au même endroit. Que c'est partout pareil... Non, décidément, je préfère rester là où je suis. Je me vois pas vivre ailleurs. Tant qu'à rien faire, j'aime mieux glander ici, prendre racine, me transformer en cactus vénéneux, ou en cancrelat baveux. Les possibilités d'avenir sont vastes. J'irai au Collège des Sécrétions Modernes, je ferai un fou de moi, ils se souviendront tous d'Irénée Faiblengras. Qui est de plus en plus froid comme n'importe quel vivant cadavre.

8. LE SUPER PLATEAU VIDÉO, C'EST PLATE

Ce soir, je ne dirai rien. Ce soir, je me la fermerai.

Resterai bien étalé sur le divan, à les contempler.

— Murielle! Je mets plus d'origan dans la sauce?

— Attends deux secondes, Nora! J'arrive! J'arrive!

Murielle sort de la salle de bains et va à la cuisine, Nora goûte la sauce à spaghettis qui bouillonne sur le feu. Le rond est trop chaud, Murielle le baisse, saisit la cuillère de bois que tient Nora, la lèche.

— Ajoutes-en juste un peu...

Elle ouvre le sac de pâtes et en dépose une poignée dans le chaudron d'eau bouillante. Elle trempe un linge et essuie les éclaboussures sur le four.

— Y a quelque chose de bon ce soir à la télé?... demande Nora.

— Je ne sais pas, on a pas l'horaire, j'ai oublié d'acheter le journal samedi... Sûrement qu'à Quatre-Saisons ils font passer un film poche... Irénée, tu sais si y a quelque chose d'intéressant?

— Bof...

Elle met des trucs sur la table : sel et poivre, parmesan, jus, ustensiles, serviettes en papier, une bougie qu'elle allume. Nora tourne en rond, regarde la ruelle par la fenêtre, l'herbe morte, les nuages gris.

— L'été a passé trop vite...

Murielle la console.

— C'est comme ça toutes les années...

La cuisson est terminée. On se sert. Nora recouvre tellement son assiette de parmesan qu'on ne voit plus les spaghettis.

— Tu veux entendre de la musique?... qu'elle me demande.

— Bof...

— C'est vrai! dit Murielle... t'es bruyant quand tu mastiques!

Nora allume la radio et synthonise une station de musique classique. On mange en silence. Un chien aboie dehors. En avant, des gens rient. Une voiture part en klaxonnant.

Murielle a des projets.

— On peut aller louer des films!

— Bof...

— Encore?! dit Nora.

— T'as une meilleure idée?

Nora nous parle d'un gars, un dénommé Steve, qu'elle a rencontré la fin de semaine dernière... se demande si elle devrait l'appeler ou attendre que ce soit lui qui prenne l'initiative. Murielle nous parle de l'université, elle ne sait pas si elle pourra endurer une autre session, elle en a marre, comme elle dit, elle a envie de tout envoyer promener.

— J'aimerais bien savoir comment s'arrange Lee à Vancouver! est-ce qu'il mange bien? est-ce qu'il baise mal?

On finit le repas, on rince les assiettes. C'est l'heure de la cigarette. Nora téléphone au Steve mais elle tombe sur son répondeur. Elle ne laisse pas de message. Murielle, son ventre lui élance, elle a trop mangé.

— D'accord pour les films, dit Nora... on y va bientôt?

Murielle approuve mais lui freine l'élan.

— Laisse-moi juste digérer un peu...

Elles se concentrent vingt minutes sur une grille de mots croisés. Je regarde, entre leurs jambes, une boule de poussière dans un coin sous la table. Elles abandonnent la grille de mots croisés. Trop difficile. On s'habille pour sortir. Murielle se met un peu de rouge à lèvres, Nora hésite entre deux manteaux.

— Il fait froid?

— Bof... Moyen...

Nora prend son veston de cuir noir, attache sa chevelure redevenue blonde. Elles se contemplent un moment dans le miroir près de la porte d'entrée... sortent enfin. Un vent froid nous donne le frisson. Dans les présentoirs des commerces commencent déjà à apparaître les décorations d'Halloween.

Nora rigole.

— Je te parie que *La Maison du Costume* a encore sorti son Alien en caoutchouc!

On va jusqu'au *Super Plateau Vidéo*. C'est le «trois pour un» aujourd'hui. Les néons nous agressent les yeux. On se tape la rangée des nouveautés mais aucun film n'attire ou n'attise notre intérêt.

Murielle baisse les yeux vers moi.

— Tu nous avais conseillé quoi l'autre jour?

— Bof...

Nora se souvient, progressivement.

— Hum... attends... y avait je crois *1984* ... et... *Torrent de sperme*!...

— Nora... dit Murielle (genre «dis pas ça...»).

— Non, sans joke, il a parlé du *Baron de Munchausen* et aussi d'un autre dont je me rappelle plus le titre...

— Bon, je vais aller demander ça au gars du comptoir...

Elles louent leurs films et j'y ajoute un Woody Allen. Sur le chemin du retour, on croise le vieux professeur que Nora avait rencontré pendant l'été. Elle lui dit bonjour.

— Tu le connais? lui demande Murielle.

— Non, pas vraiment...

On se retrouve devant la porte de leur appartement. Nora fouille dans les poches de son jean.

— Merde, j'ai pas mes clefs, tu les as, toi?

— Non!... Phoque!

— Ah! Attends...

Nora les trouve, elles étaient sous une poignée de change. On entre. La chaleur est réconfortante. Nora s'en fait.

— Brrr! J'ai pas hâte à cet hiver!

Peu de temps après, Murielle allume la télévision et le magnétoscope, insère une première cassette, s'installe avec Nora sur le divan, moi sur la chaise berçante. Elle fait passer en faste-fortwarde les préviouses et éteint la lampe à côté d'elle. Le film débute.

Quinze minutes plus tard, ça sonne à l'entrée. Murielle met le film sur pause.

— Tu attendais quelqu'un, Nora?

— Pas du tout...

Murielle se rend jusqu'à la porte, l'ouvre.

C'est Fabienne et Frantz.

— Bonsoir! Bonsoir!

On les regarde, un peu estomaqués. Ils sont tout pimpants, tout souriants, tout débordants.

Murielle finit par leur répondre.

— Bonsoir! C'est une surprise!...

Elle les laisse entrer, prend leurs manteaux et les accroche sur les cintres dans le placard. Elle tente d'avoir l'air contente de les voir.

Fabienne connaît les formalités.

— J'espère qu'on vous dérange pas trop!

— Non! Non! Nullement!... On avait commencé un film mais c'est pas grave! Ça fait quand même un bout de temps qu'on vous a vus!

Frantz s'apprête à récupérer son manteau.

— Dans ce cas-là, on va y aller! c'est pas grave! on faisait juste passer! on peut revenir une autre fois!... viens, Fabienne!

Murielle s'oppose.

— Non! Non! Restez!... On est pas pressés! On va le regarder plus tard le film!... Entrez! Je suis contente de vous voir!...

Elle les pousse dans le salon.

— Salut les amoureux! dit Nora du divan.

— Salut ma belle! lui renvoie Frantz.

— Salut mes chéries! dit Fabienne... Ça va?

Je réponds rien. Tout le monde s'embrasse.

Nora offre au couple de s'asseoir sur le divan tandis qu'elle et Murielle prendront les chaises. La télévision est éteinte. Pauvre télévision. Nora met de la musique, Murielle offre une tournée de jus. Fabienne tourne la tête d'un côté, de l'autre.

— Tiens! Vous avez changé les meubles de place?

Murielle lui répond.

— Oui, la semaine passée, c'est pas pire?

— J'aime mieux ça comme ça!...

Frantz semble songeur, il parle pas énormément, tout comme moi... Il observe autour de lui comme s'il venait chez les filles pour la première fois. Son pantalon d'armée, couleur kaki, est plein de trous... ses cheveux dressés sur la tête, pleins de gel... Fabienne porte encore de nouvelles fringues, style années soixante-dix, une robe en macramé jaune, de hautes bottes recouvertes de fourrure animale tachetée. Ils paraissent calmes tous les deux, en harmonie avec tout. C'est anormal, je trouve.

Murielle leur sert les verres de jus à saveur fruit de la passion.

— Et puis? quoi de neuf?

— On est en cure! dit Fabienne... on a arrêté de faire du smack, crack et pop... on est sur la méthadone depuis trois jours!

— Encore?

— Oui! je sais! c'est pas la première fois qu'on arrête! qu'on essaye d'arrêter!... mais là c'est vraiment pour de bon! on en a pris la semaine dernière mais là c'est terminé pour toujours!

— Eh bien! dit Nora.

Murielle ne réplique rien. Moi non plus.

— Quoi? Vous êtes pas plus heureux que ça pour nous?...

Murielle s'explique.

— Bien sûr que oui! Certain!... C'est juste que c'est un peu dur à croire!... Ça doit pas être facile!

— C'est pas si mal! dit Frantz... on capote pas trop! on se débrouille pour avoir toujours quelque chose à faire! On se promène, on fait du ménage, on va voir du monde...

Et là, c'est le silence. Bien fait pour eux, surtout pour moi. Chacun cherche quelque chose à dire. Frantz se met à jouer avec un morceau de tissu déchiré d'un

64.

bras du divan; les trois filles fument leur cigarette; elles font sortir la fumée de leur bouche en rond, vers le plafond... Elles font les gracieuses.

— Les films que vous avez loués, demande Fabienne, ils ont l'air bons?

Murielle l'informe, évasive.

— Je sais pas... on va voir tantôt...

— Ça va faire combien de temps que vous restez ici encore? demande Frantz.

— Euh... presque deux ans...

Nora s'exclame. Enthousiasme exaspéré. Elle sauve la situation. Faut s'énerver pour ça.

— Fabienne! Au secours! Je ne sais plus quoi faire avec mes cheveux! Ils sont affreux! J'ai besoin d'une nouvelle coupe! pour faire changement!

— Ah, ils sont pourtant beaux comme ça...

— Tu trouves? Les pointes sont massacrées! Regarde!

— Veux-tu que je te fasse ça tout de suite? J'ai mes ciseaux dans mon sac...

— Ça t'irait?

— Mais oui...

Elles passent à la cuisine. Fabienne sort les instruments capillaires de son sac. Des affaires de filles. Murielle offre une cigarette à Frantz. Il l'accepte. Il se lève et fouille dans la boîte à cassettes audio. Murielle regarde les boîtiers des films, sur le téléviseur. Elle cherche un nouveau sujet de conversation.

— Vous avez vu la police et l'ambulance? au métro? dimanche passé?

— Oui! lui répond Fabienne... Ça nous a fait chier! On s'apprêtait à le prendre pour aller au centre-ville! On a dû y aller en autobus!

Ça intéresse Nora, cet événement-là.

— C'était un suicide! Il paraît qu'ils ont nettoyé tout le quai!... Ça doit être dégueulasse!... Les gens sont déprimés ces temps-ci... à cause du temps? ou de la situation économique? phallique?... en tout cas, le fond de l'air est morbide!

Frantz s'enflamme.

— C'est parce qu'on vit dans un monde de marde!... C'est la faute du gouvernement!... Faudrait faire une révolution! Tous les exécuter ces hosties-là!

Nora se tourne vers lui.

— Ah! Frantz! Toujours aussi révolté à ce que je vois!

— Arrête de bouger! dit Fabienne à Nora... sinon je vais te couper un bout d'oreille!

— Oups!...

Je me roule une cigarette en me demandant ce que je fais là.

Fabienne et Frantz restent jusqu'à vingt et une heures. Nora aime sa nouvelle coiffure, ça la change. Murielle n'est plus trop certaine de vouloir regarder les films, elle s'endort. Fabienne ferme son album de photos prises pendant l'été... elle donne quelques doubles aux filles, dont une photo de la chienne Barbie en train de renifler le derrière de Frantz... la plus drôle, qui emballe complètement Nora pour ce qui est du comique.

— Faut faire laminer ça!

La visite-surprise ramasse ses affaires, dit au revoir, puis part.

Murielle pousse un autre soupir, enfumé.

— Pfouf!... On va se coucher tard avec ça!

— Ils étaient de bonne humeur, dit Nora... tu trouves pas?

— D'une certaine façon... On va voir si ça va durer...

— On sait jamais...

Murielle ramasse ce qui traîne, les quelques verres vides, une trace de boue dans le couloir. Nora s'empare de la télécommande.

— On regarde toujours *1984*?

— Euh... t'en penses quoi?

— Je file plus pour *September*... Ça te va, Faiblengras?

— Bof...

Elles ferment toutes les lumières de l'appartement. Seul l'écran illumine le salon, leur peau de lait, rend leurs yeux tout étincelants.

Je me roule une cigarette en me demandant ce que je fais là.

***

Le lendemain, Murielle descend en vélo
la rue Saint-Denis à grande vitesse.
Ses cheveux claquent dans son dos.
Sa mâchoire serrée quand elle passe un feu rouge.
Au coin Sherbrooke elle manque d'envoyer valser un piéton.
Plus bas elle voit la rue Ontario.
Elle ne pédale plus.
Se laisse aller.
Laisse faire l'élan, le vent.
La porte d'une voiture stationnée qui s'ouvre.
Elle l'évite, mais de justesse, continue...
«Si je ralentis pas, je vais me tuer...»
À Ontario, le feu vire jaune.

66.

«J'aurai pas le temps!»
Elle freine mais quelque chose ne fonctionne pas.
Le vélo ralentit à peine, elle devient blanche de peur.
«Voilà! fallait bien que ça arrive un jour ou l'autre...»
Elle ferme les yeux...
Elle passe une autre fois la rouge.
«Ouf! De justesse!»
Après quelques mètres, elle réussit à freiner
et s'immobilise...
Elle reprend son souffle, son cœur bat fort.
«Niaiseuse! J'aurais pu me tuer! J'ai même pas mon casque!»
Des gens s'étaient retournés pour la voir passer.
Un autre cycliste avait failli lui rentrer dedans.
Ç'aurait été le carambolage du siècle...
Elle se rend jusqu'à l'UQAM et attache son vélo.
Elle est en retard pour son cours.
«Le prof va encore me regarder avec ses sourcils en V.»

***

Le soir, quand elle sort du bâtiment, Murielle s'aperçoit que son vélo a disparu.
Soudain, c'en est trop de la ville... elle est furieuse.
«Tabardillo!»

9. DIVISION DE LA JOIE

Le bulletin de nouvelles de dix-huit heures se termine. J'éteins le téléviseur. Pas ce soir. Je ne gaspillerai pas un autre moment de ma vie à regarder des imbécillités. Je mets de l'eau sur le poêle pour me préparer un thé. Je prends ma guitare, m'assois sur un coin de table, gratte les cordes, tente de jouer une chanson des Pixies, avec difficulté... C'est vrai que j'en ai perdu, ça me donne mal aux doigts; pauvre cave. Je ne fais plus rien de mes journées. Je n'ai plus rien. Je suis vide. Même Hydro veut me couper. Je relis la lettre de Justin qui était posée sur la table. Sur le comptoir, la vaisselle s'accumule; le panier de linge sale va exploser; je n'ai pas sorti les vidanges depuis deux semaines. C'est ainsi. Je retourne dans la dépression atmosphérique. J'ai le front froid, l'estomac me brûle comme un étang en furie, mon crâne s'éclaircit, mes mains tremblent à force de boire trop de thé, de ne pas assez manger. Je change d'idée. Je verse l'eau dans l'évier et prends des bouteilles vides dans un placard, vais les porter au dépanneur. Je reviens avec une grosse 50. Diable! Je dois mettre un peu d'ambiance ici! On étouffe! Je fais jouer sur la chaîne stéréo un album de Joy Division. Bon! comme ça, je suis certain de déprimer comme il le faut. Ou d'enrager. On verra. Je vais dans la salle de bains, m'observe dans le miroir de la pharmacie. Mes cheveux noirs ont poussé, ils touchent presque mes épaules. Mes pupilles noires sont entourées de veines rouges. Des éclairs de fatigue. Je bois une gorgée de bière, fouille dans la pharmacie, cherche des pilules, n'importe quoi pour m'envoler. Tombe sur une vieille trousse poussiéreuse appartenant à Corinne... Tiens! comme on fait des trouvailles!... Je l'ouvre, trouve un Tampax, du fond de teint, une brosse sur laquelle sont accrochés de longs cheveux pâles, un coupe-ongles, du rouge à lèvres, du mascara. La musique joue fort dans le salon. Je bois une autre gorgée, ôte mes lunettes, applique le mascara sur mes cils... le rouge sur mes lèvres, me contemple attentivement... me trouve presque belle. Avec le mascara je trace des lignes verticales sur mes joues. Je souris... Ça ferait un bon déguisement d'Halloween. Autre gorgée de bière, retourne dans le salon, monte le volume, regarde le ventilateur inutile par terre, enfonce un pied dedans. Ma botte casse les pales. Bravo! il va faire chaud l'été prochain. J'ouvre une porte de l'armoire dans la cuisine, développe toutes les chandelles que j'y trouve. J'en place partout dans le salon... les allume l'une après l'autre, ferme l'interrupteur... Voilà ton ambiance, mon gars. Je compte les chandelles. Vingt-quatre. Mon âge. Je ramène de ma chambre ma boîte à souvenirs, étale son contenu sur le tapis du salon, bois le reste de ma bière, d'un coup... Des photos de mes parents, de moi, enfant unique, quand j'étais bébé, enfant... l'album de finissants, des cartes d'anniversaire, de vieux jouets, des lettres, des mèches de cheveux. Pourriture. Voici ma vie, mon passé. Merveilleux... J'ai une vie toute petite. Je ne suis là qu'à peine. On m'a juste loué le corps pour quelques années. Après on va me renvoyer dans la poussière et la vermine. Ça me donne des idées, déprimer. Je fais des piles, des tas, avec ce qui se trouvait dans la boîte. Emporte tout ça sur le plancher de la salle de bains, m'installe à genoux... Que ça brûle! crame! crépite!... À l'aide d'une chandelle, je brûle toutes les photos, toutes les lettres, les cartes, tout ce qui peut s'enflammer, au-dessus de la toilette. L'eau devient noire de cendre. Je deviens étranger à moi-même, hypnotisé par les gestes de mes mains. C'est maintenant irrémédiable. J'ai effacé les traces de ma vie antérieure. Je n'ai plus que mon corps. Et encore. Mon portefeuille, mes livres... Biiiiiiiiiiiii!...

Phoque! Le détecteur de fumée qui se déclenche. Ah! là, je regrette mon acte de destruction. Le doute s'empare de moi. Mais il est trop tard. Il ne me reste plus qu'à tirer la chasse... Je prends un balai, en frappe le détecteur, pour le faire taire. Crouic! Le son strident cesse. J'ai enfoncé le manche. Le plastique de l'appareil est complètement défoncé. Encore bravo, Irénée! Détruis tout! saccage l'appartement! mets-y le feu s'il le faut! sky is the limit!

Ça sonne à la porte.

Je vois une grande forme sombre derrière le rideau... Enfin! du monde! la Mort! n'importe!... J'ouvre. C'est Murielle. Ah!

— Salut! Je passais dans le coin, un peu volontairement... qu'elle me dit.

— Entre! Entre!

Je lui enlève son manteau, l'invite au salon. Faut être gentleman avec les gentilles filles.

— Ça sent drôle ici!

— J'ai fait cramer des macramés!

— Wow! Qu'est-ce qui arrive?!... Ah! Toutes ces chandelles! tu fais une messe noire?... et tout ce bordel! seigneur! mais ça traîne partout!... oh! ah! ton ventilateur! en miettes!... la boucane! le bruit!... mais tu vires sur le top, Irénée! tu te transformes en escalope!... Bon sang! J'ai bien fait de passer! je commençais à m'inquiéter pour toi! ton téléphone coupé, ça aide pas!... mais!... enlève tes cheveux de ta face deux secondes!... mais tu t'es maquillé!... qu'est-ce qui te prend? tu te travestis à cette heure? tu te fais des beautés, quoi! tu portes des sous-vêtements féminins, quoi!... c'est quoi ton problème?

— Je fais un fou de moi!

— Quoi?... On peut baisser la musique? un peu?... on s'entend pas!

Je mets la chaîne à off.

— Merci!... Alors, c'est de même que tu passes ton temps?... tu vas devenir complètement névrosé!

— Excellent! Extra!

— Sors un peu! va voir du monde! va te trouver une job!

— Je suis assez grand pour m'occuper de moi tout seul!

— Je sais! mais je me fais du souci pour toi! dans quel état tu es!

— Euh... d'absence? crépusculaire?... en état lacunaire? de mal? thymolymphatique?

— Tiens! Je t'ai acheté une bière! On va trinquer un peu! J'ai des choses à te dire!

Elle s'installe sur la chaise berçante, moi sur le tapis, en position d'Indien.

— C'est drôle de te voir déguisé comme ça!

— Je sais! C'est mon costume pour l'Halloween!

— Tu peux m'ouvrir ma bière? Ça me fait mal à la main!

J'ouvre les deux bouteilles.

— Tu veux un verre?

— Non merci... Bon! pour débuter, tu vas me dire ce qui ne va pas avec toi! comment ça se fait que tu es comme ça!

— Hein? J'ai pas l'air d'aller? J'ai pas l'air empli de plénitude?

— Pas du tout! As-tu l'intention de te suicider?

Ha! Je ris!... Et reris! Ha! Ha!

— Ben voyons, Murielle! Loin de moi cette idée! Je sais très bien que ça sert à rien de crever!... Ça ferait quoi?... Le néant total pour moi mais beaucoup de peine pour toi! les amis! la famille!... Impossible! Je ne pourrais pas!... Je veux qu'on me laisse encore plusieurs années! une cinquantaine! soixantaine! pour que je puisse, tranquillement assis chez moi, regarder ce monde se décomposer!... moisir! décrépir!... Je suis observateur! J'aime les films de série B! Les filles de série X!... Non! inquiète-toi pas pour moi! J'ai pas l'air d'aller comme ça mais au fond je joue un rôle! je me joue la comédie!... j'attends! embusqué! rien ne presse! avec ou sans moi, la planète va continuer à tourner! alors aussi bien rester et profiter des moments de bonheur!... se gaver de bonheur!... baiser avec le bonheur!... s'en envoyer des masses, de bonheur!... phoque!

— Tu es heureux avec moi? avec Nora?

— Ah oui! Oui!... Vous êtes les personnes que j'aime le plus au monde!... Vous êtes mes adorées! La volupté! Sans vous je serais pas né!... Pour tes yeux, je pourrais tout donner! Ah! Oui!

Murielle baisse la tête, passe une main dans ses cheveux.

— Merci!... C'est trop gentil!

— Tiens! Je te roule une Drum... Ça va te changer de tes Du Maurier de marde!

— Euh...

— J'insiste! J'insiste!

— D'accord! Merci!

Elle remonte le zipper de son jean. Je fais comme si j'avais pas remarqué. Je l'imagine nue un instant. Ouf!... puis je me force à penser à autre chose. Murielle m'envoie des fleurs.

— Tu as de beaux yeux sombres, Irénée! On y voit les flammes des bougies! Ah! Le reflet que ça fait! Féerique!... La peau de ton cou semble si tendre! si sensible! Ça donne envie d'y mordre!

— Ah! Que dire?... Vas-y! Vas-y!

Puis c'est tout. Pas plus. Je lui donne la cigarette roulée, lui allume. J'en roule une autre pour moi. Murielle recouvre son visage de ses mains. Elle va pleurer? rire?... non! elle soupire! encore!... Puis enlève ses mains, brusquement. Les lance en l'air. Comme si elle voulait les faire voler. Sa façon de chasser ses pensées.

— Mon Dieu! qu'elle dit... Je me demande si je ne vais pas changer d'idée...

— Par rapport à quoi?

— T'es certain que ça va bien? Irénée? tu ne vas pas m'abandonner? moi? ton amie?...

— Juré! Promis juré! Tu peux me faire confiance, ma douce!... Je veux qu'on passe nos vieux jours ensemble!

— T'es drôle...

— Ah! C'est du sérieux! Du concret!.. J'ai de la difficulté à m'endurer! vrai! c'est un fait! mais je réussirai bien à m'en sortir! Je suis juste dans une mauvaise passe!... Bon! ça dure! ça dure! depuis au moins trois ans! mais je fais mon gros possible! y a lueur d'espoir! je trouverai bien une raison d'exister! un jour ou l'autre!... je rencontrerai une fille!... n'importe quoi! je suis même prêt à devenir Témoin de Jéhovah!

— Que je te voie!

— Revenons à nos brebis! de quelle idée parlais-tu?

Elle avance sa chaise, se rapproche de moi, se penche sur moi, me regarde dans les yeux.

— Au fond, si je suis venue ici, c'est pour te dire au revoir...

— Pardon?

— Je suis tannée de Montréal! des études! de la job au *Misto*!... J'ai décidé de partir en voyage!... J'ai pas mal d'économies!... et puis phoque l'université! je m'expliquerai avec mon père une autre fois!... j'ai vraiment besoin de changement! de voir autre chose!

— Mais tu veux aller où?... (J'affiche mon air paniqué.)

— À Vancouver, pour commencer!... Je vais aller faire un tour chez Corinne! peut-être qu'elle pourra m'héberger un temps! et puis Justin est là!

— Et Lee également!...

— Oui...

72.

— Tu t'ennuies tant que ça de lui?

— Plus ou moins... mais je suis curieuse de savoir ce qui leur arrive, à lui et à Justin... Tu as toujours la lettre qu'il t'a envoyée?

— Oui, elle est sur la table, dans la cuisine...

Elle se lève, va chercher l'enveloppe.

— J'ai besoin de leur adresse...

Elle la retranscrit dans son calepin, se rassoit.

— Ah! Là, c'est toi qui m'abandonnes, Murielle!

— Allons! je ne pars pas pour toujours! et Nora est encore là! ainsi que les autres!

— Tu parles!

— Aussi, j'ai l'intention d'aller visiter le Mexique!... Je vais demander aux gars si ça leur tente! sûrement que non! ils vont être cassés, je suppose!... mais ça me fait rien d'y aller seule! je peux m'organiser!

— Au Mexique!

— Oui! Oui! Au Mexique!... Pourquoi pas?... Il y a plein d'endroits à visiter!... Des sites archéologiques! des ruines! et la Corona est presque donnée!

— Seigneur! dans quoi tu t'embarques, Murielle?... Ça va te coûter un bras!... Tu veux partir quand?

— Demain matin! J'ai mon billet d'avion!

— Quoi! Déjà? Ah! Une chance qu'on se voit! Shit!... C'est du tout garroché pré-cipité!... l'envolée! pas de niaisage! paf! tu perds pas ton temps! pas une seconde! rien! quand c'est décidé, pas question de stagner par chez toi, hein?... Ah! Murielle! Tu vois pas ce que tu me fais!... Tu me fouettes! Tu me tues! Ah! Mon cœur se brise! Mon âme saigne! Tu pars! Tu me quittes! Moi! ton pitou! Help!

— T'es drôle...

— T'es vraiment sérieuse?... Demain matin?!...

— Oui... ça te choque?

— Non... je suis juste jaloux!

— Fétoézampa...

— En tout cas, t'es mieux de me rapporter un souvenir!

— Promis!... Une belle Mexicaine, ça te va?

— Pas de problème!... N'importe quand!

Elle se lève.

— Bon, excuse-moi de pas rester plus longtemps... faut que j'y aille... je dois me lever tôt demain...

Elle met son manteau, dégage ses cheveux coincés. Je l'observe attentivement.

— Tu es belle, Murielle! Tu es pure!

73.

— Tu es rebelle, Irénée! Tu es dur!

— On ferait un beau couple, non?...

— Quand je reviendrai? Peut-être?...

Elle me lance le genre de regard dit *langoureux* qui te terrasse à passer des nuits d'insomnie à te poser des questions sur sa signification. Je m'extirpe de l'avant-dernier palier du fond de mes sentiments.

— Je vais m'ennuyer de toi... énormément...

— Moi aussi... Irénée... J'aurais aimé que tu viennes avec moi, mais...

— Je sais...

Elle me prend entre ses bras et me serre fort fort. On reste comme ça, sans parler, une dizaine de secondes... puis elle me regarde. Je pense à l'embrasser, me retiens, de peu.

— Tu sais que je t'aime... elle me dit.

— Pardon?

— Que je t'aime comme un frère... T'es mon meilleur ami...

— Toi aussi...

— Tu vas faire attention à toi, tu me le promets?

— Fais-toi pas de mauvais sang...

— Je peux partir l'esprit en paix?

— T'inquiète... Allez, va...

Elle m'embrasse! sur la bouche!... mais nerveusement. Elle sait pas trop comment s'y prendre avec moi. Oh là! tout doux, la douce. Je l'aide. Ça salive. Ça devient cochon... Elle s'enlève... Je fais de l'humour.

— Je dois considérer ça comme un cadeau d'adieu?... Fantastique! Tu devrais partir en voyage plus souvent!

— T'es drôle... Bon, j'y vais!... Tu viens me reconduire?

— Quoi? où ça?... chez toi?

— Mais non, idiot, dans l'entrée...

— Ah!

Je l'accompagne jusqu'à la porte, lui ouvre. Elle sort et descend l'escalier. On se sourit, une dernière fois.

— Bye!...

— Bye!

Je reste sur le balcon pour la regarder marcher... puis, alors qu'elle n'est plus qu'une forme noire au loin sur le trottoir, je la vois se retourner et m'envoyer un salut de la main. Je crie. Tant pis pour les voisins.

— À bientôt, Murielle! Je penserai à toi!...

74.

Je reviens dans l'appartement, ferme la porte... J'ai froid... Je vais m'asseoir sur la chaise berçante. La place est encore chaude de son corps... J'hume sur moi son odeur. Un mélange de shampooing aux pêches, de Bounce, de tabac. La chaleur qu'elle a laissée me réchauffe, me fait du bien. Je n'écouterai pas de musique. Une tristesse amère, si j'ose m'exprimer ainsi, me monte du ventre, me grimpe jusqu'à la gorge. Murielle n'a pas terminé sa bière. J'y trempe les lèvres... Ah! comme c'est romantique! comme si je l'embrassais une nouvelle fois!... Je bois ce qui reste de la bière. Mon rouge à lèvres laisse des traces sur la bouteille. Je me penche, ramasse un objet au sol. Elle a oublié son crayon. Je vais dans ma chambre et le pose sur le bureau, juste à côté du bracelet de Nora.

***

Nora se déshabille...
Entre dans la salle de bains.
Elle ouvre les robinets de la douche, ferme le rideau.
L'eau chaude lui caresse la nuque, le dos.
L'avenir lui semble agréable...
Elle chante...
«C'est à Canari Bay! ouh! ouh!...»
Elle entend la porte de l'entrée qui se ferme.
— C'est toi, Murielle? crie-t-elle.
— Oui, c'est moi! répond son amie.
— Allô!
— Allô!...
Glou glou glou...
Plus tard, Nora va dans la chambre de Murielle. Elle est couchée. Nora l'embrasse sur les joues.

   — Je te réveille pas?
   — Je dormais pas encore, je réfléchissais...
   — Je voulais te dire salut une dernière fois... demain matin, je suis pas certaine de pouvoir me réveiller quand tu vas partir...
   — Ah... eh bien, salut en avance... Si jamais je vois Justin, tu veux que je lui dise quelque chose? de ta part?...
   — Non! J'ai rien à lui dire!... Si! Dis-lui que je me suis fait un nouveau chum!
   — Pour de vrai?
   — Mais non, voyons! juste pour voir sa réaction!
   — Bon, d'accord... mais il va s'en foutre comme de l'an quarante!

— Et au Mexique, si tu y vas, ne m'oublie pas!... Je veux que tu me rapportes un cadeau!

— Une belle Mexicaine bronzée? C'est la mode d'être bi!

— Au quai!

Elles s'enlacent et rient un instant.

Puis, d'un coup, Nora a froid.

Elle se sent mal, Nora.

Elle laisse son amie s'endormir.

Dehors, une voiture fait crisser ses pneus.

Elle sort de la chambre, en silence.

Elle regarde ses mains qui tremblent.

(On continue avec nos petits poèmes des autres vies.)

Fabienne souffle légèrement pour repousser les boules de poussière devant son visage. Elle éternue. Ça va bientôt faire quatre heures qu'elle est cachée, couchée sous le lit de sa chambre. Elle espère tenir jusqu'à dix s'il le faut. Elle n'a pas trop mal au dos, elle avait pris la peine de placer des coussins avant de s'allonger... Barbie ne peut pas vraiment venir la déranger avec son museau car elle l'a enfermée dans sa cage d'acier. Elle a dissimulé ses bottes, son manteau et sa sacoche au fond de la garde-robe. Elle a laissé une note sur le comptoir de la cuisine expliquant qu'elle était partie faire un tour chez une ancienne amie d'école rencontrée par hasard au dépanneur... qu'elle allait revenir en fin de soirée, vers vingt-trois heures. Elle se croise les doigts pour que Frantz avale ça. Elle regarde sa montre qui brille dans le noir... 06:33 PM en bleu lumineux. Elle expire, son ventre fait du bruit... elle pense qu'il ne faudrait pas que personne la voie ainsi sous le lit; on la prendrait pour une cinglée. Elle veut fumer une cigarette. Elle ne peut pas. À cause de sa position aux mouvements limités... et si Frantz arrive, il va sentir la fumée. Elle pense à des fleurs, un jardin de fleurs dans lequel elle court... des abeilles qui bourdonnent autour d'elle, le soleil qui lui chauffe le front... sa mère qui lui crie de venir mettre un chapeau, le bruit d'une tondeuse à gazon provenant de la cour du voisin, un air de violon, le dernier popsicle rouge qui l'attend dans le congélateur... Jeune fille en robe dans le jardin aux mille couleurs. Jeune femme de cuir se salissant dans la poussière d'un appartement, dans un immeuble, rue Fabre... Dans sa main elle saisit une boule de poussière. C'est comme une fleur morte, grise. Elle la sent... Odeur d'animal. Elle éternue... Elle ne veut plus respirer, son corps est parfaitement immobile. Aucun bruit. Une demi-heure passe. Les êtres dans sa tête prennent la parole, le sommeil la gagne mais un bruit distinct la sort de ses songes; elle ouvre les yeux : une clef dans la serrure, la porte qui se referme, Frantz... Elle l'entend qui fait tomber ses bottes, marche dans le corridor...

— Fabienne! Tu es là?...

Elle pense très fort : «Oui! Oui! Je suis là! Dans la chambre!...» Elle retient son souffle. Frantz se déplace dans le salon, la cuisine. Le son d'une feuille qu'on froisse; il a lu la note... il entre dans la chambre, s'écroule sur le lit, crouic, pousse un soupir, reste là plus de cinq minutes, retourne dans le salon, allume la télévision, MusiquePlus, parle à Barbie, la laisse sortir de sa cage, ouvre le frigo, pose des plats sur la table, ouvre le tiroir à ustensiles, mange sur le divan devant l'écran, dit à Barbie de se tasser... La chienne entre dans la chambre et vient la sentir, tente de se faufiler sous le lit pour la rejoindre. Fabienne la repousse, l'animal tourne autour du lit, jappe... Frantz lui ordonne de revenir dans le salon, lui dit : «Couche! reste!...» Le temps passe... Frantz change régulièrement de chaîne, Fabienne regarde l'heure,

08:35 PM, son dos lui fait mal, elle ne sait plus comment se placer... Frantz parle seul, il chante un peu aussi... Il ferme la télé et allume la chaîne stéréo, monte légèrement le volume, du vieux punk... Il joue avec Barbie puis lui ordonne de se calmer, il baisse le volume de la musique. Il compose un numéro sur le téléphone... «Oui allô!... je peux parler à Pit?... Hum... oui, c'est beau!... tu peux lui dire de me rappeler le plus tôt possible?... Oui!... c'est Frantz!... au quai!... merci! bye!...»

Il raccroche. Elle l'entend faire les cent pas dans le salon. Le téléphone sonne, il se précipite dessus... «Allô!... Salut Nora!... Non... Fabienne n'est pas là... d'accord!... je serai peut-être pas là!... au quai!... je vais lui laisser un message... bye!...» Frantz repose le combiné et dit : «Christ!» Il ouvre à nouveau le frigo, se sert quelque chose, retourne s'écraser sur le divan. Fabienne est engourdie. Elle essaye de se masser le bas du dos. Le temps s'écoule... À 09:20 PM le téléphone resonne... Frantz répond... «Oui!... Allô Pit!... Oui!... hum... oui! justement! je voulais te parler de ça! t'as toujours un peu de céréales?... oui? perfect!... non, des Capitaine Crunch... oui... juste un point... d'accord! j'arrive tout de suite!... bye!...» Il raccroche vivement. En quelques secondes, il enferme Barbie dans sa cage, s'habille, met ses bottes, sort... Le claquement de la porte résonne dans le corridor. Fabienne retient ses larmes, se dégage d'en dessous du lit, s'époussette, replace ses cheveux. Elle prend deux sacs de sport et y fourre le plus de vêtements qu'elle peut, des livres de valeur, des trucs essentiels, ses instruments de coiffure... Elle remue l'appartement de fond en comble pour être certaine qu'elle n'oublie pas une pièce d'identité ou des cartes à son nom, elle met dans sa sacoche tous les papiers importants. Elle soupire, regarde l'ensemble de ce qui aura été son chez-soi... Elle flatte Barbie, lui donne un baiser sur le museau. Elle déplace la table du salon. Elle prend l'enveloppe brune sous le tapis du salon, compte l'argent qui s'y trouve, deux mille trois cent trente-cinq dollars, l'enfouit dans la poche intérieure de son manteau. Elle s'habille, enfile ses plus belles bottes, en cuir, enroule un foulard autour de son cou... Elle prend un papier, un stylo... écrit une note qu'elle laisse sur la table du salon. Autre soupir (c'est la mode). Elle pleure un peu, se mouche... puis elle éteint quelques lumières, s'empare de ses sacs, marche dans le corridor et sort de l'appartement. Elle ferme doucement la porte derrière elle. Dehors, elle n'éprouve rien. Ses yeux sont secs. Elle monte dans un taxi.

De gros flocons tombent sur le pare-brise.

Bonsoir, Frantz.

Quand tu liras ce papier, je ne serai plus là. Tu ne me verras plus jamais de ta vie. Mais je veux que tu saches que je t'aime encore. Cela ne pouvait plus durer ainsi. Pendant que tu appelais Pit pour l'héro, j'étais cachée sous le lit. J'ai tout

78.

entendu. Je m'attendais à ce que tu fasses une rechute. Je voulais juste être certaine. Excuse la méthode utilisée pour te prendre en flagrant délit. Quand tu vas chez des amis, je ne peux jamais savoir ce que tu fais exactement. Il fallait que je te tende un piège ici. Aussi, tu sais ce que c'est. On aurait recommencé à capoter et tu m'aurais proposé qu'on en fasse encore juste une fois pour nous soulager. Et j'aurais embarqué dans le bateau. Comme d'habitude. Mais l'autre jour, j'ai vraiment décidé d'arrêter. À n'importe quel prix. Même si ça impliquait que je doive laisser la personne que j'aime le plus. Et c'est cela que je fais maintenant. Tu sais que je vais bientôt recevoir le reste de mon héritage. J'aurai pas de problèmes à recommencer ma vie. Cela ne sera pas facile, je sais. Pour toi non plus. Mais je crois sincèrement que c'est ce qu'il y a de mieux pour nous deux. Ne deviens pas trop cinglé. Prends ça relax. Beau comme tu es, tu n'auras pas de problème à rencontrer d'autres filles. Je t'embrasse fort. Je te garde dans mon cœur. Adieu.

Fabienne XXX.

P.-S. Ça ne servira à rien de me chercher et d'appeler partout. Je ne serai plus en ville. Ni à la campagne chez mon père. Je n'ai parlé de ça à personne, à aucun de nos amis. Je me suis volatilisée.

***

Salut Irénée! Ici Justin!

J'espère que ça va bien à l'appartement! Est-ce qu'il neige à Montréal? Ici c'est un peu dégueulasse. Murielle est venue faire son tour pendant trois semaines et là elle nous a quittés il y a quelque temps. Tu devrais recevoir une lettre d'elle bientôt. Elle a finalement entrepris d'aller au Mexique. Moi, ici, je commence à être écœuré de mon travail. Lee a rencontré une Japonaise et s'est installé chez elle. Il semble bien aller. Il habite pas loin de chez Corinne. Elle et moi ça va moyen. Je repense à Nora (mais ne va pas lui dire!). J'espère que le chèque que je t'envoie va être correct pour le loyer et un peu pour le compte d'Hydro. Les Fêtes arrivent prochainement, je ne sais pas si je vais être là. En passant, la Honda m'a lâché avant-hier. Elle va aller à la scrap. Je ne sais plus quoi t'écrire. Ah oui! le groupe Sass Pupu toffe toujours? Si je reviens pas bientôt, je te souhaite tout de suite de JOYEUSES FÊTES!!!

Justin The Man!

P.-S. Bois un coup à ma santé! Salut!

***

Cher Irénée,

Je te poste cette carte pour te dire que mon voyage se déroule TRÈS bien. Je viens d'arriver à Mexico City; c'est un CHOC! J'ai rencontré deux Américains (qui voyagent avec moi). Ils projettent d'aller en Amérique centrale! Ça m'intéresse! Faut que je fasse attention à mon $$$! Tu dois aimer la photo sur la carte, HUM? Elle est bronzée la fille, HEIN? Je commence à avoir l'air de ça! BON! Embrasse tout le monde de ma part! Passe de bonnes Fêtes. Je vais essayer de t'écrire une lettre plus longue bientôt. Ta CHÉRIE qui T'AIME (à sa façon!) et qui te serre FORT FORT! Ciao!

XX Murielle.

Je crois que je dors trop. De plus, j'ai une vilaine toux. Pourtant, je n'ai pas les symptômes d'un rhume. Peut-être que c'est la cigarette?... En général, je dors dix heures par nuit, parfois onze, douze. Je me lève à des deux ou trois heures de l'après-midi, bois plusieurs cafés, prends plus de deux heures pour me préparer. À ne rien faire. Je ne sais pas. Je tente peut-être d'établir le record Guinness de l'immobilité, de la stagnation. Je ne vois presque personne. Le frigo est franchement vide. C'est drôle. J'ai commencé à voler un peu de bouffe dans les marchés. Je reste caché, je ne sors presque plus; de toute façon, il fait un froid de volée de canard dehors... Quand quelqu'un vient sonner, je regarde pour voir qui c'est. Quand c'est le proprio, je fais le mort. C'est facile. J'écoute ma musique à faible volume, je ne marche pas du talon, j'allume peu l'éclairage, je laisse les factures s'accumuler dans la boîte aux lettres... Je n'existe plus pour personne ou presque. J'hiberne, je fais l'animal. Je me demande si je vais pouvoir durer, si c'est humainement possible. J'ai pas de gants, ni de mitaines. Je ne vois pas pourquoi je vous dis cela. Ça doit être parce que je m'ennuie à force de rester enfermé. Mais si je me fais couper l'électricité?... Non, ils n'ont pas le droit de faire ça pendant l'hiver. Si je veux frôler les murs et ramper sur le plancher, va falloir que je fasse du ménage; je ne dois pas trop me salir. Depuis que la laveuse m'a chié dans les mains, je dois aller à la buanderie et je n'ai plus une tonne d'argent... À quoi tout cela va-t-il me mener? Vais-je finir par transformer quelque chose en moi? devenir une grosse coquerelle?... Ça serait drôle, ça aussi. Ils viendraient me chercher au printemps. Une découverte incroyable dans l'appartement des horreurs. Je passerais dans *Photo-Police*. J'ai fermé les stores et les rideaux. Je me promène toujours dans l'obscurité. La porte d'entrée est verrouillée. Je sais que je ne deviens pas fou, névrosé comme Murielle pourrait le penser. C'est seulement un processus normal, un moyen de défense contre... plusieurs facteurs d'agression... Ceux qui veulent que je crache de l'argent, par exemple. Ils se font de plus en plus nombreux. Aussi, j'ai maintenant la peur d'être facilement blessé. Je me sens fragile comme de la porcelaine, comme un petit porc en laine! (Quel comique!) Un rien me fait mal. Une simple parole, un simple regard peuvent me détruire le moral pour une journée... Blabla! Vive le mélo!... Il n'arrive plus rien et c'est ce qu'il y a de mieux. Mes amis ne sont plus là pour m'appuyer, m'aider, me créer un champ de force protecteur. Il y a Nora, la pire de mes craintes. Quand je suis seul avec elle, je me sens impuissant, à sa merci. Je deviens un pantin pour elle... un pantin de catin! Je me demande ce qu'elle peut bien fouetter de ses journées. Elle est dans la même situation que moi. C'est une B.S. Elle doit s'apitoyer sur son infime univers elle avec. Murielle lui a sûrement laissé de l'argent... et elle a toujours sa famille pour l'aider. Moi, je n'ose plus rien demander à la mienne. Et puis, qu'est-ce que j'irais faire à Brossard? C'est paniquant. Je m'imagine en train d'attendre l'autobus, gelé comme pas un, ne pouvant m'empêcher de penser à une soupe chaude. Avec une grosse tuque sur la tête. Un grand foulard qui cache mon visage. Mes yeux fatigués, larmoyants... Non! Il est préférable de rester ici. C'est mon combat et je dois me battre seul. Je suis mon seul témoin, l'accusé, le juge. Je tiendrai jusqu'au bout. Le pire qui puisse m'arriver serait de me retrouver en prison. Et même là. Ça ne serait pas si grave. Au fond, je deviens un clochard... qui a un toit et de la chaleur, c'est tout. Mon appartement n'est qu'une grosse boîte de carton chauffée. Je devrais clouer des planches aux fenêtres, installer des pièges sur les portes, mettre une mygale dans la boîte aux lettres. J'aimerais posséder un fusil pour défendre mon territoire... convenablement.

«Allons, Irénée! tu t'inventes des histoires! tu es tellement désolé que tu fabules! tu disjonctes!... Tu ne peux pas continuer comme ça! c'est pas bon pour ton moral de rat!»

Mais oui... je peux, tu vas voir, fais-moi confiance, j'ai la maîtrise totale... Attends, tu verras...

«Tu m'inquiètes, Irénée! ton cheminement est hasardeux! ça va mal finir! je te le dis!»

Chut! Chut! Tu dois me croire... Cela semble embrouillé pour l'instant, je sais... mais je suis persuadé qu'il y a une lumière au bout du tunnel, quelque chose va se produire. Je serai illuminé, mon être transformé, ma vie ne sera plus jamais pareille. Ça demande juste un peu de patience, d'endurance.

«Bon, d'accord!»

Tu vas comprendre. On va finir par s'entendre. Tout va devenir clair comme l'air du ciel. On pourra déployer nos ailes et voler tels des anges. On ne fera plus les démons. Ce sera une époque révolue. On abandonnera le boulet, on se lavera de nos vices. Tout le chaos se dissipera autour de nous et nous serons nets... avec des têtes de cristal.

$$***$$

Frantz est venu sonner tout à l'heure. Je n'ai pas été lui ouvrir. Je n'ai pas fait de bruit. Quand je l'ai regardé partir, de la fenêtre, j'ai fait bien attention qu'il ne me voie pas. Il avait la tête basse, il paraissait contrarié. Peut-être avait-il besoin de moi? voulait-il me parler? que je le dépanne?... qui sait?... Qu'il sèche. Tout cela est maintenant mort. Cette scène n'est plus qu'un souvenir. Elle ne s'est peut-être jamais produite. Ainsi soit-il. Je ne demande plus rien et je veux qu'on me laisse en paix. J'ai assez de mes problèmes. Ceux des autres ne me préoccupent plus, désormais.

Une question... Si on peut avorter d'un fœtus de deux mois, pourquoi pas aussi d'un de vingt-quatre ans? Ça ne fait pas de différence. C'est du pareil au même... Y a plus une âme qui vive dans le jardin public, de l'autre côté de la rue. Tout est recouvert de neige. Des jours, la neige fond, le terrain devient boueux, des tiges de plants penchent, mortes. Ça ressemble à un cimetière de légumes. Je me souviens du party au début de l'été dernier. Du balcon, on pouvait voir Lee qui se déplaçait à quatre pattes dans les rangées pour voler quelques tomates. Il se prenait pour un commando camouflé. C'était vraiment amusant, on riait, on lui criait des noms. Nora s'époumonait : «Ramène-moi des betteraves!» C'était le bon temps. On ne se souciait de rien ou presque. Non, ce n'est pas vrai, je souffrais autant qu'aujourd'hui. Maintenant, je suis seul mais je maîtrise mieux ce qui m'entoure, sur moi-même. C'est plus dur, plus froid, ça semble plus vif mais je me sens fort, sans faille, solide comme du roc. Est-ce que c'est ça, devenir adulte? Je ne sais pas. Ça n'a aucune importance, ça ne change rien. Mon esprit est libre, mon corps n'est qu'une plante de viande mouvante que je dois nourrir parfois. Ce n'est pas plus compliqué que ça. En médecine, je m'étais fait un ami. Il était plus âgé que moi, était plus avancé que moi. Fernando, qu'il se nommait. Un soir, il m'a amené voir le cadavre d'une belle jeune femme sous du plastique. Il phantasmait sur la macchabée, il salivait sur ses seins. Ce n'était rien... Un buffet froid.

Résiste, tel est mon mot d'ordre.

Je m'invente des scénarios. La planète a été envahie par des extraterrestres voleurs de corps. Comme dans les films. Je suis le restant de l'humanité, à donner aux chiens. Les gens ne sont plus ce qu'ils semblent être. Leur but est de me chercher, de m'assimiler, de m'abattre. Ne plus sortir. Ils sont partout. Ils ne m'auront pas. Je suis le dernier survivant de mon espèce et je combattrai jusqu'à la mort.

Phoque. Je vais sauter une coche. Ils vont me ramasser à la petite cuillère au printemps. Je dois m'occuper, écrire des poèmes, lire, nettoyer la baignoire, sortir les vidanges... L'épreuve la plus difficile sera de passer les Fêtes. Je vais m'ennuyer à mourir, je serai désespéré, mes parents vont tenter de me joindre, vont stationner la superbe Saab dans la rue, vont monter l'escalier, sonner. Je ne saurai pas quoi faire. Ouvrir et les embrasser? les accompagner jusqu'à Brossard et me bourrer la fraise? projeter de me réinstaller chez eux? dans la cave?... Ou bien résister ici. Continuer à subir l'état de siège, ne pas ouvrir la porte, me mordre la main pour m'empêcher de crier, me tirer les cheveux... Le bruit de la sonnette qui va me déchirer la cervelle, pendant une éternité... Ah! la souffrance de la solitude. L'abandon total. Prisonnier de moi. Bourreau de ce que je suis. Que c'est beau! Sale romantique.

Il faut goûter au néant, imploser... Implorer le silence absolu. Pas d'autre solution pour aller là où les vraies affaires se brassent.

Business is...

12. LE MALHEUR, ENFIN

• Des nouvelles de Murielle

Mexico City.
Notre tête qu'ils prennent par les cheveux...
qu'ils cognent contre le mur de brique.
Nos bras qui tentent de s'accrocher à quelque chose...
qui font tomber des poubelles.
Le coup de coude que l'on reçoit sur la mâchoire...
la dent qui se casse.
Le sang qui coule sur notre épaule nue...
t-shirt arraché, jupe déchirée... la douleur.
On crie, on pleure, mais les deux hommes ne font que rire...
(ils sont ivres, c'est des situations qui arrivent).
Un autre coup de poing dans le ventre
et on ne peut plus faire le moindre geste...
le moindre son... on se détache du monde...
rien n'existe plus sauf la chose entre nos cuisses
qui nous écorche l'intérieur.
Ces mains qui nous écrasent les poignets...
ce souffle chaud dans notre cou...
des images qui surgissent, des visages... méconnaissables.
Les mains qu'ils appliquent sur notre gorge...
le dernier cri qui ne peut sortir.
Le noir...
Plus rien.

$$***$$

• Des nouvelles de Nora.

Nora raccroche le téléphone. Personne ne répond chez Frantz et Fabienne.

«Tant pis! Et impossible de rejoindre Irénée!... Marcher jusqu'à chez lui?... C'est trop froid!... Paresseuse!... Pour l'instant j'ai faim!... Je vais me commander une pizza!... Oui!...»

Elle appelle chez *Mamma Pizza*, commande une numéro quatre, donne son adresse.

— Non, pas de numéro d'appartement, merci!

Elle va à la salle de bains, regarde si elle est passable dans le miroir, se donne un coup de brosse, ajoute du mascara. Steve a téléphoné hier soir, il veut la revoir; elle lui a dit qu'elle était pour le recontacter bientôt.

«Il va m'aimer!... Il veut poser ses mains sur moi! explorer mon corps! m'enlacer!... Il veut de la chair!... Il est plein de fric et ne rêve qu'à moi!... Je devrais être flattée! me sentir fière! mais ça ne me fait rien! je m'en fous complètement!... C'est comme ça!... Depuis que Murielle est en voyage, je ne sais pas quoi faire! j'ai personne avec qui parler! les pièces sont vides! son lit est froid! je ne suis pas ordonnée comme elle! la vaisselle traîne! les cendriers débordent! les cochonneries s'accumulent et je ne fais rien pour éviter cela!... Je m'ennuie! Je suis écœurée de louer des films! de relire le *Voir*! de regarder mes revues de mode!... Il n'y a plus rien à faire!... Je dois me rendre à l'évidence!... Danser!... Et si je sortais? Je n'ai qu'à bien m'arranger! m'installer à un comptoir! faire ma fraîche! laisser les gars venir à moi! leur sourire! amorcer une conversation! me faire payer un verre!... Je suis assez grande pour sortir toute seule! je n'ai plus besoin de personne! je suis une femme maintenant!... Mon cul, oui! Après la pizza, il ne me restera plus que dix dollars!... Juste assez pour le transport et c'est tout!... Je me suis acheté trop de vêtements!... Ça t'apprendra!... Ah! Ça sonne!...»

Nora ouvre la porte et paye le livreur. Elle dépose la boîte sur le comptoir, tire un tiroir, prend un couteau, se coupe une pointe, met la pointe dans une assiette. Elle en mange trois. Elle place le reste dans le frigidaire.

«Ouf! je me sens pleine!... Bon! ça ne me servira plus à rien de me morfondre! va falloir que je me trouve une occupation pour les prochains jours sinon je vais virer folle!... Je vais me remettre au dessin! c'est décidé!... Il me reste assez d'acrylique! de toiles! de papier pour les esquisses!... J'ai une caisse remplie de stock datant du cégep!... Mais avant, me trouver un chum!»

Elle consulte la mémoire de son téléphone, trouve le numéro de Steve, appuie sur la touche «composition». Une fille répond.

— Oui bonsoir!

— Euh... bonsoir, je peux parler à Steve?

L'autre prend un ton de pas contente.

— Oui, un instant... (voix éloignée) Steve! Une autre de ton fan club pour toi!

Bruit de chaise qu'on déplace, d'un ustensile qu'on échappe.

— Bonsoir... À qui ai-je l'honneur?

— *À qui ai-je l'honneur!*... Ha! Elle est bonne celle-là!... Hé! Allô, Chose! C'est moi! Nora!

— Ah!... Oui!... Nora!... Ça va?

— Oui!... Et toi?... Qui a répondu? Ta sœur?

— Euh... pas vraiment...

— Ta cousine?

— Euh...

— Euh-euh-euh!... Ça me dit pas grand-chose ça!... T'as une concubine? Une spécialiste de la barre fixe? Du cheval d'arçons?... Parle! Je passerai pas par quatre chemins pour prendre le détour!

— C'est ma blonde...

— Ah!

— (Voix étouffée, à l'autre fille) C'est rien, Alexandra... Juste une fille qui m'a harcelé un soir...

— À qui tu parles, là, Chose? À une princesse danoise? À une fille de duc?... Au cas où tu saurais pas, c'est Naurapas à l'appareil! Et c'est sûrement mieux que ce que tu as! Tu me crois pas?

— Euh... Nora... il faut que...

— Pas question! Passe-moi l'autre! Je veux lui dire deux mots multipliés par douze! Elle s'en sortira pas comme ça! Je vais lui en faire des alexandrins! Elle va voir! Entendre!

— Faut que je te laisse...

— Salope! Vache! Truie!... Toi! Espèce de profiteur!

— Bye, Nora.

Il raccroche sec.

— Mange un char de marde, l'hormonal!

Elle raccroche encore plus sec, clac!

«Eh bien ça! Il niaise pas avec la puck, ce gars-là!»

Elle prend un cendrier et le lance sur un mur; les mégots volent partout dans le salon, la cendre descend lentement.

«Je ne suis bonne à rien! Je ne sais rien faire! Ma vie s'écoule entre mes doigts et je ne réussis à rien saisir! J'attends! comme si je passais mon temps à retarder l'échéance de quelque chose! mais quoi? ma gloire? ma mort? je ne sais pas! ça ne peut plus continuer ainsi! faut que je me range! que je fasse autre chose avec ma peau que de vouloir baiser!... J'envie Murielle! elle, au moins, a travaillé! elle peut se permettre de voyager!... C'est trop vrai, la cigale et la fourmi! ça colle assez bien! je suis une gale! merde!... On dirait que mon existence se rétrécit! comme dans un entonnoir! que j'ai de moins en moins d'espace! qu'une mince sortie qui m'attend! et encore! juste pour me recracher!... pas de fuite possible! Faut changer les choses!... Mes mains! Créer!... Ma vie n'est qu'un déversement d'égout! C'est à moi d'y pêcher les excréments et d'en changer la forme! souffler dessus! animer! colorer!... On s'est fait avoir... la vie se passe à l'envers... nous sommes déjà morts... on peut faire ce que l'on désire... on y est déjà en enfer... Tassez-vous! Vous êtes mieux de vous mettre à l'abri! j'ai la rage! la moutarde qui prend l'ascenseur!... Ne tardez pas! Je vais tout saccager! immortaliser votre monde sur mes toiles! monter, montrer le miroir pour qu'on puisse constater que les moindres atomes qui nous composent sont laids!»

Elle fonce dans sa chambre et ouvre sa garde-robe, dégage des vêtements, lance des souliers derrière elle. La voilà, la caisse de plastique Sealtest! Elle la tire au milieu de la chambre, fouille dedans, sort des étuis, des sacs, des règles, tout l'attirail. Elle redresse la table à dessin, fixe une lampe au-dessus, s'assoit sur le tabouret.

«Ils vont voir!... Ça va revoler! Ça va être une hécatombe de couleurs! Un holocauste de pinceaux!... Je ne suis pas une enfant comme les autres!...»

***

• Des nouvelles de Frantz.

Rue Fabre.
Un immeuble.
Un appartement.
Dans le salon, un chien qui renifle et gémit...
le museau sur une porte fermée.
La salle de bains.
Des néons.
Une baignoire impeccable.
Un rideau de douche, transparent...
affichant des images de tortues.
Des dauphins.
Des baleines.
Quelques cheveux dans le lavabo.
Une brosse à côté.
Il fait chaud, le calorifère chauffe.
Un miroir, la réflexion d'un homme...
portant une casquette de policier...
(c'est un policier).
Des vibrations dans les murs...
(le voisin d'en bas est bruyant).
Un porte-serviettes.

88.

Une poubelle bleue, vide.
On glisse, on s'empêche de tomber de justesse...
en s'agrippant au porte-serviettes.
Une de couleur blanche glisse au sol, devient rouge.
Un jeune homme.
Allongé sur le plancher.
Yeux ouverts, la bouche aussi.
Nos souliers baignent dans le rouge.
On se penche, on touche...
le corps est froid, malgré la chaleur.
On dit : «Mon Dieu...»

13. LA VÉRITÉ DE CE MONDE C'EST LA MORT
(L.-F. CÉLINE)

Ah! C'est trop amusant! Perdre deux amis dans l'espace d'une semaine! Quelle coïncidence! Qu'est-ce que tu veux de mieux? La lune peut-être?... Ah! On est gâtés là. On en a pour notre petit change. Faut fêter ça. Faut festivalitiliser ça. On ferait bien un party... mais on ne sait plus trop qui appeler. On est juste deux. Ah! Il y en a d'autres, des amis. Mais on veut pas les voir. On est corrects comme ça. Tels quels! C'est comme si on avait gagné un gros gros lot... mais en double. On ne sait quoi faire avec. Alors on pleure. Comme les heureux gagnants à la télévision. On ne sait plus qui remercier. Le ciel? Le Premier Sinistre? Ah! Enfin! Les choses se sont replacées, sont rentrées dans l'ordre. Il était temps. Depuis l'éternité qu'on attendait que quelque chose trépasse. On est enfin récompensés. On commençait à s'inquiéter, Nora et moi, dans la froideur de l'hiver. Ah! Là on peut dire qu'on exulte. Nos souhaits sont exaucés. On a pas juste la libération, le bonheur... Non! On est au sommet. À la fine pointe. On a l'exultation. Seul mot applicable. Regardez-moi! Irénée!... J'allume une chandelle. J'exulte. Et Nora! Assise sur le divan. Qui me regarde. Elle exulte elle aussi. Murielle, on l'a exultée... Frantz! Il s'est exulté lui-même!... Ah! C'est l'exultation par l'exécution. Avant, on théorisait... Mais là, c'est du concret! du véridique! du prouvable! la mort qui rend heureux!

Nora dit :

— Pourquoi pourquoi pourquoi, j'ai mal j'ai mal j'ai mal...

Elle radote. Faut pas lui en vouloir. C'est sa façon d'extérioriser sa joie. Je finis d'allumer la dixième et dernière chandelle, je vais me placer à côté de Nora. Elle me prend une autre fois dans ses bras, me serre; des larmes ressortent de ses yeux, coulent sur ses joues... Elle ouvre la bouche, son visage est rouge, de la salive entre les dents; elle me mord l'épaule. Je me laisse faire. Ça ne me fait rien. Je lui flatte les cheveux. Maintenant, elle donne des coups sur le divan, puis sur nos cuisses. J'ai l'impression de tenir un volcan, une furie, qui va exploser... Ah! Quand même! Une larme me coule aussi sur la joue. C'est fait. Je ne peux plus me retenir... le sanglot... Seul, je resterais de marbre. C'est à cause de la braillarde à côté. Elle m'entraîne dans un fleuve rouge. Je sens la marque des dents sur mon épaule. Elle exulte tellement. Elle a le visage déformé. Je ne la reconnais plus. Un masque de bonheur insoutenable. Ses yeux débordent d'eau salée. Ça ruisselle. Ça va jusqu'aux lèvres, le menton. La langue lèche... Ah! Elle a l'haleine fétide! Elle ne le sait pas. Elle prend un coussin, y enfouit son visage, se courbe... son dos monte, descend... lentement... comme si elle se berçait. Je passe une main sur son dos. Elle porte une blouse noire, en soie. C'est doux, sexy! Elle lève brusquement la tête, regarde devant elle, ferme les yeux, pousse un cri de félicité. Un son qui vient du fond, qui résonne dans tous les coins sombres de l'appartement. C'est effrayant. Quel cri! Le déploiement d'une âme béate. Elle lance le coussin. Il vole à travers le salon, fait tomber deux chandelles en passant au-dessus de la table. Elle veut me parler... mais c'est qu'elle a des spasmes.

— Ça ne peut pas... ça ne peut pas s'être produit... je ne veux pas y croire!... ça me fait trop mal!... juste là!... dans mon ventre!... les hosties!... les hosties de sales!... on ne fait pas ça à Murielle!... elle n'a rien fait!... elle ne méritait pas ça!... c'est inhumain!... la police est dans l'erreur!... c'est pas elle!... elle va revenir!... Irénée!... j'ai juste toi!... reste avec moi!... jusqu'à la fin des temps!... toujours!... serre-moi fort!... je veux avoir mal comme Murielle!... serre!... de toutes tes forces!... plus!... fais-moi vraiment mal!...

On est dans le salon depuis plus de trois heures. La boîte de Kleenex s'est vidée. Les événements nous sont tombés dessus comme des bombes... mais laissez-moi vous expliquer... D'abord, l'exultation de Frantz. Personne n'a réussi à retrouver Fabienne. Je me souviens de l'autre jour. Frantz qui était venu chez moi. J'étais resté caché. Comme une bête. Un valeureux animal. Je l'avais laissé s'en aller. C'était pour son bien... Si j'avais su à ce moment... si seulement j'avais pu prévoir que je le voyais pour la dernière fois, je lui aurais demandé de me donner sa collection de musique, ainsi que son Sony Playstation, ses jeux... Où ça va se retrouver maintenant tout ça? entre les mains de ses petits cousins?... Et puis Murielle! Ah! Ma mâchoire se crispe juste d'y penser. Pour ravaler une bouffée de plénitude. Ça s'est passé à Mexico, la joyeuse rixe. Retrouvée morte dans une ruelle. Elle a été violée... par deux hommes, d'après l'autopsie. Son corps qui a été rapatrié au Québec, tout simplement, tout plein d'ecchymoses, de bleus, de sperme... marques de strangulation au cou... les vêtements arrachés, le visage défiguré, au couteau... Un travail de professionnels. Des coupe-jarrets d'expérience... à leur propre compte. Des caïds!... Du cru, du sec, du final comme ça, c'est ce qui se fait de mieux dans l'art de l'abattage. Ils en ont parlé un peu aux bulletins de nouvelles. C'est tout. Nora ne fait plus rien, ne veut plus rien. Je suis un peu comme elle, j'avoue... Je dois rester fort, aider mon amie avec toute l'énergie qu'il me reste, me battre pour que le bateau ne coule pas complètement. Chercher une parole, un geste qui puissent la réconforter. Nora est tout ce qu'il me reste. Elle est mon double. Je ne m'attendais pas à cela... ou plutôt, je ne pouvais imaginer que la vie puisse être aussi enthousiasmante, aussi déchaînée, sans pitié aucune... Comme on dit, on est sous le choc, on n'accepte pas les faits, tout se déroule comme dans un rêve... Ce n'est pas vrai, ce que je vis n'est qu'apparence, je fais un cauchemar ultra-réaliste, je vais bientôt me réveiller... Sois patient, endure, résiste... Mais, quand je me mords le bras jusqu'au sang, la réalité creuse en moi, se fraye un chemin dans tous mes membres, remonte dans mon crâne, me ramène des images de Frantz avec les poignets ouverts, de Murielle, les yeux exorbités, qui s'accroche à la vie de toutes ses forces comme un chaton que l'on noie… J'imagine ses ongles qui griffent, ses dents qui mordent, ses cris qui percent la nuit, la terreur insoutenable qu'elle a dû vivre, endurer… le contact inévitable de la mort, la pression des doigts sur son cou, le regard de pitié qu'elle a lancé à ses agresseurs, les aidez-moi quelqu'un! ne me faites pas ça! je ne veux pas mourir! par pitié!… tout ça, tous ces pleurs, cris, coups, paroles, supplications… ce désespoir, cette suffocation… Tout ça, en vain. Du pathétique. Quand les images, les reconstructions de scènes que je me projette ne sont plus supportables, je pousse la réalité à sortir de ma tête et la sens, comme une couleuvre mouvante, descendre en moi jusqu'au cœur pour tout lacérer. Je suis mort. Je suis mort avec mes amis. Ma présence vient de prendre un tournant incontournable, rien ne sera jamais plus pareil, je devrai apprendre à survivre avec la douleur… Ma vie et celle de Nora sont mal foutues, dorénavant. C'est ce qu'on sent. Mais ce n'est pas vrai. On ne sent rien. Nos pensées sonnent vide, les mots rebondissent dans nos têtes comme des balles, rien ne peut être fixé, tout désormais sera instable, il n'y aura plus de prise sur rien, la vie sera un long cauchemar éveillé… Mes désirs de mort ont pris une forme tangible, ce ne sont plus des projets, des actes auxquels on songe… de l'ennui morbide, de la veine des crises existentielles. C'est fini, ça, c'est pour de vrai, là. Murielle et Frantz n'existent tout simplement plus. Ils sont rayés de la liste… Le néant… Ils sont devenus des Neandertals étalés. Ce qui subsiste d'eux restera dans notre mémoire. Et il y a des photos, leurs objets personnels, des images animées sur vidéo et c'est tout. C'est ce qu'on appelle la vie après la mort. Juste ça. Pas de ciel, pas de lumière au bout d'un trou, pas de fantômes… rien…

Je refoule mes émotions. J'analyse avec mon sang-froid de médecin manqué la situation. Je suis capable de supporter une telle épreuve. Je me souviens du soir où Murielle est venue me dire au revoir. Je peux recréer son image devant moi, sur la chaise berçante… et quand elle m'a embrassé, son odeur, le contact de sa peau, de ses cheveux; cela me semble encore réel, quelque chose que je peux encore toucher.

Je tends la main, touche un bras. Celui de Nora. Je lui fais des confidences.

— Je n'accepterai pas que tu meures un jour toi aussi… Si tu pars, je viendrai avec toi… Par toi, Frantz et Murielle continuent à vivre…

— Ne dis pas de choses comme ça…

— Je ne peux pas m'en empêcher… Tu es ma seule et unique raison de rester ici… Je ne passerai plus une seule journée sans vouloir te voir, plus dans un seul couloir sans penser à toi… C'est décidé… Tu seras mon asile jusqu'à la fin…

— Toi aussi… Tu… je veux… excuse-moi, je ne sais pas quoi te dire, je pense comme toi, je te comprends… on reste ensemble… on se soude les membres… on devient des siamois… plus jamais on ne se quitte des yeux, des mains, des doigts de pieds… Plus jamais…

— Tu as appelé Justin?

— Oui, cet après-midi, je te l'ai dit...

— Ah... j'avais oublié...

— Il a dit qu'il allait revenir bientôt...

— Ah...

On ne dort plus. Autour de nous, le décor est flou, semble même bouger. Les murs respirent, les meubles se déplacent, les cigarettes se fument seules. On ne change pas de vêtements, on ne se lave plus, ne mange plus, rien. On flotte dans une piscine sans eau. Nos corps font des mouvements inutiles, notre esprit ne fait qu'évoquer des visages familiers, des souvenirs, des instants d'un passé à jamais perdu. Le rien est dehors... en nous... Irénée et Nora, Nora et Irénée... L'osmose du néant... Le bonheur a été décapité, pour toujours. Le monde peut maintenant s'écrouler. C'est fini. On rend les armes, on sort le drapeau blanc, on se laisse fusiller, tout cela n'a plus d'importance. Rien ne vaut plus rien. L'humanité est morte pour nous. La flamme d'une chandelle sur ma main ne fait que me contrarier. Le café se boit comme de l'eau. Le froid de l'hiver est une brise légère sur notre peau. Nora s'est gelé une oreille, elle est rouge, elle va enfler tantôt. Ce n'est pas grave.

La mort rôde. Il y a quelque chose qui ne va pas... Murielle... Frantz... Les deux. En une semaine. Ça ne peut être une coïncidence. Nous sommes punis. Le Diable et le bon Dieu existent... Pourquoi ça? Qu'avons-nous fait? ou pas fait?... Je suis un homme fini. Je suis un homme fini. Je ne suis même pas un homme, je suis un infini. Un pas terminé, pas achevé, pas tout construit. Ça fait dur. Ça fait pic-pic. Un peu mal aussi. Qu'on vienne me chercher, qu'ils fassent ce qu'ils veulent avec moi. Je ne suis plus qu'une masse informe. Penser à autre chose... Impossible. C'est moi qui aurais dû crever. C'est trop ridicule, trop absurde... Frantz! une peine d'amour, la drogue peut-être. Murielle : des monstres qui l'ont anéantie comme on brûle une photo. Ce monde n'est pas viable. On ne devrait pas avoir de sentiments, ni de conscience, rien! Je veux qu'on me fasse un lavage de cerveau, qu'on m'ouvre le crâne, qu'on passe un scalpel dedans, tout de suite. Je suis prêt. Transformez-moi. Faites ce que vous voulez avec moi. Oui! deux et deux font trois! oui!

Non!... Non! Je ne peux pas. Nora! Ne pas l'oublier une seconde. Ne respirer que pour elle. Elle restera mon amie, deviendra mon amante, ma mère, ma sœur, ma Vierge Marie, ma n'importe quoi. Je vais acheter des menottes. On sera inséparables. Marcher ensemble, dormir ensemble, mourir ensemble. Une seule entité contre le vide.

Je ne veux surtout pas me prendre pour un autre mais je me penche et embrasse Nora, brutalement. Elle se laisse faire. Elle a la bouche molle, ses lèvres sont froides, ses dents cognent contre les miennes. Ça ne change rien. Le faire ou

94.

penser le faire, c'est pareil, c'est plate à mort, c'est même pas loin de dégueulasse, ce contact-là.

— Excuse-moi... je ne sais pas pourquoi j'ai fait ça...

— Ça va... Je m'en fous... J'ai vu pire...

— Tu n'as pas le goût de t'exulter complètement, toi aussi?

— Ça reviendrait au même...

— Moi, ça me passe par la panse...

— On va trouver un moyen, Irénée!... on va trouver quelque chose qui va nous tenir debout! on va s'accrocher quelque part! le temps va passer!... on va...

— C'est beau!... Je sais!... et c'est laid!... Demain, c'est le réveillon de Noël... J'aimerais qu'on appelle les parents de Murielle...

— Au quai... On leur dit quoi?...

— Je ne sais pas, nos condominiums sans doute. Je ne veux pas m'éterniser au téléphone avec ces morons-là...

— Tu veux le faire? Moi, j'ai peur de brailler...

— Pauvre 'tite fille!

— Ah! Ça va me revenir, les larmes de fond! t'inquiète, le poète!

— Ouf! Ah! Merde! Marde! Christ que c'est pas supportable!

— Je l'avais senti...

— Quoi?

— Le malheur... dans la chambre de Murielle... le soir avant qu'elle parte... j'ai eu froid, je me suis sentie mal, pas bien, mal à l'aise... je pensais que j'étais pour être malade... si j'avais su...

— Qu'est-ce que tu veux dire? que tu as eu une prémonition?

— Quelque chose dans le genre, un signe précurseur... Pourtant, j'étais bien... Ça s'est produit d'un coup, juste quand elle allait s'endormir... comme si sa mort m'avait frôlée... Quand j'y repense, j'en suis certaine... Il s'est vraiment passé quelque chose d'invisible... un vide, un gouffre glacial... Je vais m'en souvenir à jamais... Ça reste là, froid, collé en moi... Tu me crois?

— Non... T'hallucines raide, blondinette...

— J'ai parlé aux parents de Frantz...

— Je sais...

— Ils m'ont dit qu'ils allaient euthanasier Barbie...

— Ah...

— C'est ça...

— Ça va faire une autre exultée gâtée pourrie crasse...

Nora se couche sur moi; elle se place en boule. Je la serre dans mes bras, passe une main dans ses cheveux blonds emmêlés. Pendant un moment, elle joue avec le trou au niveau du genou de mon jean, tire sur les fils, puis elle laisse tomber sa main blanche qui devient inerte sur ma cuisse. Je fixe la flamme d'une chandelle. Je ne vois que ça. Tout est noirceur autour. Le corps de Nora contre le mien... rien d'autre. Elle ne bouge plus, semble respirer à peine. Peut-être est-elle morte elle aussi, comme les autres. Qui sait.

— Nora...

— Hum... quoi?...

— Je t'apprécie...

— Ils disent tous ça...

***

À Mexico, le 18 décembre 1995, à l'âge de 22 ans, est décédée Murielle Pelletier, fille de Georges Pelletier et de Pascale Sigouin. Elle laisse dans le deuil ses parents, son frère Marc, les familles Pelletier et Sigouin ainsi que ses amis. Prière de ne pas envoyer de fleurs. Une cérémonie en présence des cendres aura lieu le dimanche 22 décembre à 10 h en la chapelle du Complexe funéraire Magnus Poirier inc., 7388, rue Viau.

— Je crois que c'est les deux Américains dont elle a parlé dans la carte postale qui lui ont fait ça...

— Peut-être... dit Nora... on ne peut en être certain, peut-être qu'elle n'était plus avec eux, qu'elle est juste tombée sur des Mexicains au hasard... Y en a certains qui feraient tout...

— Des hosties de malades!... Ça m'enrage! et on ne peut rien faire! juste attendre! et comment veux-tu qu'ils les retrouvent?... Tu sais ce que c'est, Mexico City?... L'enfer! Ça grouille de viandes là! C'est comme chercher une puce dans un chien sale!

— Ne dis pas ça, Irénée, c'est méchant...

— Je sais!... Je m'en fous!... J'enrage!

— Mon frère va venir vers dix heures ce soir...

— Ça fait tard... Il a réussi à avoir le trailer?

— Oui...

Je vais aller vivre chez Nora. On est le lendemain de Noël. On place des trucs dans des boîtes. On ne va emporter que le strict nécessaire... vêtements, objets de valeur... On va laisser presque tout le mobilier... sauf les antiquités... On va faire ça le plus vite possible. Phoque de Bordeaux! De toute façon, je n'ai pas d'argent pour le loyer, les comptes en retard. Le propriétaire s'arrangera avec les électroménagers et le set de salon. Qu'il sèche. Nous, on recommence tout à neuf. Je vais aller faire mon petit nid chez Nora. Lalala-lalère!

Nora tombe (s'écroule presque) par hasard sur quelques-unes de mes photos qui ont survécu aux flammes. Sur l'une d'elles, on voit Murielle. Nora me montre la photo. Je la regarde cinq, six secondes.

— Celle-là, je vais la garder...

Nora place dans un sac Couche-Tard des objets qui traînent par-ci, par-là, pas trop loin dans la chambre. Elle trouve son bracelet d'acier à motifs celtiques sur le bureau.

— Ah! Trouvaille!... c'est à moi ça!

— On dirait! tu l'avais oublié ici, l'été dernier... tu sais, le soir où...

— Oui oui oui...

— J'oublie toujours de te le ramener, te le rapporter, te le renvoyer, te le redéposer... en tout cas!

— Garde-le! Conserve-le!... Étouffe-toi avec!

À vingt heures, on va à *La Belle Province* manger des hot-dogs avec une grosse frite. Je veux parler. Il faut parler. Je ne trouve rien à dire. Je n'ai rien à dire.

— Qu'est-ce qu'on va faire? que je demande quand même.

— Pardon? rétorque Nora, en avalant sa bouchée.

— Nos vies, ce qui reste de nous, on est condamnés à rester vivants, on va faire quoi avec ça?

— On va attendre...

— Attendre quoi?... Attendre de s'étendre?

— Attendre de ne plus avoir mal... Après, on verra la verrue que ça aura laissée...

— Est-ce que tu as déjà connu la mort dans ta vie?... Dans la famille, par exemple?... ou à l'école?

— Non...

— Moi non plus!

— Ah oui!... Mon grand-père! quand j'avais douze ans!... Mais je le connaissais pas beaucoup!

— Là on peut dire qu'on est servis!

— Oui! Faudra donner un gros tip!... Ah! Les hot-dogs sont vraiment dégueulasses! y a trop de moutarde! beurk! j'ai plus faim!

— Je vais les manger...

— Tiens!... T'as redécouvert ton appétit!

— Non, c'est lui qui s'est occupé de ça!... j'ai rien mangé depuis trois jours!

— Moi j'ai encore de la misèrere-reru-rura-re... Ça passe pas...

— Ça paraît...

— Oui!

Le frère de Nora arrive finalement un peu avant minuit. Mieux vaut un têtard que jamais. C'est la première fois que je le vois. Il est grand, plutôt costaud, les cheveux rasés. Il ne parle pas beaucoup, semble préoccupé; on doit le déranger. Il réussit à stationner avec le trailer dans la rue en avant de l'appartement. Il nous aide à y placer mes affaires. On fait deux voyages jusqu'à Brébeuf. Nora le remercie de son aide. Je lui tends la main; il me l'écrase. Il a l'air de se demander ce que sa sœur fait avec un spécimen comme moi. Puis il repart vers les grandes voies lumineuses de la banlieue. Mes affaires sont pêle-mêle sur le plancher du salon. On met un peu d'ordre. On s'allume deux cigarettes. Bon, ça fait déjà ça de fait.

Maintenant, où on chute?

15. BROYER DU NOIR ET L'APPLIQUER

(Voix de Nora enregistrée sur une enregistreuse de poche)
Clic!

«On a décidé de tout repeindre... Avec l'argent que nos parents nous ont envoyé pour Noël, Irénée et moi on est allés acheter six gallons de peinture noire... On a commencé ce matin vers dix heures... on a aussi acheté une caisse de vingt-quatre et du pot... La journée part en grand... On a recouvert les meubles avec de vieux draps... Ça a débuté par le salon, les rouleaux allaient bon train, une pluie noire volait partout... Nous sommes dégoulinants de gouttes qui sèchent, c'est dégoûtant, c'est comme si on avait trouvé un puits de pétrole!... On met de la musique très fort, de la musique qui bûche!... comme dit Irénée... On fait les fous, on boit de la bière vite; des fois, on s'arrose avec... On fait dur à voir, on a l'air de deux clowns sinistres... Irénée est monté sur une chaise haute et peint le plafond; il en a plein le visage... Moi, je le chatouille... il me dit d'arrêter, il a peur de jésusser le camp par terre... J'ai crié, à gorge déployée développée déballée pour enterrer la musique: Murielle! Frantz! Je sais que vous êtes ici avec nous!... Murielle! Je sais à quoi tu penses! On est en train de foutre le bordel dans l'appartement! Tu te retournes dans ta petite boîte, tu te sèmes à tout vent!... Frantz! Phoque de worlde!... On va les avoir, ces hosties-là! On va leur en faire manger, de la marde! Tu vas voir! Bon vent! Et ainsi de suite... Je commence à être pas mal paquetée... ça fait longtemps que j'ai pris une brosse... shit!... j'ai échappé mon pinceau sur la pochette d'un CD.»
Clic!

***

Ils sont allongés sur le plancher. Irénée et Nora sont allongés sur le plancher. Nous sommes allongés sur le plancher. On est allongés, sur le plancher. Il est huit heures du soir et on ne peut plus tenir debout. On a été malades. Il ne reste plus que trois bières dans le frigo. Pendant l'après-midi, on a peint en noir tous les murs et plafonds du salon, du couloir et de la chambre de Murielle. On a le bras mort, nos têtes tournent et on n'a plus de peinture. Quand tout cela sera sec, Nora projette de dessiner à l'acrylique sur les murs, de faire les portraits géants de nos amis, à l'aide de photos. Le voisin d'en haut est venu se plaindre à deux reprises de la musique trop forte. On lui a dit que s'il nous sacrait pas patience, on était pour le peinturer lui aussi. Il a eu peur, il a vu nos yeux, il a abandonné. Il était mieux.

— Regarde-moi ça! s'exclame Nora... c'est vraiment bad trippant! c'est noir partout! on dirait que la pièce est plus petite!

— Oui! on a bien travaillé!

— Ah!... je pense que je vais avoir mal à la tête bientôt!

— Veux-tu que je rampe jusqu'à la salle de bains et que je te rapporte des comprimés d'anti... d'anci... d'acéta... d'aspirine?

— Ça serait gentil!... Je suis plus capable de bouger! les murs *houlent*!... houlala!

Je peux me remettre sur mes jambes mais ça m'amuse de me traîner au sol, comme la vermine que je suis. Dans la salle de bains, je m'imagine que je n'ai plus de jambes, que je dois m'agripper au lavabo pour atteindre la pharmacie. Je l'ouvre, prends le flacon d'Advil, laisse des traces noires partout où je pose les mains. Je prends quatre pilules et reviens dans le salon. On en avale chacun deux.

— Merci, dit Nora.

— Hé! On en fume un autre?

— T'es malade!?

— Oui! mets-en que je suis malade! j'ai l'impression que ça va me sortir par les oreilles!... On en fume un dernier?

— Oublie ça! ça va m'achever pour de bon!

— Bah! Ça ou autre chose!... On fait quoi, là?

— On contemple l'œuvre!...

***

Je me réveille. Il fait complètement noir. Mon dos me fait mal, ma tête m'élance. Je me lève, allume une lampe, regarde l'heure. Deux heures du matin. Je ne vois pas Nora. Ma vessie va éclater. Je vais me soulager à la salle de bains.

— Nora?...

Pas de réponse. Je retourne dans le salon, lance un coup d'œil dans la chambre de Nora. Personne. Je vais dans la chambre de Murielle. Elle est là, couchée sur le lit, par-dessus les journaux. Elle ronfle, en position fœtale. Ses cheveux, pleins de peinture, sont collés à ses joues. Dans une main, elle tient encore un foulard rouge qui appartenait à Murielle. Une langue rouge sur son corps noir. Je m'étends à côté d'elle. Elle bouge. Se réveille un peu, les yeux à moitié ouverts.

— Hum... Irénée, c'est toi?...

— C'est moi...

— Ah... J'ai fait un rêve... On courait dans un désert... Il faisait chaud... On tombait comme des mouches... Tu étais mort... tu... tu brûlais... Murielle avait des chenilles dans la bouche, un vieux était écrasé par une voiture sur un chemin de pierres... le soleil faisait fondre nos membres... nous étions tous morts mais on continuait quand même à vivre, c'était effrayant... des nazis avec des chiens nous couraient après, ils voulaient nous faire enfermer pour faire des expériences sur nous, comme on fait aux animaux, des… des vivisections… c'était à cause du puits de pétrole qu'on avait… je ne sais plus, ça s'efface, je me rappelle juste qu'on avait une mission importante à accomplir et qu'on a échoué… quelque chose comme ça…

— Ah… Tu veux y retourner?

— Où ça?…

— Dans ton rêve…

— Non! Surtout pas!

Je ne peux me retenir.

Je pose mes mains sur les épaules de Nora. L'embrasse. Elle reste surprise un moment. Puis se donne en douceur.

Mes mains tremblent, se faufilent sous le chandail croûté de Nora, touchent les seins de Nora. Avec mes genoux, je lui écarte les cuisses, m'affaisse sur elle, lui donne des becs dans le cou tout partout, crache un morceau de peinture. Elle me caresse le dos sous mon t-shirt, ouvre la bouche, me regarde. Elle est complètement éveillée à présent. Je me démène comme une anguille pour retirer mes bottes et mes jeans. Elle m'aide, se cambre, enlève sa robe, ses collants. Ah!… On s'enlace comme au cinéma. Avec force. On roule dans les journaux qui se froissent. Sa main me frôle l'entrejambe. On souffle. On retire nos sous-vêtements. Elle applique ses mains sur mon cou, tente de me soulever. Je me laisse faire, recule. Elle me plaque le dos au mur, s'installe sur moi, se frotte sur moi, lentement, ne me quittant pas des yeux. Elle me sourit, me dit :

— Aaaaaa-eeeeeeee-iiiiii-ooo-uuu! Y grec! Y chinois! Y se demande quoi faire là, hein?… Y fige! Y bande!… Enlève tes lunettes, le poète!… On a des comptes à régler, mon effronté gros nez!

— T'es une hostie de folle!

— Ah! oui! Folle à lier! À louer! Une lycanthrope!

— Au secours! À l'aide! Help!… Aaarg!…

16. UN BON COUP DE GUILLOTINE POUR ACCENTUER LES DISTANCES

Nora et moi, on va mieux. Demain, c'est le 1er janvier et toujours pas de nouvelles de Justin. On se débrouille comme on peut. Je vole encore de la bouffe, des machins, des tablettes de chocolat au *Jean Couteux*, des soupes Ramen... J'en ramène pas mal. Nora veut un chat. Une gueule de plus à nourrir. Souvent, on a de longs moments de silence sans qu'on sache trop quoi faire avec. Elle a terminé ses dessins de Frantz et Murielle. C'est très beau. On s'invente des jeux: elle tente d'entrer dans le four mais il est trop étroit, je parle avec le linoléum de la cuisine, elle s'ouvre une conserve de petits pois et les mange un à la fois... ça prend du temps... j'arrose les plantes avec de l'eau de Javel, elle parle avec des enfants dehors et leur offre des biscuits imaginaires, je tente de grimper aux murs comme Spiderman... avec un crayon (celui de Murielle), elle écrit le mot «papillon» à répétition sur un mur de la salle de bains... le couvre au complet; je m'installe près d'un miroir et lis des poèmes à l'envers, par exemple :

«Un bon coup de guillotine pour accentuer les distances»

(Saint-Denys Garneau)... elle joue aux quilles avec les bouteilles vides et un pamplemousse, je regarde cinq fois de suite le même film sans m'endormir, on fait l'amour dans des endroits inusités comme la garde-robe (les souliers font mal aux fesses) ou sous la table de la cuisine, entourés de plus de trente chandelles; elle met la télévision à l'envers (ça a brisé l'antenne), j'appelle des gens en pointant des numéros au hasard dans le bottin et demande Dieu... elle se déguise en moi et moi en elle... on s'arrange du mieux qu'on peut pour tuer le temps.

Des fois, on fait la vaisselle.

Des gens nous téléphonent, parfois. Des parents, des amis, des connaissances. On leur dit qu'on va bien mais qu'on est trop occupés pour les recevoir, qu'il faut aller à des endroits, à la messe, qu'on a une entrevue. On leur invente des histoires, ça les aide à dormir. À des moments donnés, je me demande si on va devenir irrécupérables. On se pousse à bout, on veut se détruire les neurones pour oublier. Si on avait plus d'argent, on serait des junkies. Ça va peut-être marcher. On veut se méconnaître, ne plus être soi, devenir l'infini, un lézard, devenir quelconques. Mais on garde tout de même un peu dudumamaninitété. On prend notre douche tous les jours, on mange, on change notre linge. Au cas où. Quelqu'un peut survenir à n'importe quel moment. Faut être présentables. C'est à peu près tout. Nos discussions sont sans queue ni tête, sans froids ni lois. On change régulièrement nos noms. Dehors, on jette des regards fous aux passants qui nous croisent, même que des fois on prend notre courage à quatre mains et on s'invente un roman-savon. Par exemple, l'autre jour à *L'Échange*, Nora pique une crise en criant qu'elle ne peut plus supporter l'odeur des vieux livres, moi je l'entraîne vers la sortie en disant à voix haute qu'elle doit prendre ses médicaments contre le papier jauni. Des choses comme ça. Pour rire un peu, s'enlaidir, carburer à la déraison, grogner comme des cochons. On a dépensé nos derniers sous pour aller voir le show de Sonic Youth. C'était puissant. Ça décapait. Ça s'est mis à trasher comme d'habitude et je suis sorti du pit avec des bleus partout (non non, pas la police)... Je voulais me défouler, dans une foule. Tu parles! J'aurais dû rester en arrière avec Nora. Nos tympans se sont attendris, il n'en reste plus grand-chose. Là, je suis présentement sur la table de la cuisine; Nora cherche quelque chose à grignoter dans l'armoire. On va finir par s'apprivoiser comme des rats, endurer l'absence de Murielle (notre ange) et de Frantz (le petit démon rouge)... Toujours rien de Fabienne; elle doit être quelque part en Alaska avec des trappeurs millionnaires (comme dans *La vie des gens riches et célèbres*)... Je vais aller me faire un thé, tel un Anglais, écouter CISM, la radio la plus à gauche, ce qui fait qu'une des colonnes de son est plus lourde que l'autre... regarder les gens pelleter dehors, s'enrager après leur char qui ne part pas à cause du starter.

Je crois que ça va se tasser, qu'on pourra essayer d'avoir une sorte de vie, un temps.

J'ai appelé les parents de Murielle pour savoir s'il y avait du neuf dans l'enquête de la police pour retrouver les meurtriers. Rien de nouveau. Ça stagne. C'est le jour de l'An. Nora compte les cennes noires et en fait des rouleaux.

— Hé! je suis rendue à cinq piastres! pas pire, hein?

En cennes blanches, on a 7,35 $. On ne sait pas encore ce qu'on va faire avec l'argent. Bientôt, on va manquer de café, de pain, de papier de toilette. Des choses importantes, quoi. Je n'ai pas envie de me torcher avec des filtres à café comme je l'ai déjà fait. Comme on dit, on commence à être dans le rouge. Va falloir qu'on trouve un moyen de s'en sortir, aller vendre des trucs, encore. J'ai une bonne collection de cassettes, de bandes dessinées. Je ne veux pas être obligé de vendre ça. Au moins, le loyer de Nora est payé. Mais on a quand même gaspillé trop de bidous dans les derniers jours. Faut écoper, maintenant. Se serrer la ceinture sur notre colonne vertébrale. Nora me dit de ne pas m'en faire, qu'elle va trouver des sous, certain... Qu'il y a toujours une solution. Ça doit être vrai. Si elle le dit.

Nora a terminé. Elle en a roulé pour 6,50 $. Avec celles qui restent, ça donne exactement 6,78 $. Elle enlève quelques cennes et les jette à la poubelle.

— Et voilà, Irénée! j'ai 6,66 $ pile!

— Ah! The number of the beast!... Excellent!

— Qu'est-ce qu'on fait avec? On se commande du caviar?

— Hum... non, c'est pas une bonne idée, soyons plus réalistes, on a encore un gros mois à passer... j'ai pas le goût d'aller quêter à vingt sous zéro... On doit acheter de la bouffe pas chère... du riz, des patates, des pâtes, mais pas de chair...

— Quand même! on n'ira pas chier loin!

— Non, madame!

La réalité nous retombe dans la face. Il faut survivre maintenant. Entretenir nos pauvres corps squelettiques. Au jour le jour. Allez, mon petit bébé! Allons! Une bouchée pour papa, une bouchée pour maman. Ouvre bien grand la bouche! Là! Voilà! Bravo! Tu as fini toute ton assiette! Et maintenant ta petite sœur. Allons Nora! Ne fais pas de crise, christ. Avale ta purée de cadavres préparée par le Chef Entropio. Digère ça. Ça va te donner des forces armées. Fais la belle. Aboie. Mange. Vis. Débrouille-toi. Si tu flanches, tu seras la seule coupable de ton échec. On te demande juste de nous donner de tes nouvelles de temps en temps.

Nora a un éclair de génie.

— On pourrait aller à une sorte de centre communautaire! où ils donnent de la nourriture!

— Ben voyons, tu sais qu'on est bien trop snobs pour ça...

— C'est vrai!... Où avais-je la tête!

Dring!

Ou plutôt :

Bidoubidou... bidoubidou... Le téléphone sonne. On se regarde. Bon, c'est qui ça encore? Pas moyen de déprimer en paix? Elle regarde l'afficheur. Numéro inconnu. Décroche le combiné.

— Non allô!... Pardon?... Justin?... c'est toi?... Justin!

— Hein? il est pas encore mort, lui?

— C'est Justin!... Comment ça va?... Oui!... Non!... D'accord!... Au quai!... À tantôt!...

Elle raccroche.

— Il s'en vient ici! qu'elle me dit... il est arrivé aujourd'hui en avion! il est allé à votre appartement et a vu que tu n'étais pas là! ton stock non plus!... il appelait d'une cabine téléphonique!

— Pauvre cabine téléphonique! Ah! Super! Dire qu'on l'a quasiment pas attendu!... Il est bien timé!... ça va être notre cadeau du jour de l'An! Il est avec Lee?

— Je ne sais pas! il me l'a pas dit!... Il n'avait pas l'air en grande forme!

— Oui! je vois le genre! à force de fréquenter des Anglais, il doit avoir une petite forme carrée!... minuscule!

— Oui! oui!

— Mais comme je le connais... il va sûrement être assez rond assez vite!

— Oui! oui! oui!... Hé! J'espère qu'il va nous apporter de la bière! On le mérite!

— Nora! Nora! Tu n'as pas la moindre idée de tout ce qu'on mérite!... c'est pas calculable!... même un gros paquebot en provenance de Calcutta ne serait pas suffisant pour nous transporter tout ça!... non?...

— Ah! oui! parfaitement d'accord!... oui!

***

Sur le coup, je ne le reconnais pas. Il a la peau plus pâle, porte de nouveaux vêtements. Je refraternise avec notre sauveur.

— Salut, manne!

— T'aurais pu te raser! espèce de pouilleux!

Il entre dans l'appartement, me donne une caisse de douze.

— Excellent, manne!

Nora embrasse Justin sur les joues et le serre dans ses bras.

— Ah! Justin! on s'est ennuyés de toi comme ça se peut pas!

— Moi aussi! dit Justin, je suis pas fâché d'être revenu de Vancouver... Comme ça, mon Irénée, on abandonne l'appartement?... En rentrant, je suis tombé sur une belle pile de factures! et trois messages du proprio!... il doit être en calvaire! ça fait longtemps que tu es ici?

— Hum... bientôt presque deux semaines...

— Quoi? qu'est-ce qui arrive? vous formez un petit couple à cette heure?

— Quelque chose dans le genre...

— J'ai un peu de mes bagages avec moi... sur de Bordeaux, c'est devenu vraiment trop décourageant... Nora, ça te cause un problème si je m'installe dans la chambre de Murielle? pour un bout?... Je vais avoir besoin de votre compagnie...

— Pas de trouble! Aucun problème! qu'elle lui répond... Mais c'est juste qu'Irénée et moi on est déjà dans la chambre de Murielle!... tu peux prendre l'autre! elle est libre!

— Ah!...

Il dépose ses bagages dans la chambre, revient dans le salon.

— Irénée! Tu nous ouvres ça ces bières-là?

Je pige trois bouteilles de 50 dans la caisse.

— Bonne année! dit Nora... Allez! on trinque!

Clinc-clinc!... Justin s'assoit sur le divan, fatigué. Je le taquine.

— Pauvre crotte! Le voyage a été éreintant?

— Non... c'est pas ça... c'est les derniers événements... j'ai de la difficulté à dormir... En passant, Lee est resté à Vancouver... il est en amour jusqu'aux orteils avec sa Japonaise... il vous fait dire salut...

— Ah! Eh bien!... salut!

— Par rapport à Murielle, qu'il demande à Nora... ça s'éclaircit?

— Non... rien... c'est juste ses parents qui peuvent nous mettre au courant... et on veut pas les déranger trop souvent...

Il prend son air de catastrophé.

— C'est épouvantable!... quand je pense que je passais mon temps à lui taper sur les nerfs!...

Elle le réconforte.

— Ne t'en fais pas! elle t'aimait bien!

— Quand elle est partie de Vancouver, on s'est quittés sur un froid... Je regrette tellement!... si j'avais su! j'aurais été plus fin! et je serais allé avec elle au Mexique!... je leur aurais cassé la gueule à ces enfants de chienne-là!

— On pouvait pas savoir! dit Nora... c'est du passé maintenant! c'est un fardeau, je sais!... un boulet!... mais on a pas d'autre choix que de s'y faire!

— Ah!... Quand j'ai appris la nouvelle, je me suis soûlé la gueule pendant quatre jours... Et pourquoi Frantz a fait ça?... On ne se tue pas pour une fille!

J'y vais de mon idée sur le sujet.

— On ne saura jamais le fond de l'histoire... C'est pas juste à cause de Fabienne... Bon.. je sais qu'ils étaient ensemble depuis cinq ans... mais il y a aussi l'héroïne dans tout ça!... Frantz, il s'est retrouvé seul d'un coup!... il a pensé qu'il ne pouvait pas arrêter sans Fabienne!... il avait déjà suivi plusieurs cures qui n'avaient servi à rien... Je sais pas! j'imagine qu'il était en manque! qu'il n'avait plus d'argent! qu'il se croyait fini sans Fabienne!... et il s'est exulté... c'était clair dans sa tête! il ne voyait aucune autre solution! tant qu'à se sentir vide, il a désiré se vider complètement!... c'est-à-dire de son sang!

Nora applaudit.

— Ah! Oui! Que c'est beau! Que c'est bien dit!... Hé! c'est notre spécialiste qui parle!

Ça ne satisfait pas Justin.

— Il aurait pu parler à quelqu'un!... Quel christ de cave!...

Je hausse les épaules.

— Ah! Coudonc! Qu'est-ce que tu veux que je te dise?

Nora me sauve.

— Je lui ai parlé, au téléphone... Il n'avait pas la voix d'un gars qui veut en finir... je n'ai rien deviné...

Justin n'est pas loin de s'arracher les cheveux.

— Comme je le connais, il est resté secret! il a joué le dur!

On reste silencieux un instant. Un concerto de soupirs.

— J'arrive pas à croire à tout ça, dit Justin.

— Nous non plus, dit Nora.

— Bof! que je pousse en me roulant une cigarette.

Je me lève, range le reste des bières au frigo. Je pensais ressentir une grande joie au retour de Justin. Ça me fait presque rien. Comme si on s'était vus quelques jours avant.

— Et puis? demande Nora... comment c'était Vancouver?

Justin s'ouvre une autre bière.

— Parle-moi-z-en pas!... J'ai travaillé comme un fou! j'ai pas arrêté deux minutes!... et puis je sortais souvent! ça fait que j'ai pas de grosses économies!... et puis ça a dégénéré avec Corinne!... je croyais pouvoir ranimer l'ancienne flamme! ça a pas marché! ç'a été intense pendant quelques semaines... c'est tout... cette fille-là n'est pas pour moi... et je ne suis pas plus pour elle... on a fini par s'en rendre compte... ça ne m'a pas attristé de partir... elle va se trouver un autre gars... ses colocataires en connaissent un paquet...

Nora lui envoie son genre de regard concupiscent.

— Comme ça, t'es redevenu célibataire!

— C'est ça... Pas pour longtemps, j'espère!

— T'as des projets?

— Des projets?...

— Pour ici...

— Je vais rien faire... Il s'est passé trop de choses... Je suis écœuré... j'ai besoin de me reposer un peu, de réfléchir. J'ai fini de courir...

Je mets de la musique. Nora va s'asseoir sur le divan à côté de Justin.

— La décoration a pas mal changé ici! dit Justin... vous avez été sur un buzz?...

Je l'informe.

— On se faisait chier...

— Pas pire... on se croirait dans un de vos bars de fous...

— On voulait repeindre l'appartement au complet... mais on a manqué de peinture... on finira plus tard quand on aura de l'argent...

— Irénée! qu'est-ce qu'on fait avec l'appartement?... tu ne veux plus y habiter?...

— Non... pas vraiment... on croule sous les dettes... c'est mieux de disparaître dans la brume...

— Mais les meubles? le four et le frigo?...

— Au diable!... On n'en a pas besoin!... Viens t'installer ici Justin! on va pouvoir repartir du début!... Tout est sous les noms de Nora et de Murielle!... on va faire attention de payer cette fois-ci!... éviter de se faire couper!... T'as pas beaucoup d'argent, tu dis?

— Pas une tonne...

— Plus tard, quand les affaires vont mieux aller, on les remboursera... Pour l'instant, on se terre... autant de corps que d'esprit... Je suis abattu, j'ai pas de force, pas de volonté, pas envie de rien... je peine juste à l'idée d'avoir à me préparer un repas...

— Je vois... et toi Nora?

— Agaga agege agugu flouc flouc prouf!

— Je vois, je vois... Vous êtes drôles à voir! s'exclame Justin... Les épaules basses!... la mine sinistre!... le linge tout déchiré!... les dents pas lavées!... la morve au nez!... Si Murielle était encore là, elle vous botterait le cul!... Vous avez quelque chose à manger?... J'ai pas bouffé de la journée...

— Ça dépend de quoi tu as faim! je lui dis... on est sur les réserves!

— Ça serait bon une bonne pizza! dit Nora.

— Bonne idée! dit Justin... vous avez des pamphlets?

— Bouge pas! on en a un tas!

***

109.

La caisse de douze est terminée. Justin revient du dépanneur avec une vingt-quatre. Il a décidé de payer la traite aux truites.

— On va boire à la santé post-crématoire de Frantz et Murielle! qu'il dit.

Il ouvre une Sleeman, une Molson Dry, les dépose sur la table.

— Ces deux-là, on n'y touche pas!... c'est pour nos amis!... ils ont le droit de fêter eux aussi!... Bonne année aux âmes et aux ânes!

Je monte le volume. C'est du Jesus and Mary Chain qui joue à la radio. L'alcool commence à nous affecter. Nora danse toute seule, tente de nous entraîner. Elle tient sa bouteille entre deux doigts, passe proche de l'envoyer au plancher à chacun de ses mouvements. Paf! un pied par en arrière. Pif! un coude contre le mur. Ah! elle me frôle avec ses hanches.

— Come on, les gars!... On s'éclate!... Ouh!

Je ne bouge pas de ma chaise.

— J'ai mal aux pieds! que je lui envoie.

Justin non plus n'est pas assez paqueté pour se laisser emberlificoter par son histoire d'explosion.

— Moi je fais de l'arthrite!

Ah non. Ah la vache. Elle chante!

And the way I feel tonight
I could die and I wouldn't mind
And the world could die in pain
And I wouldn't feel no shame...

Et voilà!... Ah!... Flink!... Nora échappe sa bière. Le liquide se déverse, coule sous le divan. Et ça l'étonne!

— Oups!...

— Ah 'stie! dit Justin en faisant les gros yeux... c'est un crime de faire ça à une bière! la pauvre petite! mieux vaut l'achever dans un cas pareil!

Il ramasse la bouteille, boit ce qui en reste d'un coup. Je passe la moppe sur le plancher, sans grand entrain, juste pour enlever le plus flagrant. Nora va au frigo, se prend une autre bière. Justin va dans sa nouvelle chambre pour serrer ses affaires, faire le lit, ranger son linge dans l'étagère, ses cossins sur la table de chevet. Il revient en tenant du bout des doigts une petite culotte noire de fille.

— C'est à qui ça?...

C'est à Nora.

— C'est à moi! Je l'ai oubliée! Donne!

110.

Il ne veut rien savoir de lui remettre l'infime morceau pour parties intimes. Elle lui saute dessus. Il est grand. Il se met le nez dans la culotte.

— Donne!... Donne!

— Ah!... Ça sent bon!

— Sale pervers!... Donne-moi ça! Satyre!

— Ah! Ça s'étire!

Il s'en couvre la tête comme d'un casque de bain.

— Ah! Quel élastique!

— Quel con!

Elle le frappe. Une façon comme une autre de s'amuser.

18. FILTRES À CAFÉ ZEL (GENRE PANIER)

(L'enregistreuse de Nora)

Clic!

«Bon... allô... je suis dans le lit... je me réveille lentement pas vite... je repousse Irénée... je sors des couvertures... j'enfile une longue chemise... vais à la cuisine... le plancher est froid... je reviens dans la chambre... mets mes pantoufles... ourk!... beurk!... j'ai encore trop bu hier soir!... j'ai l'estomac à l'envers!...»

Clic!

...

Clic!

«J'ai préparé du café... mangé la moitié d'une banane... je suis installée à la table... je regarde par la fenêtre... la ruelle... enneigée... des traces de pneus... un bonhomme de neige dans une cour... de la glace sur les fils... mais pas d'écureuil... ni de jeune fille... je vais aller prendre une douche et m'habiller... le séchoir ne réveillera pas Irénée... il dort dur... je veux aller prendre un peu d'air... ça va peut-être me replacer un peu... j'espère...»

Clic!

...

Clic!

«Bon... j'ai mis un manteau chaud... je sors en faisant attention de ne pas claquer la porte... je marche... je marche... je suis maintenant sur Mont-Royal... l'ambiance est calme... les gens dorment... ils sont épuisés des Fêtes... les ventes vont redescendre...»

Clic!

...

Clic!

«Je suis sur Saint-Denis... y a un peu plus de bons magasins ici... je suis devant le *Aldo*... je regarde par la vitrine... ça a l'air d'être ouvert... ça me tente d'essayer des bottes... et puis d'écœurer des employés... j'entre...»

Clic!

***

J'éteins la télévision. À cause de la publicité du Collège Delta dans laquelle on entend «Là où il y a de l'emploi!» environ six fois. C'est dégueulasse. Pas supportable. J'ai plein d'autres choses à faire... Tiens! prendre un café. Je me dirige vers la cuisine, arrête en chemin devant la chambre où est couché Justin, ouvre lentement la porte. Il semble dormir, il a un bras qui pend sur le bord du lit, sa main touche presque le sol.

— Hum... Irénée... quoi?...

— Je t'ai réveillé?

— Hum... non, je ne dormais plus depuis un moment...

— Pas trop magané?

— Je sais pas... non...

— C'est ta première nuit à Montréal depuis des mois, pas trop pénible?

— On se les gèle...

— C'est vrai, il fait froid dans la chambre, t'as ouvert le calorifère?

— Hum... non...

— Tu veux un café?

— Hum... oui...

— Tu vas voir! je vais faire de la dynamite!

— Hum... au quai...

Dans la cuisine, je rince la cafetière, ouvre l'armoire pour prendre un filtre. La boîte est vide. Phoque; Nora a pris le dernier; elle aurait pu aller en chercher. Et elle est où, elle, en passant? Je m'habille, sors, me rends à l'épicerie, me tape le line-up d'une caisse, passe proche de glisser sur une plaque de glace, reviens à l'appartement, gelé. Tout ça pour ça. On devrait rester chez soi, les lendemains de beuverie. Le monde extérieur n'est pas endurable. Justin est écrasé sur le divan. Il regarde dans le vide. Je le resalue.

— Ah... Irénée... je rushe plus que je pensais...

— Bienvenue dans le club! Ça va pas plus fort de mon bord!

— On est des misérables...

— Tu le dis!

— Et je le pense vraiment... Ah!... Notre vie ne fonctionne pas!... il y a quelque chose de brisé!... et c'est pas juste à cause de Frantz et Murielle!... on a toujours été comme ça!... on est toujours en état de siège, comme tu dis!... on ne changera pas!... rien ne change!... on fait juste semblant de fonctionner!... on ne fait rien pour se grouiller le cul!... on prend plaisir à se déprimer!... à se caler! à descendre encore plus profondément!... notre dos ne pourra supporter éternellement tout ce fardeau!... on ne pourra plus en prendre un jour!... il doit y avoir autre chose qui est responsable de notre condition... ça ne peut plus continuer... on est vraiment dans la marde... ça ne pourrait pas être pire...

— Mais oui, mais oui...

— T'étais où?

— Au marché... Y avait plus de filtres pour le café...

— Nora est pas là?

— On dirait...

114.

— Elle est où?

— Aucune idée...

Je prépare le café, constate qu'il ne reste plus que trois tranches de pain. Justin vient se servir.

— Ça fait longtemps, toi et Nora?

— Non... Depuis que je me suis installé ici...

— Dans ce cas, c'est tout récent!... Comment tu la trouves?

— Elle est gentille...

— Je veux dire au lit?

— Ça va...

— Pas plus que ça?... Quand j'étais avec elle, ça brassait pas à peu près!

— On fait pas juste l'amour dans le lit...

— Ah!... Est-ce qu'elle t'a déjà fait...

— Écoute, Justin... les histoires de cul que tu as eues avec Nora ne m'intéressent pas!... ce qui se passe entre elle et moi, c'est différent!... Je dois t'avouer qu'il y a une certaine magie... on a beaucoup plus d'affinités qu'on pensait... et puis, au risque de te décevoir, je lui apporte quelque chose que tu ne peux même pas comprendre...

— Ah bon!... Je vois!

— Excuse-moi, Justin... je ne voulais pas dire ça... c'est juste que... bon! après tout! je peux bien t'en parler!... quand tu sortais avec elle, j'étais jaloux! à en mourir!... je l'ai toujours appréciée...

— Ah! Je le savais!

— Ça paraissait?

— Assez!... Quand on s'enlaçait, tu nous regardais comme un gars qu'on est en train de torturer!... Quand j'y repense! ah!

On s'installe sur les divans.

— On a pleuré hier soir, hein? demande Justin.

— Oui...

— Ça va être dur sans Murielle, Frantz... Fabienne...

— On en a d'autres, des amis...

— Je sais! Mais quand même! La gang s'émiette!... Je suppose que c'est quelque chose qui devait nous arriver!... connaître la mort de proches!... on était vierges de ce côté-là!... il n'est presque rien survenu dans nos vies avant ça!... Imagine ceux qui ont connu la guerre!... les camps de concentration!

— Mais nous sommes dans un camp, Justin!... c'est juste qu'on ne s'en rend pas compte! ça demande une vision particulière! faut être capable de voir à travers les choses!

— Tu disjonctes...

— Je te jure! j'en suis persuadé!... y a quelque chose de louche!

— Et où sont les gardiens?

— Partout! ça peut être n'importe qui! on est en 1996!... tout est possible! ou presque!... l'illusion se déroule aujourd'hui! je ne crois plus rien! je vois des mensonges partout!... Tu sais, je pense qu'ils vont finir par nous avoir!... leur plan est simple : ils veulent notre aliénation!

Je rallume la télévision, zappe. On ne parle plus. Après quinze minutes, je ne réfléchis plus à rien. L'écran s'occupe de moi. Et c'est parfait comme ça.

— Irénée?

— Quoi?

— Tu disjonctes complètement...

— Qu'est-ce que tu pensais, Chose?

Nora revient une heure plus tard, l'air déconfit. Les belles bottes, ça coûte cher.

19. CONFESSIONS DE SAINT JUSTIN

Ça ne se passe pas comme je le voulais. Justin est revenu depuis maintenant une semaine. J'ai l'intuition qu'il y a des choses qui m'échappent, des situations sur lesquelles je n'ai aucun pouvoir. Ce sont des actes anodins, à peine discernables. Faut garder l'œil ouvert pour remarquer de quoi. L'autre jour, je faisais cuire des œufs; j'étais devant le four, je me débrouillais pour pas que ça colle au fond de la poêle... puis je me retourne brusquement pour ramasser la spatule et je vois Nora (ils étaient à table) minoucher les doigts de Justin... le regarder avec des yeux doux... J'ai fait comme si je n'avais rien vu, mais la main de Nora s'est vite retirée. Je les ai servis. Aussi... juste hier, pendant l'après-midi, je revenais de faire quelques courses. Je suis entré dans le salon. Ils étaient assis tous les deux sur le divan et me regardaient. Une drôle d'ambiance flottait dans la pièce, je me sentais comme si je dérangeais, que j'étais de trop. Ils ne disaient pas un mot... J'ai dit : «Ça va?» et Justin m'a répondu oui et m'a demandé pourquoi je leur demandais si ça allait... Il souriait. Bah! Je deviens parano. J'imagine des scénarios. Je ne sais plus trop. Sauf qu'à présent, je n'ose plus sortir de l'appartement. Je m'oblige à les surveiller, à rester dans l'entourage de Nora. C'est malsain. Je vais lui en parler ce soir lorsque nous serons au lit. Pour l'instant : garder l'œil, vivre pleinement avec mes amis. Partager, discuter, se rapprocher. Toujours.

***

Nora dit que je capote pour rien. Elle dit que son attitude avec Justin est normale. Qu'elle l'a déjà eu comme chum, qu'elle l'a déjà aimé. Que son comportement se comprend. Elle dit qu'elle a conservé un bon esprit de complicité avec lui. Nora dit beaucoup de choses. Moi, pendant qu'elle dort, je pense et je pense. Je me demande si un jour je vais sortir de la ville. Si quelque chose me pousse à partir, où irai-je? Pas aux États-Uzis. Trop dangereux. Ni dans l'Ouest... beurk. En Europe? C'est pas donné. Et qui viendra avec moi? Nora accepterait-elle de m'accompagner?... Questions! questions!... On tourne en rond. Nora bouge dans son sommeil. Elle grogne. Elle est adorable. Je viens de comprendre une chose: je crois que Nora est l'être que j'apprécie le plus au monde. Mais il ne faut pas aller lui dire. Elle exulterait trop. Elle éclaterait. Elle est trop fragile, trop influençable, trop prévisible. C'est comme une statue de verre: on n'ose la toucher de peur qu'elle explose entre nos bras.

Aujourd'hui, Justin m'en a poussé une bonne. Une christ de bonne. Il m'a dit que Murielle m'aimait peut-être plus que je le pensais. Mais qu'elle savait que j'avais l'œil sur Nora. Ça te fait un comique d'effet d'entendre ça. Il a aussi dit qu'il m'aurait bien vu avec Murielle. Qu'on était plus assortis pour sortir ensemble. Je ne vois pas où il veut en venir avec ses théories. Il dit ça avec un ton de regret dans la voix, comme s'il voulait s'excuser de quelque chose.

Je m'invente des contes à dormir debout. J'invente ma propre vie. Je m'observe de loin. Ne saisis rien. Suis mon propre spectateur. Le gardien S.S. du camp de concentration, c'est moi. Je prends plaisir à me torturer. À me vivisectionner l'inexistence. Il doit y avoir une sortie, un moyen d'échapper à ça, cette horreur des réalités-là. Ne serait-ce que par la douleur, la peine, l'angoisse. Mais me dégager de ce rôle.

Bon, il est temps d'aller me coucher, m'écrouler. Humer les cheveux de Nora entre mes doigts.

20. NUIT D'HIVER TYPIQUEMENT KÉBÉKÉKOISE

Un mercredi soir, Nora, Justin et moi sommes devant la télévision. Justin a loué trois films. On en a pour la soirée et une partie de la nuit. Le chaos s'est installé dans l'appartement. Des bouteilles traînent partout. Ainsi que des sacs de chips, des boîtes de pizzas, des journaux, des cendriers pleins... la vaisselle sale, etc. Plus le moindre espace de libre pour déposer quelque chose. Je ne me rase plus. Je commence à avoir la barbe longue. C'est l'entropie, la gagnante.

Le téléphone sonne. Nora répond.

— Oui bonsoir!... Un instant!... Irénée! c'est pour toi!

Je prends le combiné qu'elle me tend.

— Allô!... Oh! salut Rudy!... oui!... pas mal!... et toi?... Non... j'habite plus sur de Bordeaux maintenant... oui... t'as bien fait d'appeler ici... je regardais un film!... ah oui?... depuis quand?... chouette!... je ne sais pas... ça fait longtemps... oui... bon!... au quai!... c'est ça!... à tantôt!... bye!

Je raccroche.

— C'était Rudy? demande Nora.

— Oui, il m'invite à aller faire un tour chez lui, il dit qu'il veut reformer le groupe Sass Pupu avec David.

— C'est bon, ça! dit Justin.

— Je ne sais pas... la dernière fois qu'on s'est vus, il m'a tapé sur les nerfs...

Je me rassois sur le divan. On ne dit rien. Une demi-heure passe comme dans le vide. La blonde d'Indiana Jones vient de se faire kidnapper. Il la cherche dans des paniers. Il n'a pas l'air de très bonne humeur. Nora se tourne vers moi.

— Et puis? crois-tu que tu vas y aller?

— Où ça?

— Chez Rudy...

— Peut-être...

— Ah bon! comme tu veux!

Elle se retourne vers l'écran. Je la fixe. Pourquoi elle a dit ça? et comme ça? Ce n'est pas son genre. Une sorte de puceron commence à m'asticoter l'oreille.

— Oui, j'y vais...

Les deux autres ne répliquent rien, ils *paraissent* absorbés par le film. Je me lève, vais dans la chambre, ferme la porte pour ne pas que la lumière les éblouisse. Je place ma guitare dans son étui. On va jouer à un jeu, mes chéris. Ça va être pile ou face. Je prends un sac Adidas... y fourre des vêtements, en particulier deux pulls chauds, quelques autres machins, tâte ma poche arrière pour voir si mon porte-feuille s'y trouve. Ensuite, je reviens dans le salon, m'empare de quelques cassettes sur la chaîne stéréo... mes meilleures.

— Qu'est-ce que tu fabriques? me demande Nora.

— *Qu'est-ce que tu fabriques?*... Pouah!... Où t'as été chercher ça?

— Kestufous!?

— J'apporte de la musique...

— Ah...

— Justin, je peux t'emprunter ta tuque pour la soirée? J'ai pas envie de me geler...

— Euh...

Justin est concentré sur le film.

— Euh... oui oui... je pense qu'elle est dans ma chambre, dans une manche de mon manteau...

— Merci...

J'entre dans l'autre chambre, vois le manteau sur le lit, plonge un bras dedans, déniche la tuque, regarde autour de moi... Ah! voici ce que je voulais! Je prends le portefeuille de Justin déposé sur un bureau, y cueille sa carte de guichet automatique, la mets dans ma poche à tabac. J'en connais le code. Je lui avais déjà rendu service en lui faisant ses courses de houblon. Je saurai tantôt à quoi m'en tenir. Pile ou face. De retour dans ma chambre, j'en fais le tour pour voir si je n'oublie rien d'important. Ah! Mes cahiers Canada de poésie, mes dessins de fées, de gnomes et d'elfes. Faut surtout pas laisser ça ici. J'apporte mes bagages dans l'entrée, enfile mes bottes, mon manteau, la tuque.

— Seigneur! dit Nora... tu pars en mission humanitaire pour le Severnaïa-Zemlia?

— C'est à peu près ça... Non, je vais coucher chez Rudy... on va sûrement veiller tard... j'aurai pas le courage de me taper une heure de marche à trois heures du matin... je vais revenir demain avant dîner...

Justin revient à la surface.

— Bois pas trop! C'est pas bon pour ta santé! tu le sais!

Je m'approche de Nora, l'embrasse, la serre longuement dans mes bras. Elle me repousse.

— Hé! Tu me caches la télé!

Je me tasse.

— Désolé...

Je zippe mon manteau, suspends le sac sur mon épaule avec la lanière, soulève l'étui à guitare par la poignée, observe Nora et Justin... un moment.

— Bon, eh bien... j'y vais...

Pas de réponse.

— Bonne soirée!

120.

Ils me regardent, distraitement.

— Bye, Irénée! dit Justin.

— À demain, Irénée! dit Nora... amuse-toi bien!

Je sors. Dehors, y fait frette.

***

Je suis assis à une table au *Leprechaun* depuis plus d'une heure. La salle est bondée de gens. C'est toujours comme ça. Une bande de petits écrivassiers-crevettes en manque d'attention et de poètes en manque d'expiration se réunissent là. Des en manque manqués trop gênés pour aller aux topless. De quoi rire. Je me suis placé près de la vitrine. Je suis des yeux les piétons emmitouflés qui passent. La serveuse vient me revoir.

— Voulez-vous autre chose?

Hein? Quoi?... J'étais rendu loin.

— Euh... oui!... vous avez de quoi de vraiment in?

— On est in aussitôt qu'on a un pied dans la place, ici...

— Ah! Je l'ai toujours su! Et hop! Une autre Guinness, bébé!

J'ouvre mon sac, en extirpe un cahier, lis deux, trois poèmes en prenant un air tragique de circonstance... comme les autres morfondus de l'endroit : front ridé, la plume au bec, l'œil fixe. Le genre blasé d'enculer son chien en attendant sa réponse des éditions Les Herbes Molles, Les Écrits des Fondues, Les Indécrottables. Des maisons de masturbateurs notoires comme ça. Une photo qui était insérée entre deux pages de mon cahier glisse, tombe sur le plancher humide près de la table voisine. La serveuse, qui ramène sa fraise et ses fesses avec ma commande, se penche et la ramasse, l'étudie un instant.

—Tiens! Ce visage m'est familier!... Ce n'est pas la fille qui travaille au restaurant *Misto*?

Elle me redonne la photo... de Murielle, l'été, au parc La Fontaine, en train de fumer une cigarette, la fumée figée dans l'air devant son visage.

— Oui, c'est elle... mais elle ne travaille plus là... elle brasse des affaires avec Al Capone à cette heure...

La sexy serveuse dépose le bock sur la table.

— Oui oui... c'est ça... C'est votre copine?

Je l'observe plus attentivement. Pour la première fois. C'est une petite curieuse. Elle paraît plus vieille que moi, début trentaine, robe jaune moulante, cheveux noirs coupés court, des yeux noisette, vifs, de beaux sourcils. Elle me plaît!

— Non! c'est ma sœur! elle voyage! elle voyage!... on se voit presque jamais!

121.

— Ah! Je me disais aussi! vous avez des traits semblables!

Mon Dieu! Ce que les gens peuvent mentir! Avant qu'elle ne se défile, je lui dis :

— Je peux te demander un service?...

Elle me scrute curieusement, cherche la crosse, l'idée de scrotum qui aurait pu me passer.

— Hum... ça dépend, de quoi il s'agit?

— Juste de réserver ma place et de surveiller mes affaires... Je dois aller faire un téléphone et...

— Vous pouvez utiliser notre téléphone, ici...

— C'est parce qu'il y a un peu trop de bruit et... comment dire... je ne suis pas très à l'aise... je serai de retour dans quelques minutes... je veux juste ne pas être encombré... c'est possible?

— D'accord, mais faites vite! je suis assez occupée, je ne pourrai pas veiller sur vos affaires toute la soirée...

— Merci! ça sera pas long!

Elle parle un peu trop bien à mon goût, cette fille-là. Elle a un petit accent pointu qui m'énerve. Je cale mon bock. Je me rhabille et sors du café-bar, cours en prenant garde de me planter. C'est que ça glisse! Je me rends jusqu'à la rue Brébeuf, fais un détour, emprunte la ruelle, croise un chat qui déguerpit en me voyant, détale dans un remous de neige. Je marche jusqu'à ce que je sois rendu devant la cour arrière de l'appartement, passe un bras par-dessus la clôture, lève la clenche gelée, ouvre la porte en poussant. Mes pieds s'enfoncent dans la neige... flouch! flosh!... Je monte sur le balcon, sans bruit. Penché, je regarde par la fenêtre de la porte. Rien dans la cuisine, personne dans le salon. Le téléviseur est toujours allumé. Son éclat reflète sur les murs noirs. Le film continue à se dérouler mais Nora et Justin ne sont pas sur le divan. Ah!... Hum! Je me gratte la barbe, descends l'escalier du balcon, m'enfonce à nouveau dans la masse de neige, me dirige doucement vers la fenêtre donnant sur la chambre de Justin. Mon manteau frôle le mur de brique... fritch-fruut!... J'arrive en face de la fenêtre. Ah! c'est un peu haut. Je dois saisir le rebord, me hisser. Surtout, ne faire aucun bruit. Il fait sombre dans la chambre. Mais les rideaux sont ouverts, à moitié. Prudence. Ne pas trop montrer ma tête. Ça demande un effort de bras. Oh hisse!... oumf!... Peu à peu je m'habitue à l'obscurité, discerne mieux, distingue de vagues formes sombres là-dedans. Le bureau au fond, le lit... Déjà, mes bras se mettent à trembler. Christ! Je ne pourrai pas endurer cette position-là très longtemps. Et puis, il me semble voir quelque chose de plus net, de plus clair. Un mouvement sur le lit. Une sorte de houle. Comme une vague. Une marée montante.

122.

Un animal courbant le dos. Je suis pas certain. Ça s'est vite passé. Et mes yeux sont fatigués, larmoyants. Percevoir du concret, c'est la mer à boire.

— Mmm... aah!...

Un gémissement. De plaisir. Provenant de la chambre. Là-dedans. Juste devant moi. À quelques mètres de moi. De l'autre côté de la vitre. Ah! je l'ai reconnu le aah!... J'ai l'oreille tout de même. On ne peut pas me leurrer quand il est question de ça, d'elle... Nora!... Ah oui certain! à cent pour cent. Le petit aah caractéristique de Nora. C'est le sien. On m'en fait pas accroire.

C'est elle!

Hostie de drôlesse! de mélasse!

Voilà! c'était pile ou face!

Elle m'a eu. J'ai perdu. Je sais maintenant. Ils attendaient juste que je foute-fiche le camp quelques heures pour forniquer un bon coup. En souvenir du bon vieux temps, je suppose. Ah! la douleur!... Le mal que ça me fait... Une héca-tombe pour mon cœur! Hiroshima! Pire encore! Écoutez!

Bam! Boum! Vaf! Takata! Flïïch! Braoum! Craac!... Zac!

Le bruit!... C'est le bruit que ça a fait quand ça a éclaté dans ma cage. Le souf-fle! la fin!... plus rien après!

Ah! Désolé, chérie. L'amour à trois, c'est pas dans mes prix. Je suis pas assez bed-in, on dirait. Je préfère encore aller exulter ailleurs pour voir si j'y suis.

***

Je me commande une quatrième Guinness. Je commence à être sur le gros nerf. Je n'ai pas envie de pleurer mais de me tenir au chaud. Je manipule la photo de Murielle, ne peux me raisonner à la remettre dans le sac. Y a un peu moins de clients au *Leprechaun*; la serveuse a le temps de discuter avec un autre employé. Je lui fais signe de venir. Regardez-moi bien faire mon imbécile.

— Excuse-moi encore, pourrais-je savoir ton nom?

— Rébecca! qu'elle me sort, impatiente...

— Bon, Rébecca, moi c'est Irénée... Je peux te demander un tout petit et dernier service?...

Elle regarde autour d'elle. Je sais qu'elle pense que je veux la courtiser. Elle a à demi raison.

— Ça dépend... Quoi, vous voulez emporter une chaise en souvenir?

Elle doit avoir son inside là-dessus.

— Non... J'ai juste besoin de parler à quelqu'un... deux minutes... je ne vais vraiment pas bien... tout s'écroule autour de moi...

Elle fait sa solennelle devant ma solitude.

— Quoi, j'ai l'air d'une psychologue, peut-être?

Elle pose son regard sur mes affaires, sur le cahier, sur la table, mes mains qui tiennent la photo. Elle se retourne. Signe de la tête à l'autre employé. Tire une chaise devant moi. S'y assoit.

— Bon d'accord! pas trop longtemps!

Elle s'allume une cigarette, décontenancée, si j'ose ainsi m'exprimer... voit bien que le gars en face d'elle n'a pas du tout l'air dans son assiette, qu'il boit dans son bock comme un en train de se noyer. Avec mes petites courses de tout à l'heure, elle doit me prendre pour un drogué. Je vais lui garrocher toute la vérité.

— Je me suis fait coquettement cocufier!

— Ah...

— Je viens à peine de le découvrir!

— C'est des choses qui arrivent... J'ai déjà passé par là moi aussi...

— Tantôt, j'étais pas allé téléphoner! je t'ai menti!... J'ai été espionner à mon appartement pour voir ce que fabriquait ma blonde de blonde!... Elle faisait l'amour avec mon ami!

— Ah!... Et vous... tu vas faire quoi?

— Rien!... Je pense pas les revoir!... Je serai pas capable!

— Ça se comprend!... Voulais-tu juste que je t'écoute ou que je te donne aussi des conseils pour cocus?

— Juste m'écouter...

— En tout cas, moi, je te conseille de la laisser!

— Mon Dieu! Continue comme ça et tu vas gagner un prix!

— Non?...

— C'est mon intention... Mais y a Justin! c'est mon meilleur ami!

— Avec des amis comme ça...

— Je sais!... Seigneur! Faudrait que je te présente à ma mère! Vous vous entendriez bien si elle n'oublie pas de mettre son appareil!

— C'est ça, c'est ça... Toi et Justin, vous êtes amis depuis longtemps?

— Une éternité!... Mais ce n'est pas grave!... J'ai un goût amer dans la bouche...

— Ça, c'est la Guinness!

— Je veux me venger!

— C'est pas beau, la vengeance!

— My God!... Lord!... Remboursez-moi quelqu'un!

— Si tu le dis...

— J'ai la carte de guichet de Justin! Je connais le code!

124.

— Préfères-tu finir ta bière avant que j'appelle la police ou c'est correct pour tout de suite?

— Ah! Pourquoi je le ferais pas? C'est tout ce qu'il mérite!

— Ça va t'attirer des ennuis!

— Hé! Quoi de neuf, doc?

— Bon, en tout cas, ce n'est pas de mes oignons...

— Non! ils sont à moi les moignons à ronger!... comme une hyène!

— Pardon?

— Merci!... C'est tout!

— C'est tout?

— Oui! merci encore!

Elle se lève et dépose sur son plateau mon bock vide.

— Euh... non! attends! attends!... je voulais te demander... comment dire... tu es libre tantôt?... tu veux aller prendre un... non, euh... aller faire un tour au *Central*?... boire un verre?... ou demain peut-être?...

Elle me lorgne avec un sourire carié. On ne voit pas tout du premier coup.

— C'est gentil pour l'invitation, mais non merci... Je ne peux pas, je suis fatiguée...

— Demain?

— C'est parce que vois-tu... hum, bon, je vais être honnête avec toi... c'est que j'ai un chum!... et on est bien!... et une fillette aussi!... et puis t'es pas un peu vite en affaires?... avec ce qui vient de t'arriver?

— Ah! Je suis un vrai requin de la semence!

— Ça va aller?

— Oui oui!... Oui! Ça va flotter, ça va flotter! pas d'offense!... Je m'essayais comme ça! à tout hasard! comme à la loterie!... Désolé de t'avoir contrariée, acculée au pied de mon mur!... Je suis pas comme ça d'habitude!

— C'est beau!... Des fois c'est drôle de se faire faire la cour! Ça flatte!

— Quoi? Ton derrière?

— Hé que vous êtes tous prévisibles!... Des grosses mouches à marde!

— Ah! Si là c'est toi qui le dis!

Elle retourne à son comptoir, fièrement, la démarche rapide, comme si de rien n'était. Je sors mon tabac pour me rouler une cigarette. La carte de guichet tombe. Je la récupère, essuie d'une manche l'eau sale dessus. Je m'attarde sur la photo de Murielle encore une couple de minutes puis je la serre dans mes affaires. Je renfile mon manteau. Je suis tanné de tout.

***

C'est toute la nuit que je marche. Une demi-heure je m'arrête, je me réchauffe dans un *Dunkin' Donuts*... puis un dépanneur vingt-quatre heures. J'ai mal au bras à force de porter ma guitare. Je la laisse sur le trottoir au coin de Sainte-Catherine et Peel. À six heures du matin, j'entre à une *Banque Royale*, m'approche du guichet, y insère la carte de Justin, compose le code, regarde le solde. Il n'est plus très riche, l'ami. Une soixantaine de dollars et des poussières. Ça fera l'affaire. J'en prends cinquante, enfouis les saletés de billets dans mon manteau. J'ai l'intention ferme d'aller me payer la pire, la plus terrible, la plus atroce beuverie de ma vie. Il en reviendra pas, Rudy, de me voir débarquer chez lui si tôt avec autant de bouteilles entre les bras. Et la face que j'aurai. Le regard complètement débile, perdu, givré que j'aurai... Faudra qu'il compose une chanson en l'honneur de cet instant-là. La chute d'un homme, ça se fête.

***

En effet. C'est ce qui arrive. Et Rudy qui m'abandonne, vers midi, pour aller travailler. Comme un cave. Et moi qui m'effondre sur le plancher de la salle de bains, comme Nora, comme tous les autres... les malades, les morts. Je m'endors sur le carrelage glacial pour y vivre le cauchemar le plus abominable de mon inexistence. Une confrontation avec tout ce qu'il y a de plus horrible en moi. Ce genre de violence sans limite qu'on a tous en chacun de nous. Le délire... le tremens... le trépas... Tout ce que vous voulez. Une bande mémorielle qui surgit alors que je m'évanouis dans mon vomi de beignes et de bile. Images!... images!... Qui surgissent. Peu à peu. Comme une armée qui avance sur moi. Des mots marchant. Des mots mutants. Pour les leprechauns que nous sommes. Je parcours la trame du film de mon rêve d'un bout à l'autre. Je vous le décris ici... dans toute son épouvantable intégrité, alourdi de fatigue, tailladé. Une bascule à travers les symptômes, là-dedans, dans cette boîte d'os. Chaque humain me parle de guerres, partout le zinc de la mer qui m'encastre; le réalisateur coupe. Je perçois des détecteurs de mouvement. Ce monde est magique. J'enfile le rez-de-chaussée la rage au crâne. Le modèle haut de gamme de l'espoir. Regarde! le dehors est étrange. Plus question d'aller se faire pendre en cette histoire, sous les talons aigus d'un film porno, des ossatures. Ne m'affichez plus cette mine absente. Votre solitude n'est pas si différente de la mienne. Pendant mon sommeil, cette forme sombre, le bruit d'une sonnerie de téléphone, d'une guitare, d'une fille souple à mes côtés. Je grimpe sur l'avion, vole, en descends, prends trois taxis, ouvre les yeux à l'intérieur, dans mes orbites, ainsi isolé, à bouleverser l'entrouverte sous moi. Elle n'est pas encore morte mais elle m'achève. Frissons métalliques. Des flocons qui nous transpercent moi et elle. Sortir en vitesse de ces couvertures... découvrir... Elle se déploie! Elle était collée! La caméra l'exige sur le lit. Non! ce n'est pas elle! C'est l'autre. C'est Murielle. L'acte considéré, on pense d'y rejouer, d'en mourir. Se brancher au rituel des reins. Une formidable ligne de coke allumée que pour elle. Besoin de ça... non. Elle le sait à présent... oui. Un tas de plumes! En se dirigeant rapidement, rigide, vers la colombe, l'ange... d'un pas d'aigle. Se vendre! se donner pour l'espoir à effacer. Une sorte de défi. La peur d'être à découvert. Désespoir. Les plumes! au vent!... cramoisies! Et tout ce génital en fusion, silencieux. Un jour! une nuit!... Ça change... ça se transforme!... Murs et bureaux et chaises. Tous troués! Le massacre de la Polytechnique. Le plafond qui descend. Murielle a une cicatrice à chaque sein. J'ai un calibre douze à la main. Une crucifixion. C'est à peu près ça. Des dieux grecs passent. Nyx! On tombe! Elle n'est plus là. En moi le décor est clair, grotesque. Le silence encore. Un goût de cyanure dans ma mâchoire modifiée, glaciale. Simples paroles rêvées salement, que je tente d'embraser à nouveau. Vaut mieux crever ou s'exiler. Ce monde qui pourrit. Je veux tuer quelqu'un. Le monde entier. Pour être en paix avec lui, le pénétrer, saisir cette blessure qui déchire une planète entière, me mettre au parfum d'une race qui se décompose. Je chante quand les jardins de néons me surplombent, quand les jardins de plomb se fondent en moi. Des signaux d'orchidées. Quelque chose a été volé au monde mais il est trop tard pour s'en rendre compte. Arides communications! télécommande qui me colle au bras! vidéo chirurgicale! qui anéantit les ruches de matières grises dans chaque ville et dépotoir-banlieue-cimetière. Habitants que je broie. Toutes les sources d'impureté éblouissantes. Un Opéra Bacchanale! Cruelle, la violence est d'or. Maigre à me concentrer. Loterie pour les macchabées. Je veux mourir, avec pour seul souvenir les séances de mon enfance. Tout saccager. Tout détruire. Ça change!... ça se transforme!... Une seule seconde je crois être éveillé, j'entends dehors une manifestation de squelettes. Le défilé valse! nauséabond! Leurs vêtements restent accrochés aux briques des ruines de l'immeuble à Rudy. Leurs yeux tourbillonnent. Ils postillonnent des revendications. Des jobs, qu'ils veulent. Que ça coûte moins cher les études, qu'ils veulent. Non à l'effet de serre! Non aux sadiques!... Calice. Je ricane dans mes résidus. Je ne peux que me retourner la face contre la baignoire. Un spasme, encore. Une chaleur liquide sur mon bras. Je songe à la foule dehors, cloîtrée, dans son propre jeu de mort. Je repense à Nora. Comme elle doit se sentir si seule avec moi!... une bourbe profonde! Des sacoches pleines de viande sanguinolente... Nora! Murielle! N'importe qui. Nous sommes deux désespérés, ensemble, comme un virus imaginaire, deux enfants écrasés sur une piste d'aéroport. Notre quête c'est... un hostie de duel contre l'ombre... c'est... les abats des jeunes filles éventrées, des vieux gars scalpés par les larmes des jeunes filles éventrées. Ce n'est pas de notre faute. Ça devait arriver. Nous ne sommes pas des mirmillons mais au repas on s'offre une bonne tranche de ces cadavres. Ta jupe pleine de sang, on se superpose.

Finalement, Justin et moi, Nora et moi, on s'est expliqués. Justin s'est excusé en m'avouant qu'il n'avait pas su se maîtriser. Nora, elle était toute en larmes quand je l'ai calomniée; je n'ai pas pu endurer cela, je lui ai pardonné. C'est des choses qui peuvent arriver de nos jours. Nos parents, ils ont eu l'amour libre et les désunions, les divorces... Ils étaient gâtés, eux. Nous, on a que notre petite inexistence. Faudra faire avec. C'est mieux que de n'avoir rien. On est au-dessus de tout ça, comme dirait l'autre. À quoi ça sert la jalousie? À rien. À quoi ça sert la rancune? À rien non plus.

Soyons amis : partageons notre petite amie. Soyons friendly : échangeons nos petits zizis. Si on s'en fait pour si peu, on est fait. Contentons-nous du peu qu'on a. Savourons le peu qu'on a le temps qu'on l'a. C'est aussi simple que cela. Justin me dit que ça ne le dérange pas pour les cinquante dollars empruntés. C'est aussi simple que cela. Nora me dit que c'est promis, qu'elle ne le fera plus. C'est facile comme ça. Et puis, avec tout cet imbroglio-là, je me suis fait une nouvelle namie : Rébecca.

***

Une vie nouvelle m'attendait. Par exemple : j'ai pris une job.

— Come on, mon gars... on a pas toute la journée 'stie...

Comme on dit, ça va mal à l'usine, à la shop, et c'est sûr que j'y passerai pas le restant de ma vie, celui de la journée d'hier m'étant resté sur l'estomac. En tout cas, que j'y pense deux fois ou que je craque, que je toffe ou me détoffe en lambeaux, ça commence drôlement pas à bien faire. J'en ai le casque plein. Qu'est-ce que je fouette?... Ça coule, cervelle et sueur, tout le long des tempes et je passe mon temps à penser à bien ne rien faire. Justement, là, si c'était pas dans le domaine de l'impossible, par exemple comme ce matin à l'usine, huit heures et demie, si boire entrait dans le territoire du réalisable, je m'en enverrais bien une ou deux ou trois, sûr, et pas de la marmelade de limousine! de l'eau gazée et édifiée (pour bien compacter le repas dernier), V8 ou tout autre acabit de ce genre de jus motorisé... niet!... C'est bel et bien et point final que ce avec quoi je me ferais chatouiller le gosier, ça serait de la bière, une cent cinquante pour ceux-là qui aiment en prendre une bonne!

— Relaxe! j'ai ma fin de semaine dans le corps, moi là, et ç'a pas été de tout repos... une vingt-quatre, ça tape! et pas juste les mouches, gros taon!

Que je réplique à l'autre. Pour le piquer... Ça fonctionne! ça lui bourdonne dans les oreilles juste assez pour l'agacer, lui donner le goût d'envoyer valser quelque chose du revers ou du plat de la main. Je trouve ça plate comme réaction.

— Ah! ta gueule! fonctionne, calice!

Et ça étend comme une beurrée son savoir saint en plus de ça. Du savon, on ne lui en a jamais fait goûter, ma parole! Dans ces conditions, faut faire comme si on n'avait rien entendu! Sinon le mou qui tarde va nous remonter assez vite dans les orifices respiratoires. Horrible!... Et las, on continue notre labeur quotidien. L'autre avec sa machine remplie de peinture, blanche super-latex miroitante et tout ce que tu veux, les contenants de vingt litres, fout dedans le truc gluant qui empêche la peinture de se séparer et me refile le tout par une poussée. Moi, je place le couvercle, punche sur le dessus et sur le côté le numéro de série (batch) et condamne le vingt litres en le passant sous la machine qui écrase et fait pfouf!... C'est tout. Après il faut juste que je le prenne par la poignée et l'envoie se poser le plus rapidement possible sur la palette derrière moi en me tournant et en faisant bien attention de ne pas m'empaler sur un coin de la machine industrielle... J'en fais trois étages, ce qui donne trente-six vingt litres par palette (si ma mémoire est bonne) et des comme ça je m'en paye environ vingt-deux par jour et surtout n'allez pas dire que c'est peu parce que sinon je vous en lance un sur le bord du truc à mastiquer!... Comme on dit, faut que je fournisse, et c'est ce à quoi m'applique du mieux que je peux en disant adieu à ma pieuse jeunesse... Je fourre!... je nie!... Une vraie fourmi, les gars. À la longue, c'est le genre de plan qui vous arrange les bras comme des steaks et vous écrase la colonne comme un ressort. Côté biceps, ça allait car j'avais du retard à rattraper, mais pour le dos, il a fallu que je m'équipe d'une ceinture velcro de protection taille svelte. Ils riaient de moi dans la shop à cause de mon poids plume mais je leur goudronnais la gueule en balançant mes vingt litres comme un superman. Des fois j'alignais des trois, quatre palettes et les chargeais en commençant par celle du fond; ça faisait pas mal de trotte, avec un machin qui t'arrache la peau des mains au bout des bras, en une seule journée... Hé, t'es un homme ou tu l'es pas!... Dans la vie (et la mort aussi) il y a plein de métiers. Certains sont épiciers, d'autres piliers (pileurs de vinlites)... Comme moi. Et pas question de flânage, hein! Faut que ça roule! Chez les *Peintures Denalt*, ils ne niaisent pas avec la puck, les boss juifs! Ils ont le pif pour faire sortir de la soupe les mauvais ingrédients! Moi, en tant que bon céleri, j'ai fait mes preuves (irréfutables).

L'autre abruti avec qui je joue l'esclave s'est levé de mauvais poil aujourd'hui. C'est à cause de ça qu'il me pousse à bout, qu'il se débrouille pour que mes cheveux se dressent sur le cuir chevelu... Ils me font déjà assez mal comme ça.

— Coudonc, qu'il dit, t'as-tu mangé des vies d'anges?

Je pense qu'il veut faire allusion à l'haleine pas trop paradisiaque que j'ai. C'est pas pour me prendre pour un autre mais j'ai développé dans les dernières années des tendances d'alcoolique en puissance. On a chacun sa vocation. Moi, la mienne, je m'y enfonce à souhait depuis que je travaille, les bidous amenant le houblon doux, et ainsi de suite.

— Panique pas, mon gros! si on continue à ce rythme-là, je vais te suer les dernières gouttes de mes bières d'hier avant le break! ça sera pas long! quand je vais avoir bouffé, je vais sentir tout neuf! tout bacon!

Ah! Les débuts de semaines! ça t'égrène un homme!... Et avec le taux d'acidité que j'ai dans le ventre et les pépins répétitifs de mon inexistence, c'est pas un homme que je suis, mais la pomme pourrie du panier. Parlant de fruit, ça me fait bifurquer la pensée vers celui de Nora que j'ai touché l'autre jour pour la dernière fois jusqu'à preuve du contraire mais ça me surprendrait... C'est le cul-de-sac et l'affaire n'est plus dedans. Bah! d'autres eaux troubles vont couler sous les ponts. Faut juste attendre la période de dégel qu'elles annonceront par le port des jupes courtes et les petits bateaux badineront à nouveau. Nora et moi, on sortait ensemble (mais en général on restait enfermés) depuis quelque temps et les coutures du lange souillé qui nous tenait liés s'étaient mises à péter d'un bord et de l'autre, ce qui fait qu'on en était rendus au point de rupture... C'est des choses qui arrivent et qui partent après. Disons que ça allait plus fort fort. Je reluquais l'envie de redécouvrir le célibat et elle d'entendre battre le plus proche possible le cœur ou quelque autre partie anatomique d'un de ses comparses de travail en restauration... (elle s'est trouvé une job elle avec). On était dû pour que ça finisse avant qu'on glisse et que ça fasse mal. Parlant de bobos, j'étais pas trop fier de la chandelle que je lui avais envoyée au visage il y a un mois au cours d'un party chez des amis. Ça a créé un os entre nos chairs... et c'est pas parce que j'étais pas mal paqueté que je pouvais m'en servir comme excuse. Je m'étais pogné une crise de je sais pas quoi et j'avais l'intention ferme de tout chambouler autour de moi... bouteilles, cendriers, nappes, monde, bottes, prendre la porte et dehors assommer les passants avec. Elle voulait me retenir. Je me suis pas retenu de l'empêcher de mettre son plan à exécution. J'ai pris le premier objet qui m'est passé sous la main (une chandelle, dans ce cas) et j'ai tenté le vade retro. Ça a pas marché. Alors, elle, quand elle s'est approchée, je l'ai fait reculer raide avec mes bras que je croyais qu'ils seraient tout délicats comme la caresse d'un boxeur en année sabbatique mais qui se sont démerdés pour que le plancher de bois franc et honnête aille perdre de son vernis sur le cul-de-chatte de Nora... Tout un émoi s'est étalé là, les amis! On était pas loin du scandale!... Je venais d'inaugurer la première pelletée de terre que j'enlevais pour creuser ma tombe. L'espace juste pour y planter un pied ou deux et caler dans des sables émouvants. Pathétique... Je me suis excusé, je l'ai aidée à se relever, elle n'a pas voulu me pardonner, je me suis mis à brailler, elle est venue me consoler, tout attendrie subitement. Je ne devais pas être très beau à voir, en boule, la tête entre les deux genoux, à côté du téléviseur, sur le divan. Après, c'est elle qui en a piqué une crise, car des amies, les deux sœurs Cécile et Juliana, étaient venues me border et elle ne voulait rien savoir d'elles!... C'était tellement dramatiquement absurde que c'est le fou rire qui a fini par me prendre en dernier. Le vin s'est remis à ruisseler à flots. Après, je ne sais plus. Ça brassait vers les profondeurs. Elle a fini par me pardonner.

Au bout du compte, du rouleau, du tunnel, Nora m'a annoncé la moyenne nouvelle : elle était enceinte de son idée d'un avenir meilleur, pour faire une image pas trop forte. Elle parlait de marécages.

— J'en ai marre de notre relation stagnante!

Que je cite. Et que ça suffisait une bonne fois pour toutes. Envers et contre tous. Surtout moi. Alors, là, un rideau, une chute, un voile de larmes a recouvert son visage, et j'ai dû essayer d'essuyer tout ce déversement avec mes pouces sous ses yeux et ma bouche qui disait:

— T'en fais pas, mon minou froufrou! ça va passer! dépasser! même sur notre voie de pas plus de trente kilomètres à l'heure! On va pas se laisser avoir par nos 'tites peipeines! On est plus résistants que ça, sur le plan émotionnel! On est des super sacs Glad pas déchirables! pas étirables! pas pour ramasser les feuilles mortes tombées!... We are so glad my dear!

C'était catégoriquement le monde à l'envers, vois-tu. C'est moi qui me faisais laisser là et c'est elle qui pleurait. On aura tout vu. Fallait que je l'aide à m'abandonner comme un matou poisseux qu'on va porter à la S.P.C.Auschwitz. On a passé une dernière nuit ensemble, pour perpétuer le souvenir, qu'elle disait, pour que nos derniers instants soient mémorisés là où il faut. Tu parles. Elle ne pensait qu'à ça. Moi je ne fournissais pas. Ça fait que ça a fini comme ça.

— Qu'est-ce que tu veux de plus, cow-girl? C'est pas la banque de tu sais quoi ici! J'ai d'autres chattes à fouetter! Oups! (Cette dernière réplique m'a valu une baffe toute garnie; ça m'apprendra à faire exprès pour faire des gaffes...) Vas-y! Fous-moi-z-en une autre! Je m'en fouette!

Je niaise comme ça et je ne veux pas me prendre pour un autre mais je dois avouer qu'on a pas mal donné dans l'intense dans les ébats d'adieu! J'en ai perdu des cheveux. Je me suis même mordu le bout de la langue (je voulais croquer la sienne mais j'ai mal visé)... On s'est bien amusés, pour résumer. Le lendemain, elle a pris ses cliques, ses claques, ses cloques, elle a regardé sa clock... a dit :

— Je suis en retard pour mon travail, câline!

Elle a claqué la porte et je ne l'ai plus revue pendant plusieurs jours. Calvaire de clash! Elle est, je crois, de descendance gréco-latine, moi franco-latrines... On fitte pas. Je suis trop bouseux de personnalité et, elle, trop sale de caractère. Je lui

132.

souhaite la cataracte pour quand elle sera vieille. Bon! C'est bien beau tout ça mais, là, je constate que je suis seul comme un tronc et que le célibat, ce n'est pas fameux comme fortification! Heureusement qu'il y a le boulot qui me scie. Qui m'occupe.

22. MENTALITÉS ET ALLERGIES

Hé oui. Y a pas grand-chose de changé. Plus on dégrise, plus on s'obscurcit. Comme dirait Justin, c'est dans les gènes. On ne peut pas s'en empêcher. On continue même si on sait qu'on va tomber, et de toute manière je le sais moi que plus on tombe tôt, moins on tombe de haut... et moins ça fait mal. Ça va faire bientôt trois heures que je poireaute et m'asperge de vin dans le gigantesque appartement de Rudy et David (là où Justin et moi on a décidé de crasher en désespoir de cause), ne sachant comment cuire la viande... Quoi? dois-je la retourner quinze fois? dix? cinq? deux? Je sais pas, moi! faut qu'on m'informe! C'est Justin le spécialiste de la popote! Il est maintenant dix heures du soir. Il m'avait dit qu'il allait chercher du riz pour accompagner le «tout» (on se demande ce que c'est) et il n'est pas encore revenu, le comique. C'est pas que je commence à m'inquiéter qui est la question mais plutôt si on va finir par manger un soir ou l'autre. Là, je vois clair dans ton jeu, mon cher Justin. T'avais d'avance décidé de me planter là. Pour te retrouver où? pour retrouver qui? pour t'enlacer dans quoi? retourner ta langue trente-six fois avec quelle autre? t'arranger de ton mieux pour poser une main on se demande sur quel sein?... Nora Neurasthénie?

Je bois mon vin dans le salon. Je fais semblant de rien, comme si tout ce que je ne faisais pas comptait pour pas grand-chose. Je danse sur du silence. J'observe tout ce qui m'entoure, surtout mes pieds. Je saigne des lèvres, on dirait; c'est le vin de médiocre qualité, ça se met à tacher quand on est rendu à la moitié de la bouteille. Ma mère dit que je suis allergique au rouge et elle a raison haut la main. C'est vrai qu'après deux, trois bouteilles je commence à avoir les jambes qui flageolent, la tête qui effectue du trois cent soixante degrés. Faut dire que je ne suis pas constitué très fort. J'ai rapatrié toutes mes énergies dans ma caboche de pigeon et c'est la pagaille là-dedans. Je devrais rester dans le blanc. Ça serait mieux pour ce que je suis. Ça m'éviterait de gaspiller ma santé et le produit en question que je ne réussis pas toujours à évacuer comme tout le monde par l'orifice d'en bas. C'est ma folie des hauteurs! que j'explique quand ça m'arrive et que je suis pas mon seul témoin.

J'appelle chez Cécile et la sœur de Justin, Alfréda. Je leur demande elles font quoi. La deuxième me répond : «Rien!» parce que demain elle travaille et que la première est malade.

— Ses allergies faciales disgracieuses?

Je fais encore mon indiscret et elle s'arrange pour me le faire savoir.

— Tu peux pas te mettre à sa place, Irénée! si ça t'arrivait à toi tu ferais la même chose qu'elle!... tu te cacherais en attendant que ça dégonfle!

— De quoi tu parles, là? qu'est-ce qui doit perdre du volume?

Elle me trouve pas drôle.

— Faut que je raccroche! je suis fatiguée morte!

Je ne sais pas ce qu'elles ont toutes. Elles sont toujours fatiguées mortes. Et moi, avec ma potion magique qui me court à travers les membres, je me sens en pleine forme! Je téléphone chez Nora, juste pour voir si dans sa vie elle a encore un peu de temps pour me répondre. Ça a l'air que non.

— Elle est pas là! me dit Coraline... elle est avec Juliana!

Coraline, c'est sa nouvelle colocataire. Il était pas question qu'on reste là, Justin et moi. Un triangle amoureux, ça devient vite dangereux. Je m'essaye chez Juliana-la-Sappho, grande poétesse en devenir et sœur jumelle de Cécile. Elle est présente mais seulement virtuellement, sur son répondeur. Ça ne m'avance pas beaucoup. Je décide de laisser un vide sur sa machine avec juste le son de ma respiration... C'est le genre de plaisanterie qu'elle déteste ardemment.

Qu'est-ce qu'elles ont toutes à être non disponibles? Hé! je travaille moi aussi demain et je ne vais pas me coucher pour autant! On est des amis ou on ne l'est pas! Faut se voir souvent! très souvent! Il doit toujours y en avoir un ou une qui pense à l'autre tout le temps! Surtout une quand c'est moi l'autre.

Mais, au fond, je vous ai un peu menti parce que je ne suis pas sûr d'aller au travail demain matin. J'ai finalement fini par avoir une prise de bec avec l'autre type des vingt litres. J'étais tanné de me faire pousser dans le derrière pour le rendement opérationnel qui devait lui apporter un avancement postérieur et, d'un coup, avec éclat verbal pas piqué des vers, je lui ai dit ma façon de penser alors que le boss passait pas loin. J'ai lancé le puncheur à bout de bras, j'ai tout sacré là: casquette, protège-dos, chemise bleue maculée de latex, même mon muffin enveloppé dans du cellophane qui m'attend encore dans le casier. Dans l'autobus, j'avais les mains qui tremblaient. Fallait me prendre avec des pincettes de philatéliste. Ce qui explique pourquoi je suis ici à vouloir me vider le cœur à défaut de l'estomac mais ça ne sera pas long parce que j'ai bien l'intention de continuer comme ça. Je suis sur la bonne voie. À mes risques et périls. On sait ce que c'est.

Finalement, David se ramène, un peu tard, un peu avant minuit, juste assez pour qu'il se dise qu'il n'a pas trop fait le fou, qu'il puisse se lever le lendemain sans trop de problèmes. C'est le genre de gars à ne pas boire de café pour se retaper. C'est pour ça qu'il doit s'arranger pour manquer le moins d'heures de sommeil possible. On voit le genre. Il a été au cinéma, tout seul, comme un grand. Après, il est allé manger un morceau. Après, il a commencé à être fatigué. Après, il a pris le métro et est rentré. Il entre. Il a encore plein de choses à me dire. Il a encore vu plein de belles jambes rue Sainte-Catherine... plein de beaux bras, de belles têtes, de beaux yeux, de belles boules... mais toujours en parties détachées, jamais une au complet, ça rentre trop dans le pare-brise, c'est des plans pour tomber en amour.

Quand on a frappé trop de murs, on se débrouille comme on peut pour éviter que ça nous arrive à nouveau : on regarde les briques. Je le comprends.

— Il y en a une que tu aurais dû voir! une paire de yeux comme ça se peut pas! Mental!

C'est son patois, «mental». Ça fait partie de son patrimoine intérieur. Il en met partout. «Le film, c'était pas mental! il y avait un line-up mental! le pop-corn goûtait pas le mental!» Des fois, on a de la difficulté à le comprendre, David. Il vient de la Gaspésie. Il est pas très fort dans sa langue natale. Il invente des disjonctions de communication. Faut se forcer l'oreille, rafistoler le sens de ses phrases qu'il débite à coups de hache. Par exemple :

— Si j'aurais été débadré j'aurais dû me déniaiser puis j'aurais allé lui parler!

— De quoi *que* tu parles, David!??

— De la fille que j'ai vue! la fille du comptoir de pop-corn! j'aurais allé lui parler plus que ça! plus que bonsoir et merci beau cou!... cul!

— Ah!

En plus, quand il ne se sent pas bien dans sa peau, il bégaye. Ça ne facilite pas la tâche. Il va se coucher. Il me demande où sont les autres; je lui réponds que je ne le sais pas. Il se rend bien compte que je tiens à peine debout, que je ne tiens plus à grand-chose, que j'ai la langue qui fourche, la banque de données à zéro, les yeux qui dansent le limbo dans leurs orbites, que je farfouille, que je fais le farfadet, que je veux continuer à faire la foire. Il me dit de faire moins de bruit, me dit bonne nuit. Je ne vois pas où il veut en venir. Je suis sur une autre planète, une autre constellation. Allez!... Hop! Du silence et de la musique intérieure! Encore! Encore!

Je n'ai plus de vin. C'est la catastrophe. Plus de vin, on est vaincu. Il est passé minuit, le dépanneur ne vend plus de vin après vingt-trois heures. Je pourrais tenter de convaincre le caissier... mais je ne le ferai pas. Zut! et rezut! Qu'est-ce que je fouette maintenant? Qu'est-ce que je décapsule? Qu'est-ce que je dévisse? Qu'est-ce que je dézipe? Qu'est-ce que je déboutonne? Qui est-ce que j'étonne? Où est-ce que je résonne? À qui ou à quoi je me donne?... Va falloir y penser comme il le faut; je ne veux pas me faire couper l'herbe sous les pieds par la grande faux noire. Je suis en arrêt de travail, dorénavant. Ça doit être parce que j'ai l'arête de travers, que j'ai un truc en travers de la gorge, une patente à gosse qui fait que je suffoque. Phoque! Je suis comme le gars qui s'étouffe dans un restaurant, qui n'a personne pour le sortir du pétrin, qui sache faire sortir l'arête qui bloque, parce que personne n'a été prendre son cours d'Ambulance Saint-Jean, que tout le monde reste figé, paralysé, constipé... Do something, bande d'épais!... Go! Go! Arg! Arg! J'étouffe, ciboire! Donnez-moi quelque chose! Donnez-moi de l'eau! Non! Non! Du vin! Du vin!

137.

Je baisse le volume de mes pensées à voix haute pour ne pas que l'autre m'accuse de l'empêcher de dormir. Je m'infiltre dans la cuisine comme un voleur, silencieusement, sans allumer la lumière du plafond. J'ouvre le frigidaire. Je commence à connaître les petits secrets de David, ses petites cachettes, genre derrière le tiroir à légumes mais dont on se sert pour les tranches de cadavres; suffit de le tirer, le retirer, tâter de la main au fond du frigidaire en faisant attention de ne pas se coller sur les coulées séchées d'anciens restants renversés. Des fois ça marche... D'autres fois, non. Là, ça marche! J'en trouve une. Une Black Label en canette format neuf cent cinquante millilitres. Youppi! Elle est toute fraîche, toute froide, toute fabuleuse. Je laisse un message, je replace le tiroir. J'ai écrit : «Ah! Ah! Désolé mon vieux, elle était pas bien cachée...» J'ai de quoi finir la soirée. J'ai de quoi m'achever. J'aurai de quoi être magané demain. Le pire qui puisse survenir est de trop savoir, d'être trop conscient de ce qu'on se fait subir, de voir clairement l'abîme dans lequel on s'enfonce. On cale, on se noie comme un poisson dans l'air, qui manque de vie en dehors de l'eau, qui se défonce l'interne et l'âme à en demander trop, en exiger trop. À vouloir vivre. Mais il n'y a pas de problème. Tout coule! tout flotte! tout flatte! même de travers! même à rebrousse-poil! tout débouche dans la joie car on finit par s'y faire. On s'habitue à l'air. Il y a de moins en moins d'affaires pour nous déplaire.

Je change de pièce. Je n'ai plus de blonde mais beaucoup d'amis. Tellement que j'ai peur d'en oublier, parfois. Je ne sais plus quoi en faire. J'ai la faculté de m'entendre avec tout le monde. Ce n'est pas de ma faute. J'en ramasse à la pelletée... autant de gars que de filles. Ils et elles m'aiment tous et toutes. Je ne sais pas si c'est réciproque. Ça doit. On joue à saute-mouton, on saute du coq à l'âme pas en paix, dérangée. Je n'écris pas : je pense, je réfléchis. Écrire, c'est trop dur; c'est un peu comme se tuer, quoi. Et je n'ai pas que ça à faire.

Je m'en sacre. Je m'en fouette. Je m'en calice. Nous baisons nos âmes dans tous les rêves. Nous nous abaissons. On a le miel du temps pour l'éternité. Ou plutôt : on n'a rien du tout et c'est ce qui nous fait grandir. J'habite avec trois drôles de colocataires dans la rue Chabot, juste en haut de la voie ferrée en haut de Masson. Vous connaissez David, il travaille pas trop loin chez *Métro,* rue Laurier. Justin, le grand et blond barbare nordique, s'occupe maintenant d'animation, d'animaux et de motions, dans une auberge de plein air vide quand il ne fait pas beau ou que le budget d'auberge va mal. C'est rare. Il est en ville pas très souvent depuis quelque temps. Rudy, c'est le petit aux cheveux verdâtres et à l'esprit moyennement dérangé, le Petit Prince qui a mal tourné, qui a caillé. C'est Rudy le Lutin! Ce sont mes compagnons de la descente, de la chute pas silencieuse, du saut de l'ange qui tombe tout croche, les quatre fers en l'air, les deux ailes étalées au sol, sous la gravité, le derrière tout sale. Je fais des images, comme ça. Mets ton phare, mon gars! On voit rien ici-bas! On va finir par s'écraser si on reste longtemps dans l'obscurité et le manque de chaleur! On va exploser au contact du froid contre une vitrine! On va faire des éclats partout! Ça sera pas ramassable!... C'est des métaphores, mon gars.

J'ai une étrange maladie. Je me laisse morfondre par les moindres objets de mon environnement. Je prends une gomme à effacer qui traîne sur la table et l'observe attentivement. Elle est usée, rose ou beige, et dessus on voit une illustration représentant un des personnages de la chaîne de restaurants McDonald, le voleur clownesque qui ressemble à Zorro. C'est le type d'objet qui me désespère, qui me rend mal à l'aise. Je ne sais pas d'où il est sorti mais je tente d'imaginer tout le chemin qu'il a parcouru depuis sa fabrication... les gens qui l'ont utilisé, les meubles dans lesquels il a stagné, un enfant qui a peut-être été heureux de le posséder, des dents qui l'ont mordillé... Vous voyez où je veux en venir? Ce n'est pas facile à expliquer. Ce qui me décourage le plus, c'est la représentation que je me fais des égouts de Montréal. Ça n'a aucun rapport avec la pollution. Je m'en fouette de la pollution. Elle fait ce qu'elle a à faire et ce n'est pas de mes oignons. Ce qui m'abat, c'est d'imaginer le ramassis de cochonneries qui se promènent dans les canalisations : les bouts bruns et durs, les mous, les boules de papier hygiénique jaunes, les serviettes sanitaires imbibées, les crottes de nez, les condoms pleins, les restes de repas, les vomissures, les fonds de bouteilles, les mégots, les pipis très concentrés du matin, les hamsters morts qu'on flushe, les souris, les bébittes de toutes sortes, mortes, les poils de poche, de cul, les vers solitaires, les crachats gluants qui tiennent en un seul morceau, les verres de contact perdus, les larmes d'une fille malade qui pleure, les dents d'un gars qui s'est fait fendre la gueule sur le bord de la bol, les photos qu'on déchire, les lettres, le sang des suicidés, des menstruées, la bile, les bills, les ongles de doigts et de pieds, les boucles d'oreilles tombées, le denti-frice mousseux recraché, le Scope, tout ce qui drope, tout ce qu'on frotte, tout ce qu'on crotte... J'ai l'impression de m'y trouver. D'être en train de m'y noyer avec toutes ces saloperies dans la bouche. Et ça nous concerne tous. Le soleil brille pour tout le monde, ainsi les bols de toilettes. Qu'on soit en haut ou en bas, ça aboutit au même résultat. Nous sommes tous coincés dans le même entonnoir. Et c'est ça qui m'énerve. Je veux pas de soleil. Je veux pas de rayons. Je veux pas manger parce que je sais qu'il faudra que j'aille excrémenter. Je ne veux pas être comme tout le monde, comme le commun des mortels. Je veux être d'éther, d'air, sans aucun lien avec la Terre. Je veux être éternel.

Je suis juste un christ d'égocentrique. Je suis saoul. Je rêve, divague. Je suis à Séoul. J'englobe tout... toutes les rues, les gens. Je tombe encore dans le mélo tête première. Je déteste le mélo. Je déteste avant tout le romantisme et les âmes en peine. Va porter tes fleurs fanées aux vidanges, mon gars. On veut rien savoir. Va faire sécher tes larmes sur la corde à linge, ma fille. On a pas de séchoir à yeux ici. À la guillotine les malheureux, les spleeneux, les gueux, les guenons mal aimées. Dans la chambre à gaz les pas contents, les pas pour longtemps, les pas d'onguent, les pas d'ongles. On a pas besoin de vous ici-bas. Allez! Scramez! Débarrassez le plancher! Faites de l'air! Pas par en arrière! Par-devant! Ouste!... Jésusse ton camp avant que je te donne la frousse de ta vie.

Comme on dit, je suis en train de brûler la chandelle par les deux bouts. Pas celle d'en bas, qui a le bout bleu et froid, mais celle d'en haut, dans la caboche. Ce qui fait qu'à la longue, à force de la sentir fondre, je me retrouve avec les trous d'oreilles saturés de cire. Un des patrons de chez *Denalt* a appelé ce matin vers dix heures. Il m'a demandé ce qui n'allait pas. Je lui ai répondu que c'est les autres qui ne vont pas, qui ne veulent pas, qui ne volent pas dans l'éther comme moi. Il n'a rien compris à mon charabia. Je le comprends; je suis quelqu'un d'exigeant quand je me réveille, surtout quand j'ai trop bu la veille. Je suis dur avec le peuple. Il m'a dit qu'il n'y aurait plus de problèmes, l'autre employé ayant été maté. J'ai dit au quai, lais-sez-moi le temps de me brosser une dent ou deux et j'arrive, je cours, je me grouille les doigts de pieds et je m'enlève les autres du nez. C'est ce qui explique pourquoi je suis maintenant dans l'autobus, tout étourdi, tout endolori, avec seulement une mini-pointe de La Vache qui rit dans le ventre... Je retourne au travail, à la shop, à l'usine, comme tout le monde. À défaut de réussir à la loto, je dois aller miser sur le pain à gagner par mes propres mains. C'est pourquoi on vit. C'est pour ça qu'on vit. C'est pour ça que tous les incarcérés vivent.

C'est long, prendre l'autobus sur le boulevard Rosemont, vers l'est. On n'en finit pas de ne pas arriver. Au moins, aujourd'hui, je suis en retard. Ça me permet de contempler de nouveaux visages. Le chauffeur est plus sympathique que le bon-homme de sept heures. J'ai la tête qui me fend... la chandelle dedans qui fond... Quand on est optimiste, tout s'arrange. Le présent en arrache et l'avenir luit. On est mardi. J'ai le goût de vomir, encore. J'ai le dégoût de moi, encore. La semaine va être longue.

Je ne travaille plus avec l'autre zouave. J'ai été transféré. Ça ne fait pas trop mal. Je m'occupe maintenant de fournir la grosse machine de remplissage de gal-lons en gallons vides métalliques. Guy, le gars du lift, m'en apporte une quantité franchement faramineuse sur des palettes. Je déballe le tout avec mon petit couteau pas suisse et je nourris le monstre industriel pendant des heures et des heures. C'est léger, un gallon vide. Tu peux en prendre trois par main si tu sais bien te tor-tiller les doigts. Comme un robot.

Je m'en fouette de travailler pour mon pain. C'est le houblon qui importe. Je vis pour boire. Et qu'on ne vienne pas me contredire. Le reste n'a aucune importance. Le cinéma, les produits nettoyants, les vêtements, les voitures, les filles... ce n'est rien, rien. L'important est d'être ivre. Qui disait ça déjà? Beau-De-L'Air? Ça doit. J'ai de toute façon, de toute manière, besoin d'être à Séoul, assez houleux, pour abor-der une fille, pour lui parler, pour la regarder dans le blanc d'œuf des yeux. C'est ça qui est ça. Ça fait dur, hein? C'est parce que je suis un dur à cuire. Moi il faut me faire bouillir, et pas à petit feu... à gros feu rouge sans regarder d'un bord et de l'autre pour voir s'il y a d'autres voitures qui passent à la verte, en roulant tête baissée, cramponné, plein de crampes d'estomac, plein de capsules de bouteilles sur le banc arrière, les fenêtres grandes ouvertes, descendues, à cent milles à l'heure, par-dessus les vieux qui ne traversent pas la rue assez vite, par-dessus les enfants qui courent après une balle, par-dessus les chats qui... Ciboire! Diantre! J'ai oublié de donner à manger à Fur et à Mesure (mes nouveaux minous à vingt-cinq piastres chacun) avant de partir travailler. Les pauvres bêtes! Elles vont m'en vouloir pour un mois! Si Fur fait son pas content, il va pisser sur mon oreiller. Si Mesure panique, elle va mastiquer les plantes de Justin et Justin sera fâché. Tant pis. Qu'il s'arrange avec mes problèmes. Je lui avais dit de s'acheter des cactus aussi. J'aime mes chats et ils me le rendent bien. Que je ne voie pas personne leur faire du mal. Ceux qui maltraiteront mes chats auront des nouvelles de moi, et pas une heure plus tard dans les Maritimes, mais tout de suite, sous forme de poing sous le menton. Il y en a beaucoup, des gens qui n'aiment pas les chats. Je déteste les gens qui n'aiment pas les chats.

Je profite d'un quart d'heure de pause pour téléphoner à l'appartement. Je bute sur le répondeur. Flûte!... «Bonjour! vous êtes bien chez les quatre Dalton dalmatiens d'allure d'allumeurs de dames! si c'est pour un massage, laissez-nous un message! si c'est le Messie, qu'il rappelle dans la semaine des quatre jeudis! merci!... Bip! Bip! Bop! (zone de silence)...» Je bredouille aux gars de s'occuper des chats s'ils ont quelques secondes de libres. La cantine mobile vend sa bouffe à des prix exorbitants, mais je m'achète quand même une sorte de sandwich plastifié, deux barres Aero et un lait au chocolat. J'ai l'appétit qui exorbite. J'ai les jambes molles, la langue pâteuse, la vision louche, des pensées d'aliéné. Je ne suis pas bon à marier. Je ne suis bon qu'à me marrer, me bidonner d'essence, me plier en deux cent cinquante, me tordre de rire comme une patate qui frit dans la graisse bouillante. Je broie du noir, j'écrase du rouge, je fracasse du jaune, j'aplatis du vert, je dissèque du bleu, je torture du blanc. Je fais de l'esprit. Je fais mon esprit de cave.

25. ANNIVERSAIRE À MORTE-RAISON CITY

— Qui es-tu?

— Je suis Faiblengras et suis libre de colle et stérol!

— Où habites-tu?

— Mon habit se compose d'un pardessus de briques, d'un chapeau de plâtre et d'un pantalon de portes qui grincent... Mais aussi, souvent, je me décompose...

— Qui tutoies-tu?

— Toi et moi et en général les gens que je n'ai pas trop besoin d'avoir à respecter, mes amis, par exemple!... Les autres, les ceux que je vouvoie, je les tue!

— Qui attends-tu?

— J'attends l'aurore! je l'entends qui arrive!

— L'enfant martyre? Naurapas?

— Non, l'Autre!

C'est le genre de conversations que j'ai avec Rudy le Lutin. Du cabotinage. On peut durer comme ça pendant un bon moment. Il n'y a que le manque d'imagination qui puisse finir par nous fatiguer. Et encore.

Ce soir, il y a fête chez les filles. C'est l'anniversaire de Cécile et Alfréda a organisé un petit quelque chose. Il va y avoir du monde en masse. Rudy, David et moi on se prépare. On commence à être dans les hauteurs pour ne pas qu'on se sente trop bas quand on arrivera chez nos copines. J'achève déjà sans me faire souffrir ma neuf cent cinquante millilitres de 50 et les deux autres viennent d'entamer leur deuxième avec un pchiich sonore... notre instrument de rassemblement. On est rendu samedi soir. C'est une autre bonne affaire de faite. Aujourd'hui, on a eu un gros soleil. Ça a ranimé le moral des troupes. Bientôt, c'est la fin d'avril, qui se terminera comme il a débuté... en queue de poisson. Je tiens à peine debout. J'ai eu une semaine catégoriquement et épouvantablement horrible. Je me suis fait suer à grosses gouttes, j'ai dormi des pas plus de quatre, cinq heures par nuit, j'ai juste mangé des cochonneries. Je ne file vraiment pas le coton. Je ne suis même pas certain de réussir à me rendre au party. La bière me tape. Mon ventre vide me frappe. J'ai la langue qui dérape. J'ai les lèvres qui craquent. Le cœur qui palpite trop vite. Les ongles qui tombent. Les cheveux en bataille, en débarquement de Normandie. Ça m'apprendra. Tant mieux pour moi. Je savais dans quelles latrines de l'esprit ça m'amènerait. Endure, mon moineau! toffe, mon 'tit pit! Arrête de te regarder le nombril de travers et bouge de là, mon vieux!

Le salon n'est pas très beau à considérer mais c'est parce qu'on a fait exprès. On a rien acheté, tout nous a été donné. C'est les restants des sous-sols et des placards de nos parents : un divan brun-rouge, une petite télé à l'antenne cassée, un tapis vert poussiéreux et recouvert de saleté, une table démantibulée. On fait le ménage une fois par mois. Ça explique l'état des lieux et la difficulté à s'y déplacer.

Mais quand même, on est pas des sauvages, on jette les mégots des cendriers avant qu'ils débordent. Je ne vous parlerai pas de la salle de bains, je risquerais de m'embourber dans les histoires de shampooing sur le linoléum et les blessures causées à cause de. On aime ça vivre comme ça. N'allez pas savoir pourquoi. C'est dans nos cordes et on en a plusieurs pour nos arcs pointés vers le ciel.

Rudy me demande si je vais bien.

— Irénée Faiblengras! je te demande si tu vas bien!... Es-tu saturé de quelque chose? Ça a-tu encore de l'allure ta caboche de cabotin ou si ça cesse? ça s'autodétruit jusqu'à Morte-Raison City?

— Je suis à Séoul depuis presque une semaine! j'ai plus le gros bout du bâton!... une bâtarde est en train de m'avoir avec! et pour pas cher!... elle se nomme Morphée et elle est pleine de morve!... une salope!

David s'affirme. David crache le morceau qui lui traînait dans la gorge depuis un moment.

— C'est que parce que si on part pas tout de suite faudra que j'aller au dépanneur et même au guichet pour me refueler mais si on décolle là je penserai plus tard d'y passer avant onze heures!...

— Est-ce que c'est supposé être clair, ça?... lui demande Rudy.

David rit de nous voir rire de son parler handicapé. C'est mieux pour lui. Il veut insinuer qu'on débarrasse pas assez vite le plancher, qu'il commence à se faire tard, qu'on se fait trop attendre, que prochainement tous les partouzeurs et toutes les partouzeuses seront évanouis dans le décor, qu'on est en train de manquer le gros fun gris.

— C'est pour se laisser désirer, da-da David! c'est pour qu'on pense plus à nous!

— Da-da d'accord...

Il décide d'aller chercher tout de go les provisions pour la nuit. On passe nos commandes. Plus tard, Rudy et moi on se dit qu'on a bien fait d'attendre : David revient du coin avec Justin en permission. C'est les grands éclats de «salut les gars», les fortes serrées de pattes, de pinces, les longues gorgées de bière pour en finir au plus sacrant. Justin nous interroge sur l'état des choses et des moroses.

— Ça gaze, les gars? ça va ça vient?

— Ça va par là en tout cas! direction fiesta!... et on pétaradera jusque là-bas!

On part toute la troupe, tous les quatre, en s'entraidant pour les caisses et les sacs de chips que je ne mangerai pas. Justin a la démarche rapide et fière. Il est content d'avoir son congé. Rudy gravite autour et lui conte les derniers événements, les dernières conneries de beuveries. David n'est pas loin derrière les deux autres, les deux mains dans les poches de sa salopette, souriant pour rien. Je traîne en dernier, comme d'habitude. Je marche sur leurs ombres mais je ne réussis pas à les retenir. Elles sont plus rapides que moi. Quand je me promène avec des gens, je reste toujours en arrière. J'évite comme ça de me faire marcher sur les pieds. Au cas où ça me les casserait.

Les bouteilles font du bruit dans les caisses. On descend De Lorimier, on passe sous le viaduc, on remonte, on se retrouve rue Masson. On continue. On est enfin sur le Plateau. Y a de gros nuages qui circulent dans le ciel, ça me cache un peu la nuit. David tourne la tête vers moi avec son éternel sourire figé. Il sait que je fais exprès pour traîner de la patte; ça ne l'arrange pas car il se sent obligé de ralentir le rythme pour se retrouver à mes côtés et me parler. Il me dit qu'il souhaite se dé-niaiser et amorcer une conversation sérieuse avec une des filles de la gang, en par-ticulier Nora ou Cécile. Je lui dis de ne pas mettre un seul de ses doigts sur ceux de Nora. C'est un territoire réservé depuis belle lurette. J'en veux pas un de plus dans le décor! Justin chante une chanson de camp à répondre. On ne répond rien. Il se répond tout seul. Il nous pond des paroles de son cru, il nous trouve poches de ne pas embarquer avec lui.

— Embarquez ou je débarque!
— Débarque! Débarque!... Débarrasse!

Il nous trouve pas trop spirituels. On est plutôt spiritueux. On franchit Saint-Joseph; l'église nous nargue : un jour, il faudra tout démolir là-dedans. On passe Gilford avec le jardin public à notre droite... traverse De Lorimier. On arrive chez les filles, à côté du fleuriste. On entre sans sonner. Avec la musique qu'il y a, elles ne nous entendraient pas, de toute façon. Les quatre fiers s'infiltrent dans les lieux. C'est déjà noir de monde. On passe presque inaperçus. On s'impose. On va donner nos poignées de mains et nos becs à toute cette belle assemblée. Justin dépose les caisses sur la galerie d'en arrière. Je ne me préoccupe déjà plus de mes colo-cataires, je vole vers les filles, je passe une main dans les cheveux de Juliana, les-bienne qui s'accepte, s'affirme, je donne un léger coup de pied sur une cuisse d'Alfréda, je serre dans mes bras Cécile et lui souhaite bonne fête.

— Quel âge maintenant?
— Vingt!
— Ah! Ça me rajeunit pas!

Nora est là. Je m'installe sur le divan auprès d'elle avec l'intention ferme de lui faire passer un mauvais quart d'heure. Je commence à la chatouiller sous les bras mais elle se débat et je lui heurte malencontreusement le sein droit. Elle dit «Oh!» et me regarde avec de grands yeux outrés sous ses cheveux blonds. On part à rire. C'est ce qu'il y a de mieux à faire dans ce genre de situation. Elle raconte l'incident aux autres; j'essaie de me défendre en expliquant que c'est une erreur de manipulation mais il n'y a pas une traître nymphe qui veuille me croire.

— Dans ce cas, ça doit être un lapsus gestuel!

— Oui oui Irénée! et mes seins? c'est des truites arc-en-ciel, je suppose?

On fait nos drôles mais c'est un coup dans l'eau. La musique est forte, on a de la difficulté à s'entendre postillonner. Le salon est sombre. Seules deux lampes abat-jour ont été allumées. Justin m'apporte une bière et commence à faire le clown, Rudy va à la chaîne stéréo pour faire son disque-jockey, David et son sourire s'assoient sur une chaise berçante dans un coin obscur; Nora me dit qu'elle me trouve l'air un peu malade, Juliana parle d'un de ses profs super-chiant avec sa sœur Cécile... cette dernière fait semblant d'écouter sa sœur car elle est décontenancée par la musique techno que Rudy vient de mettre; Alfréda a les joues rouges et dit qu'elle a le goût de danser mais pas sur n'importe quoi; Lee (revenu depuis quelques jours) savoure une cigarette, dans un coin... et il y en a encore une quinzaine d'autres comme ça qui errent dans le salon et dans le reste de l'appartement, qui fument un joint, boivent du rhum and coke, du Southern Comfort. Votre ami Faiblengras se remet à se paqueter la gueule comme un pro. Les petites bouteilles de 50 descendent rapidement. Faut dire qu'il n'y a pas d'obstacle alimentaire sur la route du liquide de fabrication syndicale... ça entre direct dans les tripes.

Un groupe de danseuses vient de se former. Avant de m'évanouir dans le divan, je décide d'appareiller et d'aller me brasser le fessier avec ceux des autres. Je suis assez à Séoul pour ne pas me trouver ridicule mais plutôt sur le plancher. Je toffe. Je me tords comme un long spaghetti. On forme un cercle. On se croirait dans *Saturday Night Fever*. Nora n'est pas loin de moi. Alfréda non plus. Juliana à quelques mètres. Cécile juste derrière. Le choix est vaste. Le champ est plein de... velléités. Les chattes sont fraîches comme un vent printanier. Tout est perdu d'avance. On ne courtise pas des filles qu'on connaît depuis des années. C'est comme des sœurs, des cœurs à mettre dans le formol en attendant que le prince au char qui ment se pointe sur la scène. Mais il ne risque pas de survenir ce soir. C'est une fête entre amis. Les femelles sont sacrées et les mâles laissés pour compte. C'est parfait comme ça. Ça m'arrange. Ça me donne un sursis. Un peu de soucis, aussi. Je danse pendant plus de deux heures.

Finalement, sur une chanson qui me fait monter l'adrénaline et sautiller d'un bord et de l'autre, je perds l'équilibre et heurte Cécile pour ensuite m'effondrer sur une colonne de son. C'est l'orgueil qui en prend un coup. Cécile s'en sort indemne, dignement, mais me suggère d'aller me reposer un peu avec Justin sur le divan. Je ne demande pas mon reste. J'évacue la piste. Je m'étale auprès de Justin. C'est le moment ou jamais d'arrêter de boire. Il m'offre justement une bière froide. Ce sera jamais.

***

J'en ai perdu des bouts, encore. C'est la faim qui me réveille. Je suis allongé sur le sol, sur le tapis de la chambre de Cécile, juste à côté de son lit. Je prends une position assise et me gratte le crâne. Nora est couchée près de Cécile. Elle s'éveille elle aussi, bâille, s'étire.

— Il est quelle heure? qu'elle me demande.

— Je sais pas! j'ai pas mes lunettes!

Je les trouve sur la table de chevet. Étrangement, à part la faim qui m'empoigne, je me sens presque bien, presque frais et disposé à bien entamer la journée. Cécile ouvre les yeux. On l'a réveillée. Elle nous fait un beau sourire. Je regarde mes deux amies et constate qu'il n'y a rien de plus poétique au monde que de voir de belles fées échevelées reprendre peu à peu vie alors qu'elles ont encore des traces d'oreiller aux joues. C'est leur visage de petites filles. J'ai mille fois tenté de leur faire comprendre qu'elles n'ont pas besoin de maquillage mais elles ne veulent pas me croire.

— Je remarque même pas le masque à rat que vous vous foutez sur la tronche!

La porte de la chambre s'ouvre et la mignonne Coraline nous souhaite le bonjour. Il est huit heures du matin. Je lui lance :

— Il y a combien de survivants?

— Justin et Rudy dorment sur les divans! Alfréda est dans sa chambre et moi j'ai ramassé tout l'appartement!

Je me lève et n'en crois pas mes yeux. Il n'y a plus une seule bouteille vide qui traîne, pas même un mégot. Rudy est en boule dans un coin du sofa; je l'entends grincer des dents. Justin est à l'autre extrémité du sofa et ses grandes jambes qui dépassent sont posées sur une caisse de bière.

— Tu as tout nettoyé toute seule?

— Oui! ça m'a pas pris plus d'une demi-heure! mais ça valait la peine!... sauf que je n'ai pas réussi à trouver quoi faire avec ces deux-là! J'ai placé la caisse sous les pieds de Justin pour qu'il soit plus confortable!

Parlant du loup, il sort de sa tanière onirique. Il pousse un grognement et le premier acte de sa journée est de s'arracher de l'attraction du divan-sofa, se pencher et fouiller dans la caisse.

— Il en reste une!

Pchiich!

Coraline se retourne en riant; elle fait semblant d'être profondément dégoûtée. Rudy ouvre les yeux et regarde le grand barbu.

— Justin! t'es un hostie de dégueulasse!

— Merci!... merci!... merci beaucoup!... S'il vous plaît! restez derrière les barbelés!

Il avale la moitié de la bouteille d'un coup.

— Ah! Elle est tiède mais j'avais soif!

J'ai l'estomac qui se retourne. Je vais aux toilettes, pour excrémenter, mais rien ne sort. Meilleure chance la prochaine fois. En revenant dans le couloir, je rencontre la gracieuse Alfréda qui frotte ses yeux bleus et se décroche la mâchoire à bâiller. Je l'interroge.

— Ça va?

— Mange d'la marde...

Elle me dit ça pour plaisanter. Elle aurait autant pu me lancer :

— Regarde! un vol de hamsters leucémiques!

Un peu plus tard, nous sommes tous autour de la table de cuisine à s'envoyer des toasts à la confiture et du jus de pomme. Une ambiance particulière se dégage du cercle. C'est comme si on avait crashé en avion et que nous avions survécu à l'accident, que la vie reprenait son droit et que nous étions seuls au monde. Ça s'est déjà vu. Dehors, le ciel est gris; il est près de midi et c'est dimanche. Nous sommes bien. Nous sommes entre amis et ne désirons presque rien d'autre. Coraline nous quitte. Elle a des choses à préparer, des affaires à arranger, des trucs à terminer. Nora aussi décolle en prenant son vélo; mais elle dit qu'elle va revenir un peu plus tard. Je m'installe dans le salon avec Rudy et Justin, Cécile et Alfréda... On décide de regarder le film *Aliens* et Justin fait livrer de la bière. La fête reprend en douceur, juste comme il le faut. On n'arrête pas deux secondes de cabotiner oralement. On en pousse de bonnes et de très mauvaises mais on n'est pas difficiles : on les rit toutes. On se tord dans les divans, on se roule sur le plancher, on s'esclaffe contre les murs; on revendique le droit d'immobiliser le temps.

— J'ai mal au ventre à force de rire! (Alfréda)

— Je me sens endimanché! Est-ce que je suis endimanché? suis-je endimanché? Répondez-moi, quelqu'un! (Rudy)

— Manche ta pelle puis garde l'autre pour pelleter!... euh... non!... ce n'est pas ça!... hi! hi! (Cécile)

— On appelle-tu pour une pizza? (Justin)

— Tant qu'on enlève le pepperoni! (Alfréda)

— Et on demande une rançon? (Rudy)

— On prend le livreur en otage! (Faiblengras)

148.

— Oui! On le ligote puis on le frotte jusqu'à ce qu'il capote! (Cécile)

— On l'étampe raide! (Justin)

— Hé! On manque des passages du film! (Alfréda)

— Mais on les a frôlés de proche! (Rudy)

— Celle-là est poche! (Faiblengras)

— Phoque! est-ce que j'ai des poches? sous les yeux? (Cécile)

— Depuis quand t'es une buveuse de thé? (Justin)

— Thé veux dire! (Alfréda)

— On s'en fout de ce qu'il veut nous dire! on le maudit! (Rudy)

— Elle est à qui la Maudite qui reste dans le frigidaire? pas loin de la pinte de lait? (Faiblengras)

— À Lee... Et pas touche! (Cécile)

— Toutes les bières sont faites pour être bues car c'est la fête et on s'arrêtera pas! c'est le but! (Justin)

— Vous êtes des boute-en-train! (Alfréda)

— Non! des trains passés! (Rudy)

— Oh! Subtil! Trépassés! (Faiblengras)

— Très très passés date! (Cécile)

— Comment ça, il n'y a pas assez de dattes? Vous en avez pas une seule dans le garde-manger! (Justin)

— Ma garde-malade me l'a interdit! ce n'est pas bon pour mon régime draconien! (Alfréda)

— C'est vrai! c'est mieux un régime de bananes! (Rudy)

— Hé! Rudy! Tu te penses Dôle? (Faiblengras)

— Non! il se panse l'épaule! (Cécile)

— À ce que je sache, il n'y a pas de Paul ici! (Justin)

— Mais beaucoup de polissons dans la foule! (Alfréda)

— «La ville de diamants frissonne et vomit la chair trop lourde et entassée et l'eau rampe jusqu'aux rebords des robes indécises!...» Ça vous dit quelque chose? (Faiblengras)

— Je n'entends rien!... C'est de qui? c'est de toi? (Cécile)

— Non!... De Gauvreau! (Justin)

— C'est beau!... Tu en connais d'autres par cœur, Irénée? (Alfréda)

— Récite-nous ça, Faiblengras! Shoote-nous ça! (Rudy)

— Non! le cœur n'y est pas! il est malade! (Faiblengras)

— T'as juste à te l'arracher! (Cécile)

— Le défricher! (Justin)

— Il doit s'en ficher! (Alfréda)

149.

— Il ne veut pas trouver le fichier! (Rudy)

— Je m'en fouette! (Faiblengras)

— Moi je vais vous en dire un!... hum!... un instant!... ça va comme ça! hum!... «Qu'il vienne! qu'il vienne! le temps dont on s'éprenne! J'ai tant fait patience qu'à jamais j'oublie! Craintes et souffrances aux cieux sont parties! Et la soif malsaine obscurcit mes veines! Qu'il vienne! qu'il vienne! le temps dont on s'éprenne!...» Je ne sais plus la suite... (Cécile)

— Et qu'on s'éperonne!... Ça, c'est Rambo! Rainbow! (Justin)

— Ah! on fait quelque chose! j'ai faim! (Alfréda)

— Alors, justifie tes moyens! (Rudy)

— On se fait une boustifaille moyenâgeuse! (Faiblengras)

— Est-ce qu'elle a quand même réussi à se qualifier? (Cécile)

— Qui ça? (Justin)

— La nageuse... (Alfréda)

— Là! là! je ne vous suis plus! je déménage! (Rudy)

— C'est vrai!... On a décidé de quitter la rue Chabot! On est tannés d'habiter en haut de la track! on descend dans le coin! (Faiblengras)

— Vous allez devenir nos nouveaux voisins? (Cécile)

— Si on s'installe pas trop loin! (Justin)

— Quand ça? (Alfréda)

— Quand ça nous adonnera! Le 1er juillet comme tout le monde! (Rudy)

— De toute façon, on a plus le choix, Rudy n'a pas renouvelé le bâillement! (Faiblengras)

— Rebonjour tout le monde! Vous êtes encore sur la boisson? (Nora)

— Non! on est *sous*!... (Cécile)

— On cale! on cale! (Justin)

— Comme des poissons! (Alfréda)

— Moi je suis saoul! (Rudy)

— Non!... On dit à Séoul!... Nuance!... Est-ce que la santé te va bien, Nora? amour de ma vie? (Faiblengras)

— Pas pire! mais je ne sais pas si j'ai envie de me retrouver en Corée du Sud! (Nora)

— T'en fais pas! si tu te perds, on te retrouvera! (Cécile)

— Hé! On est le core du Sud! (Justin)

— Plate, celle-là! (Alfréda)

— Oui... Plutôt tarte! (Rudy)

— Allez! on le frappe! (Faiblengras)

— Ouch! Ayoye! Lâchez-moi! (Justin)

150.

— Bon d'accord! je vous pique une bière! Mais juste une! (Nora)

— Regardez! Un vol de veaux vinaigrés! (Faiblengras)

— Écoutez! On attend une baleine qui se dessèche! (Faiblengras)

— Sentez! Quelqu'un pue des pieds ici! (Faiblengras)

— Santé! (Irénée)

Sans trop vouloir me prendre pour un autre, j'ai l'impression de passer un des plus beaux moments de ma vie. Je ne veux pas que cette journée se termine, je ne veux pas que ce dimanche flanche. Le monde extérieur n'existe plus. Le ciel est descendu sur la Terre. Les anges dansent autour de nous. Les démons ont fui. Le dépanneur est rempli de bières. Le salon est notre île déserte. Les horloges et les cadrans se sont arrêtés à quinze heures trente-sept précisément. Tout est fixé. Tout est coulé dans le ciment. Ils peuvent nous jeter dans le fleuve si ça leur dit, si ça leur chante. Rien ne pourra être changé. C'est ainsi que je désire mon existence. Dans le dérèglement du sens unique. Rester embourbé dans les marécages. Ralentir... Ralentir les pas. Ralentir les gestes. Ralentir tout ce qui nous pousse à courir. Ralentir tout ce qui court à nos trousses. Ralentir tout ce qui nous ordonne d'en baver. Assassiner le mouvement. Dépecer le patron. Étrangler sa femme et ses enfants. Revenir dans notre petit paradis et attendre. Attendre rien. Les surveiller, eux, mes amours, mes amis. Pour pas qu'ils lâchent, qu'ils sortent, qu'ils changent d'idée. Et puis, à un moment donné, quand en provenance de l'extérieur tout fera pression, tout nous exigera, décompresser nos vies, s'enfoncer dans le sable, offrir un drink empoisonné à tous et s'exiler dans le souvenir. Exulter.

— À quoi penses-tu, mon Irénée? me demande Nora en appuyant sa tête contre mon épaule.

— À Aqua Velva! qui nous offre une fraîcheur après-rasage! qui dénomme l'homme vrai!

Nora veut se faire dorloter. Je la dorlote. Je flatte ses longs cheveux, je lui masse les épaules, les bras, la nuque. C'est des plans pour faire chavirer la chaloupe. Je ne pourrai pas me permettre d'agir comme ça trop longtemps. Plusieurs choix s'offrent à moi... je prends le plus dur. Je me dégage de là.

— Hé! mon Irénée! j'étais bien! bouge pas de là!

— Désolé!... J'ai une envie de pipistrelle!

C'est vrai. Ça devenait urgent et j'en étais inconscient. Quand je sors des toilettes, elle est assise au sol en train de se faire masser le cuir chevelu par le barbu. Je regarde Justin en chat de faïence. Lui me regarde en œil-de-bœuf. Ça ne change pas grand-chose puisqu'on est des tigres de papier; mais ça nous modèle des têtes vaguement zoomorphes. *Aliens* est terminé. Alfréda place *Alien 3*. Cécile dit :

— Je l'ai vu au moins mille fois, ce film-là!

— Justement! faut qu'on se nargue jusqu'aux os! faut voir de quelle trempe on est!... réplique Rudy.

— C'est du masochisme, ça!

Je me propose pour aller faire des courses. Je sors, je marche jusqu'à *La Maison du rôti* rue Mont-Royal. Je me sens si léger, si fantomatique, si centré sur moi-même que j'ai peur de me morceler sur le trottoir, de n'être plus récupérable. Le ciel est gris mais je m'en balance, les gens sont laids mais je m'en sagittaire, je suis loin d'être dégrisé mais je m'en scorpionne. Je suis un lion lâché lousse dans la brousse urbaine et rien ne me fait peur. En hurluberlu, je rapporte six sous-marins à la viande froide avec mayonnaise ou moutarde forte; ça va faire plaisir à mes joyeux lurons et mes heureuses Huronnes. Et puis, tant qu'à y être (à vingt-cinq mètres du dépanneur), je prends une caisse de bière en passant, au cas où. Je suis accueilli par quelques cris de joie et beaucoup de salive sur les bras. Ils et elles s'arrachent les victuailles comme s'ils et elles n'avaient pas cassé la croûte depuis des jours. C'est un ouikande qui commence à me coûter cher mais mes amis n'ont pas de prix. Demain, c'est lundi. Ça me met l'amer à la bouche juste d'y penser. Un océan noir dans l'âme. Une moissonneuse-batteuse dans les fesses. Je ne vois pas comment je vais faire. Je verrai. On se calme, on relaxe. Surtout, ne pas se laisser abattre comme un lampadaire incrusté. Comme on dit, demain est un autre abat-jour!

26. SNOOZE ET ZOÉ PLUS TARD

Je m'attendais au pire mais jamais je n'aurais pu croire qu'il était autant crâneur. Hier soir, on est rentrés vers vingt et une heures pas mal éméchés, pas mal amochés. David nous a demandé où on était...

— Devine! lui ai-je répondu.

On a jasé dans le salon en buvant les dernières bières jusqu'à une heure du matin. J'ai été le dernier à aller me coucher parce que, pour moi, la modération a mauvais goût et entre deux maux je choisis toujours le pire. Je suppose que j'ai fini par m'effondrer comme un sac d'ordures. Ce qui vient de me ramener à la vie est insoutenable. C'est les voix des énervés de la radio FM du matin. «Y est trop d'bonne heure!» Ça m'a fracassé le cerveau en quarante-six morceaux. Fermez vos hosties de gueules, bande d'incultes! Fermez-vous la trappe! une ciboire de fois pour toutes! Ma main gauche, par réflexe, a pitonné sur snooze pendant plus d'une heure... chaque intervalle de neuf minutes pendant lequel le réveille-matin était silencieux m'apparaissait comme le dernier sursis, une oasis de bonheur ensommeillé au cœur de la sécheresse véritable. Je vais m'acheter un réveille-après-midi, ça sera mieux pour mon acabit. J'ai la langue comme du papier à sabler coarse 60 pour ponceuse vibrante. Dans ma bouche, on dirait qu'il y a un désert... Toutes ces belles réflexions achèvent de me rendre en retard. Je suis à présent très très en retard. Tellement que je prends la décision de ne pas aller au travail. Ça ne vaut plus la peine : ça vaut la douleur et la souffrance, sinon plus. Je décide que je mérite de perdre mon boulot. J'ai assez langui, il faut que je sois puni, qu'on me passe enfin dans l'eau bouillante, comme un homme mort, et que j'y rougisse, atrocement, dans la honte... que quelqu'un dise au-dessus de moi : «Regardez ses pinces! elles ne bougent plus! c'est fini!...» Tant pis. Bien fait pour moi. Bien construit. Malade comme je suis.

La porte de ma chambre s'ouvre et apparaît la tête de Justin.

— Irénée! qu'est-ce que tu fais là? T'es en retard!

— Chpas grave!... Che lâche ma chob!

— Quoi?

— Che lâche ma chob!

— Tu ferais le lâche? T'es même pas game!

— Checke-moi bien aller!

— Bas de gamme!

Je réussis à m'extirper du lit. Justin, c'est un bon gars : il a préparé un gros pot de café. On s'assoit à la table de la cuisine à côté de la fenêtre de la cuisine qui nous plonge la vision sur la ruelle. Les deux autres ont quitté l'appartement pour aller travailler dans leurs commerces de sous-payés. Ils ont été capables de se lever, eux. Je demande à Justin pour combien de temps il est en congé.

— Je repars demain... Je vais prendre mon autobus tôt parce que j'ai une réunion en après-midi...

On dîne. On n'a pas l'intention de rester comme ça trop longuement à se tourner les pouces et à se mordiller les lèvres tout en se rongeant les ongles. Le barbare nordique a du magasinage à faire. Il a besoin d'une nouvelle paire de running shoes et de linge pour l'été. Pour ne pas me sentir exagérément coupable de mon abandon d'emploi et malgré ma gueule de cèdre, je décrète qu'il est rendu le temps de faire un grand ménage dans l'appartement. Ça m'occupe. Ça m'empêche de tourner autour du vase de l'irrémédiable. J'époussette les fleurs en plastique (à ce qu'il me semble); Fur et Mesure viennent s'empêter entre mes pieds. Il n'y a plus de nourriture sèche dans leur bol! Il est l'heure d'aller s'approvisionner. Je reviens avec une boîte de Mistigri que je brasse pour les faire miauler un peu, et du détergent à vaisselle. Je retrousse mes manches et me mets à l'ouvrage. Les assiettes et les ustensiles sales s'accumulaient depuis deux semaines. Des résidus nauséabonds s'étaient formés au fond des chaudrons et des ronds froids. Ça me prend une heure et demie pour décrasser la cuisine. Les gros travaux commencent à peine. Le balai que je passe dans toutes les pièces amuse follement les félins mais ça devient une tout autre histoire quand je sors l'aspirateur du placard et le mets en marche pour nettoyer le tapis du salon. Fur détale en poussant un fchiich d'effroi et Mesure reste figée sous le divan avec ses grands yeux verts et tristes. Je lave le plancher, je le cire jusqu'à ce que je puisse m'y mirer, je nettoie et désinfecte le bol de toilette *au complet*, règle leur compte aux lavabos, miroirs, baignoire, traces autour des poignées de portes, fenêtres. J'y bave ce qu'il faut. À la fin de tout ça, j'ai les doigts tout ratatinés. Ça me donne une bonne idée de ce dont j'aurai l'air quand je serai vieux lard. Je me roule une cigarette bien méritée. Justin en profite pour revenir et me surprendre en plein délit de break. Il contemple l'appartement et siffle.

— Wow! t'avais pas la conscience tranquille?

— Je t'ai laissé l'époussetage! Transurétral!

Le téléphone sonne. Je réponds et tombe sur Rébecca, la meilleure serveuse en ville, qui a besoin de quelqu'un pour garder sa petite parce qu'elle sort en grande ce soir avec son chum. Elle aime le théâtre, elle ferait n'importe quoi pour le théâtre. Je lui dis qu'il n'y a pas de problème, lui demande à quelle heure elle veut que j'arrive.

— Le plus vite possible! j'aimerais ça!

— D'accord! laisse-moi dix minutes!

Je prends une douche, me brosse les dents, enfile une chemise propre. Tout ça en moins de vingt-cinq minutes. Rébecca n'habite pas loin, juste la rue à côté,

Cartier. Je grimpe les marches deux par deux; quand je sonne, ça lui prend un bon moment avant de venir m'ouvrir. Elle est à moitié habillée, elle ne sait pas quelle robe mettre, comment dompter ses mèches, de quel rouge s'enduire. Elle se penche pour ramasser un jouet qui traîne... sa devanture charnelle passe proche de me rendre aveugle. Elle voit mon air d'ahuri. Elle rit de moi.

— Tu n'as jamais vu une femme?

— Pas une comme toi d'aussi proche!

— Tu n'as pas dit que tu serais là dans dix minutes?

— Qu'est-ce que ça aurait changé? Tu n'as pas l'air plus prête qu'une ado se préparant pour son bal d'agonisants!... Isaac n'est pas là?

— Non! on s'est donné rendez-vous à Berri!... Entre!

J'entre... Zoé zoue avec zes zouets zur le plancher du zalon. Elle court me voir, ses petits bras grands ouverts vers mon humble personne.

— Urinée! Urinée! c'est toi! c'est toi!

— Oui c'est moi! c'est moi!...

Elle me montre dans son sourire l'endroit où il y avait une dent.

— Elle est où, là, ta dent?

— Je te le dis pas! C'est un secret!

— Je te gage que je sais où elle est!

— Où?

— Sous ton oreiller!

— Maman! Maman! Tu as dit notre secret!

Rébecca me lance un regard réprobateur. Je l'attrape avec un clin d'œil. Elle se donne à peine la peine d'attendre d'être complètement entrée dans sa chambre avant d'enlever la robe jaune qu'elle a sur le dos. Peut-être ne s'en rend-elle pas compte dans son énervement? On va dire. Je lui donne le bénéfice du doute, à la douce. Mais qu'elle fasse attention à ses fesses! Elle me crie, de loin :

— As-tu soupé?

— Plus ou moins!

— Si tu as faim, gêne-toi pas de fouiller! le frigidaire est plein à craquer!

— Au quai!

Je laisse Zoé me montrer ses dessins, ses casse-tête Walt Disney, ses créations en Play-Doo multicolores, sa Barbie noire et sa Barbie blanche... C'est Barbie noire la plus gentille!

— Tu as raison! et c'est elle la plus belle! mais moins que ta mère!

Elle est tout excitée. Elle en a une autre à me montrer. Cette fois-ci, il s'agit d'une rouge.

— C'est Pooka On T'a l'Indienne! Tu la trouves belle elle aussi?

— Oui! J'aime les Barbies de toutes les couleurs! de toutes les couleurs de l'arc-en-ciel! Est-ce que tu as Barbie de Vénus?

— Non!...

— Sa peau est bleue!

— Bleue?

— Bleue bleue bleue!

— Comme Troumfette?

— Encore plus bleue!

— Ah!...

On jase on jase mais le temps passe et la maman est toujours dans sa caverne à se battre contre les trucs en tissu qu'elle tente d'harmoniser avec son corps de poupée en chair et en os. J'ai le goût soudain d'aller jouer la poupée Ken mais je crois qu'il vaut mieux laisser tomber : le plastique, ça fond contre la chaleur. Si elle continue comme ça, elle va être en retard. Le téléphone Garfield sonne. Elle décroche le combiné en forme de tête de chat orange ricanant. C'est Isaac. Je l'entends à dix mètres. Elle est en retard! Fini le niaisage! Let's go, baby doll! Elle opte finalement en catastrophe pour la robe jaune, les cheveux sans gelée, les bottes de cuir noires et les glin-glins d'oreilles en étoiles.

— Ça me va?

— Ça me va...

— Sûr?

— Sucré!... Sauf qu'on voit un peu ta brassière!

— C'est voulu!

— Tannante, va!...

Du haut de sa taille que les talons allongent encore plus, elle embrasse le mince à lunettes et la courte à bouclettes. Elle me dit de ne pas coucher Zoé trop tard, comme la fois qu'on s'est tapé les cinq vidéocassettes de *Sailor Moon* d'un trait. Ça l'avait fâchée. Et si le père de la petite appelle, elle me demande de l'envoyer valser. D'accord. Elle sort en furie, ne nous laissant que le vent qu'elle fait en claquant la porte. Au tohu-bohu qu'elle produit en descendant l'escalier, je suis surpris de ne pas l'entendre basculer carrément. Zoé me saisit un doigt et m'emmène dans son petit monde. Je suis fait comme un rat.

— On joue à quoi?

— On zoue à zézayer!

— Comme les oiseaux?

— Comme les zoizeaux et les zhinozéros et les zimpanzés!

— D'accord!

— Mais à une condition!... que tu me dises que tu m'aimes gros comme... gros comme un drakkar!

— Je t'aime gros comme un zrakkar!
— Za en fait au moins zune...

***

J'ai couché Zoé à neuf heures. Il est maintenant minuit et Rébecca étincelle par sa disparition. J'essaie de garder les yeux ouverts en regardant la télé mais j'en lutte un coup. Les coussins m'attirent, le lit m'appelle à frais virés, l'effet des trois cafés avalés sature mon taux horaire de caféine permis.

«Je lui tourne le dos et m'éloigne dans la nuit...» Rébecca aussi lit du Kerouac. Pour lui jouer un tour, je change le signet de place. Bien fait pour sa gueule! Je suis tanné d'attendre. Reviens, Rébecca! Ramène-toi, Bec à Ré! Prends-moi pas pour un bouche-trou! pour un vulgaire trou d'égout! Lâche ton petit thé et ton petit beigne de chez *Tim Horton's*! décroche-toi du pesant regard de ton chum et grouille jusqu'ici! Je n'ai pas que ça à flageller, moi là!... Ce n'est pas la première fois qu'elle me fait ça. Ce n'est pas la dernière fois que je me laisse embarquer comme ça. Il devrait pourtant y avoir des limites au bout de la marde. Mais ça n'en a pas l'air. La vie est comme le jeu de Monotony... elle est faite pour tourner en carré. Quand on franchit un coin, on s'imagine qu'on va se pigmenter à du nouveau mais c'est des mensonges qu'on se fait. On retombe dans les mêmes avenues et les mêmes motels miteux. On fait dur... et la case Go n'accommode pas grand-chose avec son infime et vulgaire deux cents dollars. Désolé si je fais encore de la philosophie de bottine. C'est juste que j'ai l'horrible sentiment d'être un perdant-né. Ciboire! hostie! hostie de calice! calice de sacrement! T'en veux-tu des sacres? En voilà! Ma réputation est maintenant faite! et ma putréfaction pas loin! Quand on se fâche, on reste éveillé. C'est presque aussi bon qu'une claque dans la face. Dans ma vie, les mots ne sont pas là pour être mâchés, mais relâchés. Comme des chiens pas propres.

***

Nora!... Alfréda!... Rébecca!... Il fallait bien que je vous le dise un jour ou l'autre, un matin ou un soir, qu'entre les trois l'organe central de mon appareil circulatoire oscille. En ce qui concerne Nora, vous saviez déjà. C'était assez clair aussi pour Rébecca. Mais pour Alfréda, c'est la surprise totale. Je ne veux tellement pas qu'elle le sache que j'évite d'y penser du mieux que je peux. C'est la sœur de Justin et je ne tiens pas à me ridiculiser devant lui. N'empêche, je me suis tout de même ouvert la bouche quelques fois quand j'avais de l'élixir de vérité alcoolisé dans le corps. Ça m'a valu des moqueries du grand Nordique au bout du compte. Je me suis dévoué à Rébecca par attirance génitale, à Nora parce que je m'imagine tel un farfelu qu'elle m'est destinée! (mais il y a également du génital là-dedans) et à Alfréda par désespoir, affliction, affolement, abattement, accablement, affaissement, consternation, découragement, démoralisation, dépression, désolation, prostration... prostate (il y a également du génital là-dedans)! Mais tous ces termes peuvent aussi se rapporter aux deux premières. Ça revient au même de toute manière. Vous voyez où je veux en venir? Elles me donnent de la misère noire, ces filles-là. Elles me font passer des moments de veau maigre, juste bon à être abattu pour le banquet des gagnants. Un jour, j'ai dévoilé à Nora l'incendie de forêt que j'avais pour elle et elle m'a répliqué : «Paille!»

Je ne voyais pas par où elle souhaitait filer à l'anglaise.

— C'est un feu de paille! ça va te passer!

— Hé! je suis mieux placé que toi pour le savoir!

— Quoi? tu as eu un bon billet?

Elle avec fait sa drôle des fois. Mais là, c'était pas fair-play, elle esquivait le sujet. La soirée avait mal fini. Elle m'avait dit qu'elle préférait qu'on reste seulement amis, qu'elle ne ressentait pas d'amour pour moi. Hé! c'est pour ça que tu as décidé d'aller te retaper Justin une heure après dans sa chambre sans porte à moins de quatre mètres de la mienne?... Espèce d'hypocrite! d'hippogriffe! C'est ça que je t'aurais dit si ma langue n'avait pas été occupée à m'étouffer, à m'empêcher de respirer pour contenir la douleur. La nuit avait mal fini. De plus, j'étais à Séoul, comme d'habitude. J'ai pensé mourir. Puis j'ai repensé : non! ils ne méritent surtout pas que je meure pour eux! Qu'ils continuent à copuler si ça leur chante! Rigolera bien qui rigolera loin d'eux!...

C'était lourd. La matinée avait mal commencé. Je n'avais pas dormi. De toute façon, où est l'espoir? Comment pouvais-je être assez stupide pour imaginer qu'une fée telle qu'elle puisse désirer un affreux tel que moi?... Justin. Mon grand tata de chum. Le meilleur... Cette fois-là, j'aurais dû te renier à jamais. Je n'ai pas pu. Pas plus l'autre fois quand j'ai perdu le nord. Je ne pourrai jamais. Je préfère ton amitié à cinquante-deux mille paires de tétons! Et toc! contre moi! Et paf! produit ma tête contre le mur! Et pchiich! fait vous savez quoi! Quelqu'un finira bien par aboutir entre mes bras un de ces jours!... Nora, c'est du dépassé, du profondément enterré, entre quatre planches. Rébecca, c'est préférable de ne point envisager d'y débourser de l'effort. Il est grand temps de transférer mon bazooka d'épaule. On va aller voir ailleurs, pas trop loin, si l'avenir est meilleur et ne me casse pas l'échine en deux.

158.

Alfréda, je vais tellement te travailler que tu n'auras pas un instant pour dire ouf ou pouf ou zut. Comme on dit, tu vas passer au cash! et ça ne sera pas de la petite monnaie, mignonne. Attends que je t'attrape! Que ça frappe là où il le faut! Que je suis vulgaire! C'est parce que j'ai déclaré la guerre à la vulve! Hourra! À la conquête de l'Hymenaya! La question est d'être abeille ou ne pas être abeille!

***

Rébecca est revenue à trois heures du matin. Justin est parti à six heures. Il est venu me réveiller pour me dire salut. Je lui ai demandé quand il se ramenait. Il m'a répondu qu'il ne savait pas quand exactement. Je me suis rendormi, suis resté évanoui jusqu'au milieu de l'après-midi. Quand je me suis levé, j'avais les yeux scellés par la fameuse colle jaune. Pourquoi est-ce que je bois et je fume? Pour occuper mes dix doigts et les empêcher de se retrouver avec le cordon du cœur qui traîne dans la marde. Je me comprends. Que feraient-ils sinon? Se saisir le moine?

Je vais aller formuler une nouvelle demande à l'aide sociale au cas où je ne réussirais pas à me trouver un emploi du temps payant. Pour être honnête, je dois avouer que je n'ai pas l'intention de remuer beaucoup de choses pour m'en sortir (de la défécation). Je le peux mais c'est le vouloir qui traîne du pied. Je me suis attiré quelques éclairs glacés de Rudy : il ne trouve pas ça prometteur pour la vie de colocation, le fait que j'aie laissé mon travail. Il s'en fait pour rien. C'est ce que je lui dis. Je trouverai un moyen de m'arranger. Je dois absolument arrêter de gémir et de me plaindre. Il n'y a rien de plus absolument joyeux que la vie. Ce qui m'arrive est absolument intense, ce qui va m'absoudre du malheur sera absolument magnifique. Je suis absolument explosif, de bonne et d'excellente volonté. Le jus d'orange qui coule dans ma gorge comme un soleil liquide est absolument délicieux, tout à fait exquis, absolument!... Shake well!... C'est définitif! Je suis absolument convaincu que tout va aller de mieux en mieux. Absolument mon cul, oui.

Je me déniche un passe-temps pour passer le restant de l'après-midi. Je joue à qui attrape la balle le plus vite avec Fur et Mesure. J'envoie la balle rouler et rebondir dans le couloir. C'est presque toujours Mesure qui met la patte dessus la première. Elle est plus vite que son frère. Après, c'est qui attrape la queue qui nous distrait. Dans ce jeu, je participe un peu plus. Je cours en laissant traîner une ficelle derrière moi... C'est encore Mesure qui excelle! Mais ça fait du tapage et la propriétaire d'en bas s'empresse de me mettre au courant en me téléphonant.

— Ça va faire, là, le sprint du dernier tour?

— Il achève! il arrête! mais une chance que ce n'est pas des chiens ou des boas en construction qu'il a! espèce d'impatiente!

Je ne suis pas fâché de sortir d'ici. J'ai en masse de temps libre pour partir à la recherche d'un nouvel appartement. Mais il n'y a rien qui presse...

27. SPRAY DE FINITION

Mois de mai, mal de mes finances! Mais les gros ménages du printemps me permettent de me trouver une autre job. Lee m'appelle. Il a commencé une petite business motorisée de laveur de vitres dans les résidences... et là il a perdu son gars, son helper. Il m'offre la place vacante. J'accepte. Mais il tient à ce que je sois fiable, que je donne mon cent pour cent, que je me lève le matin... et surtout qu'on parle pas de Murielle. Va savoir pourquoi... D'ac! c'est correct! Je lui jure qu'il n'y aura aucun problème. Je suis chanceux, c'est un cadeau tombé du ciel. Je n'ai même pas eu à lever le moindre doigt. Je commence demain. Il va venir me chercher avec son bolide et on va aller courir les contrats qui payent bien quand ça roule et que le travail est bien fait. La clientèle est surtout italienne. Ils ne sont pas capables de laver leurs fenêtres tout seuls, les Italiens. Ça nous arrange. Il me demande d'être très patient avec les mammas car elles ont plus d'un tour dans leur sac à commentaires pour nous mettre à bout de nerfs. Elles sont exagérément propres et excessivement observatrices en ce qui concerne les tâches de nettoyage de taches. Si on a le malheur d'oublier le moindre spot de saleté, c'est la pagaille verbale et on est bon pour exulter sous la sentence du cousin dans la mafia. Il exagère mais c'est pour que ça me rentre dans la caboche. On est équipés comme des pros : savon industriel, spray de finition, guenilles, linges, seaux, échelle, squeegees. On est parés pour prendre d'assaut Saint-Léonard, LaSalle, Repentigny et plein d'autres chouettes endroits comme ça.

***

Je dois vous avouer que la première journée n'a pas été de tout repos. Lee n'est pas tellement plus gros que moi mais il est nerveux comme un renard. Il marche vite, conduit vite, enlève les fenêtres vite, passe le squeegee vite. Je m'essouffle à en perdre haleine à tenter de le suivre. Il me dit que le métier va commencer à rentrer quand je vais avoir une semaine dans le corps : elle créera une ouverture béante. On a lavé les fenêtres de six logements aujourd'hui. À dix dollars la fenêtre, en moyenne, on entre merveilleusement dans notre argent. Si on continue comme ça, je serai riche dans pas long. Avec l'aide sociale qui claire déjà le loyer, je pourrai me considérer gras dur. Le temps est de notre bord. Les contrats pullulent. On est en sueur aux petites heures et déshydratés avant midi. On s'arrache la peau des mains quand ça devient coriace et on se broie les genoux à force de s'accroupir. Ça en vaut la peine. On a généralement terminé vers dix-huit heures et Lee me donne alors ma part de gain avant d'aller me reconduire proche de chez moi, rue De Lorimier.

La semaine passe. Je me suis fait autour de deux cents dollars en liquide. Merveilleux! Époustouflant! J'en ai presque dépensé la moitié en boisson. Je ne suis pas à la veille de penser aux économies. Les billets me brûlent toujours entre les mains et il faut toujours que j'arrose ça. Mes ébauches de débauches avec Alfréda n'ont pas encore donné de suite concrète mais je prends mon mal en patience. Je dois me débrouiller pour trouver un moment d'intimité avec elle. Ça ne sera pas facile avec tous les amis qui nous gravitent autour. C'est compliqué en chien. Si j'en courtise une, il ne faut pas que ça paraisse trop au cas où ça serait une autre, sans que je le sache, qui ait un œil ou deux sur moi. Je dois me garantir toutes les possibilités et solutions de rechange de dernier recours qui peuvent surgir au moment où je m'y attends le moins. Ça, ça s'appelle vouloir garder plusieurs cartes dans son jeu. Ça, ça s'appelle aussi courir après plusieurs lapines en même temps... ça comporte des périls en ce qui concerne les mœurs. Le pire qui puisse m'arriver est de me faire boycotter par le clan des girls. Va falloir jouer serré. Je me prépare à toutes les éventualités. Je suis exécrable à souhait, hein? Si quelque chose se produit avec Alfréda, ce sera par hasard. Pas question d'invitation au cinéma ou au restaurant ou autre sortie catégoriquement nauséabonde à l'os. Pas de fleurs surtout. Ni de chocolat. Elle est au régime. Toutes les femmes sont au régime. Juste des mots doux comme je sais en dire avec mon beau vocabulaire inné : «Tasse-toi proche de moi que je te flatte! Va voir dans ma culotte si je m'y trouverais! par pur hasard!...»

Le temps d'une fin de semaine, je vais avec les copains au chalet au bord du lac, à Magog. Le chalet appartient aux parents de Rudy. Le chalet est si grand et si équipé de commodités que ce n'est pas un chalet : c'est une maison. On a pris la Jeep de la sœur de Lee pour s'y rendre. Il est venu nous kidnapper le matin à sept heures. Sur la route, il s'occupait de conduire et de placer les cassettes de musique. Justin, à côté de lui, nous parlait de sa Corinne. David, l'écorché vif de la vie, et Rudy, à côté de moi sur le siège arrière, discutaient de l'avant-dernier épisode de *X-Files,* qui avait été beaucoup plus mental que celui de la veille. Votre ami Faiblengras, lui, avec un taux inimaginable d'alcool coulant encore dans les veines, tentait désespérément de piquer une sieste avant de recevoir au visage les infimes dards du soleil qui lui transperceraient les rétines. On s'est arrêtés en ville pour s'approvisionner en victuailles. Justin et Lee ont aussi chargé une caisse de bière dans le coffre.

— Tu vas nous en laisser un peu, Irénée?

— Pas de danger!

Ils ont passé la journée à se lancer sur le terrain des projectiles de toutes sortes sur les tempes et à jouer aux cartes Magic au soleil. Moi, je me suis tout simplement appliqué à récupérer de ma virée. Vers quinze heures, on a décrété qu'il était grand temps d'aller faire un tour de bateau, sur le lac, si possible... C'était un ponton, une sorte d'engin tout en longueur et largeur reposant sur deux flotteurs métalliques, muni d'un moteur de taille moyenne pour faire procéder l'ensemble sur l'eau loin d'être limpide. Rudy «conduisait» et moi et les trois autres étions installés sur des chaises longues. Le vent et les vagues balançaient l'embarcation; ce n'était pas le moment d'avoir le mal de lac; le ciel devenait nuageux, les mouettes volaient bas... Près de la rive, on a croisé un couple de canards qui n'avaient pas l'air de s'en faire: ils affrontaient fièrement la masse d'eau en mouvement comme de vrais surfeurs. Justin faisait son rigolo.

— Ah! la retraite à vingt-deux ans! y a rien de mieux!... Et puis, pas de femmes dans le décor, ça détend l'esprit!

Je ne peux me retenir de répliquer.

— Parle pour toi, Chose!

On va jusqu'au bout du lac. On décide de virer de bord quand on se rend compte que l'étendue d'eau se transforme peu à peu en marécage. Un tronc mort, que Rudy n'avait pas vu, passe à moins d'un mètre d'un des flotteurs. On entend un craquement sous nos pieds. On se regarde en souriant jaune. Rudy nous rassure.

— C'est juste une branche qu'on a brisée en passant dessus!

Le vent est fort. Le bruit du moteur enterre tout.

— Quoi?

— J'ai dit... c'est juste une branche qui s'est cassée!

N'empêche! On avait notre quota de plein air! On a changé de cap en direction du chalet avec le vent et tout ce qui a rapport aux éléments contre nous. Ça bardassait. David a perdu sa casquette et moi une cigarette que je venais juste de finir de rouler. Les vagues levaient le devant du bateau. À un moment donné, Justin s'est penché derrière et a déclaré qu'un des flotteurs semblait plus calé dans l'eau que l'autre.

— On coule! on coule!

— On se calme! on se calme!

Tout le monde est allé voir pendant que Justin prenait le volant. C'était vrai. Un côté paraissait plus immergé. Moi, je m'amusais à regarder sur l'écran du sonar les masses sombres, bancs de poissons ou sous-marins, qui passaient sous nous... David, allongé sur sa chaise, prenait la chose avec philosophie.

— Bah! si on s'engloutit, on nagera!

Et puis j'ai comme une révélation.

— David! va donc faire un tour en avant du bateau juste pour voir!

Il exécute ma demande, un peu à contrecœur. Je me penche par-dessus bord et regarde les flotteurs. Ils sont revenus à égalité de niveau. Tout a fini par se replacer. Je fais part de mon observation aux autres. On en rit à se décrocher le maxillaire inférieur. Rudy y va de son commentaire.

— Je me disais bien aussi que le ponton était plus solide que ça!

David la trouve moins drôle, lui.

— Hé! Je suis même pas gros!... En passant, Justin aussi était assis de mon bord!

— Hé! viens pas mettre ça sur mes épaules! J'en ai déjà assez en bas de la ceinture!

On s'est calmés à l'idée qu'on n'avait plus à couler. Le retour s'est déroulé sans aucune autre possibilité de problème mais a pris quand même du temps : une demi-heure avant qu'on puisse toucher la terre ferme et verdoyante du chalet. On avait subitement l'estomac dans les talons, de l'écume aux commissures des lèvres. Moi qui n'avais pu engloutir une seule bouchée de la journée, je commençais à phantasmer culinairement sur nos amis canards qui cancanaient sur l'eau en face de la cour arrière du chalet voisin. David a allumé le barbecue, placé sur le grill les morceaux de cadavres sanguinolents et poivrés qu'on avait achetés. Je me suis occupé des patates et Rudy de la salade pendant que les autres installaient le matériel nécessaire sur la table, sur le balcon. Ça n'a pas été long qu'on a englouti comme des porcs ce qui nous regardait tristement dans nos assiettes.

***

Quand le soleil s'est enfin couché, on a allumé un feu.

Nous sommes autour du feu emprisonné au centre des pierres qui l'entourent. Comme d'habitude, je suis enfoui dans mes pensées profondes; mais si on se donne la peine d'en gratter la surface, on verra bien que ça sonne vide là-dedans. Les nuages ont quitté les cieux et laissé les points lumineux pour nous faire plaisir, ainsi qu'un satellite naturel, mort et poussiéreux. Trois des copains ont chacun pris une bière et j'entame ma quatrième sans m'en rendre compte. On en est rendus au point culminant de notre fin de semaine, on est dus pour la mise aux points sur les i de notre inexistence. On commence la séance par de légers soupirs puis on sort quelque chose comme «je ne sais pas trop ce que je vais faire avec tatati-tatato mais là ça devient de plus en plus difficile alors je crois que je vais tatato-tatatu...». À peu près dans le genre. Tout le monde a son petit grain de sel de calamités. Après quelques heures passées comme ça, certains ne tiennent plus debout; leurs bières les ont tapés, et puis ils ont leur journée et leurs problèmes dans le corps. Ils vont se coucher. Il ne reste plus que Rudy et moi. Minuit approche. J'entre dans le chalet et rapporte les bières qui restent. C'est un travail pénible mais il faut bien que quelqu'un le fasse. Je les pose sur le gazon humide à côté de ma chaise. L'ébriété qui monte repousse la nausée vertigineuse que j'ai endurée toute la journée. Je retrouve mon juste milieu entre le gouffre sans fond et le magma en fusion. Je deviens verbal.

— Et puis, Rudy, les amours?

Il ricane.

— Ah! Énerve-moi pas avec ça!

De nos jours, communiquer, ça ne veut plus dire grand-chose. Compte tenu du contenu des bouteilles brunes qui s'insinue dans mon sang, c'est normal que je me mette à redevenir le narcissique désinvolte qu'il connaît trop bien. Je ne peux que parler de moi. Je lui explique dans les moindres détails mes histoires d'amour impossibles, mes idées de projets poétiques, mon retour ultérieur en médecine... Il part à rire à défaut de rester silencieux.

— Quoi? qu'est-ce que j'ai dit?

— Non! c'est rien! c'est rien!...

Il reprend de plus belle. On a de la fumée dans les yeux. Ça pique.

— Quoi? qu'est-ce que t'as à rire?

— C'est... (il tousse) c'est ton pied!... il brûle!

— Quoi?

La semelle de mon pied droit est en feu! Je débarque de ma chaise en criant et sautillant sur place. Ça crame toujours.

— Saloperie! Ça boucane encore!

Rudy passe proche de tomber de sa chaise tellement il a le fou rire. Je n'ai pas le choix! Je cours jusqu'au lac, m'assois rapidement sur le quai et trempe ma botte dans l'eau. Ça règle son affaire au caoutchouc embrasé.

— Tu parles! J'ai failli me transformer en torche humaine et toi tu ris!

Rudy retrouve son calme, un peu... Il s'essuie les yeux avec sa manche de chemise.

— Je te l'avais dit, Irénée, de ne pas mettre tes pieds sur les roches!... c'est trop près des flammes!... Ça t'apprendra à ne pas m'écouter!

— Gna gna gna!...

Je fais mon comique. Je ne sens pas bon. C'est comme si l'odeur de pneu carbonisé était restée sur moi. Pour me consoler, j'entame la dernière bière. Je tombe dans le théâtral... La nature, l'obscurité, le rituel du feu, l'alcool... c'est là que ça finit par m'amener : le théâtral. Je fais mon petit Obéron. Je sors de grandes phrases sur les fondements de la vie et de la mort, sur le rôle de tout un chacun en ce monde, sur le destin, les constellations qui ont l'œil sur nous, les gestes inéluctables que nous faisons et leur nécessité à l'accomplissement du Grand Tout. *Ad nauseam*.

— Tu bois trop, Irénée! Tu bégaies et fais juste parler de toi!... Bon! je crois qu'il est temps pour moi aussi d'aller me coucher! Alors bonne nuit! et n'oublie pas de verrouiller derrière toi!

Verrouille toi-même, espèce d'apudome. Il s'en va. Je reste à côté du brasier, comme un tronc. Je vais pisser dans le lac, comme un exhibitionniste. En douce, en faisant le moins de bruit possible, je retourne dans le chalet pour piquer deux Carling au père de Rudy. Je me sens un peu mal d'agir de la sorte mais je me dis que ça ne va pas tuer personne. Quand j'ai commencé, je ne peux plus arrêter, c'est au-dessus de mes forces, au-delà de ce que je peux maîtriser, dominer, contenir.

Je ne m'amuse pas tant que ça. Que je sois avec les autres ou seul, je me retrouve au même point. Je ne vais pas si bien que ça, mais plutôt mal... Je m'encourage en me disant qu'il y en a des pires que moi. Je titube jusqu'au bout du quai avec l'intention de plonger, de me laisser couler, entre les algues hautes, au fond du lac, dans la parfaite obscurité. Quelque chose me retient, je ne sais pas quoi, peut-être mon ange gardien qui ne veut pas que j'attrape l'influenza. Je m'allonge et croise mes bras sous ma tête... Je compte quarante-deux étoiles et puis je me lasse, je compte quinze cratères sur la lune et puis je m'écœure... Quelqu'un marche derrière moi sur le quai.

— Hum!... Hum-hum!...

Je fais comme si je n'avais rien entendu. Cela donne un léger coup de pied sur les planches.

— HUM!

Je me roule d'un côté pour me retourner sur le ventre et lève la tête... Je la reconnais immédiatement, avec son jean noir, sa blouse blanche qui pend, ses cheveux fins volant au vent, la lune qui étincelle dans ses yeux clairs, vive...

— Nora? Mais que... qu'est-ce que... que fais-tu là?

— Quel accueil!

Elle s'approche et vient s'agenouiller près de moi.

— Je t'en bouche un coin, Irénée? Avoue que tu ne t'attendais pas à me voir ici!

— Euh... non!... que... comment?...

— Ke-ke-ke kom-kom comment je suis venue?

— Oui!

— Ah! Tu devineras jamais!

— Et pour trouver le chalet? Comment as-tu pu?...

— Hé! Tu pues toi-même, Chose!

— Mais...

— C'est un secret!

— Tu... tu vas coucher où?

— Tu vas coucher où?... Tu parles d'une question! Je vais dormir sur le gazon, gros niaiseux!

— ...

— Bon! je peux avoir mes becs, là?

Je m'assois... Elle se penche vers moi et me prend dans ses bras. Je lui donne ses deux becs réglementaires sur les joues. Elle sent bon.

— Tu as encore mis ton truc à la vanille?

— De quoi je me mêle? Ça te dérange?

Mets-en. Mais pas là où elle pense. Je ne sais pas quoi lui dire. Je suis trop estomaqué de la voir ainsi devant moi, à portée de bras qui pourraient la prendre et lui faire des choses, lui faire danser une valse sous le chant des jeunes feuilles, par exemple, pour faire mon christ de romantique. Elle est heureuse, joyeuse, toute pleine de choses à me dire. La nuit est calme, merveilleuse, et elle est contente de m'avoir trouvé. Après quelques instants de conversation, je la sens devenir plus lancinante, moins récalcitrante, de plus en plus provocante, avec le doux regard de nymphe qu'elle m'envoie. Tout le génital en moi ne me porte plus, en a marre, décide de s'y mettre avant que ça pète. Lentement, je ramène ses cheveux dans son dos et l'embrasse dans le cou... Mes lèvres se referment sur quelques minces fentes creusées dans sa chair. Je me dégage, surpris.

— Qu'est-ce que tu as dans le cou? tu es blessée?

Elle s'éloigne de moi, troublée.

167.

— Ce... ce n'est rien!... juste mes branchies!

— Tes quoi?

— Mes branchies! Bon! Ça te cause un problème?

— ...

— Tu n'as jamais vu une femme ou quoi?

— ...

— Vous, les gars! Vous ne savez jamais rien sur nous! Faut toujours tout vous expliquer! On est pas juste en glaise comme dans la Bible!

— Mais... Nora!... je ne...

Je fais mon cave, quoi.

Elle se lève et époussette son derrière pour enlever de probables saletés. Je me lève moi aussi. Elle me regarde avec pitié, comme si je l'avais déçue, puis elle passe une main dans mes cheveux pour m'aguicher.

— Bon! va falloir que j'y aille!

Elle déboutonne sa blouse, l'enlève, défait sa ceinture et se débarrasse de son jean prestement, projetant ses souliers... puis elle se dépouille de tout ce qui lui sert de sous-vêtements. Elle est complètement nue devant moi, droite, lustrée telle une planche de surf. Elle ne semble pas en tenir compte. Je suis plus qu'abasourdi. Je suis carrément figé là, la bouche ouverte comme une huître. Elle m'embrasse sur le front. Je n'ose l'effleurer de peur qu'elle ne me consume. Elle plonge dans le lac. En plein centre du reflet de la lune.

***

Le soleil aide Lee à me réveiller. Ils sont tous les deux au-dessus de moi à me fixer pas si tendrement que ça. Mon dos et ma nuque me font mal et ma langue pend comme un poisson mort.

— Hé, Irénée! Merci de nous avoir laissé de la bière!

— Quelle heure?

— Sept!

— Que penses-tu des naïades?

— Des noyades? C'est une façon comme une autre de crever. Pas trop magané de la vie?

— Non! Ça va! Moi, c'est les rêves érotiques qui me maganent!

Je vais me recoucher dans le sous-sol humide du chalet sur un divan-lit que je ne m'efforce pas de déplier. Je me contente de la position qu'on avait dans le ventre de notre mamma, la tête sur un coussin de fortune et les deux pieds dans le nez. Ça me donne l'air d'un champignon à dégoter. Je reste là jusqu'à midi sans anicroches… Elles commencent après. Quand on est un homme, un vrai, on n'a pas le droit de ronfler toute la journée, ça ne se fait pas; tout le monde se le tient pour dit. Maudit! Ils ne niaisent pas sur les méthodes et les moyens pour nous réveiller, les mâles! C'est à claque d'eau de grand verre, glaciale, qu'ils me remodèlent le portrait! Ça me fait pousser un long «aaah!» d'agonisant. C'est comme ça qu'ils fonctionnent, les vrais, et nos protestations, on peut se les mettre où l'on voudra. Les verrues! Vengeons-nous! Défendons-nous de ces vils assauts! À l'attaque! À la toc! C'est Justin, le grand responsable de ce diabolique plan. On va le faire payer. On va le passer à la monnaie, le sale hémorroïdal! Regardez-moi bien aller! Je saute dessus! J'essaye de l'assommer vite fait contre le mince tapis gris recouvrant le béton. Je manque mon coup! Je passe dans le beurre et m'étale de tout mon pas si long au sol! Ses muscles ont raison de mon tronc et du reste de la cargaison de toute façon pas mal altérée par le houblon! Il me dit :

— Dis chut!

— Flûte!

Ouch! (à cause de la pression hydraulique de ses bras sur mes avant-bras)… Encore, il m'impose de dire son maudit chut.

— Cruche!

Là, les gars, je passe sous la torture de Juggernaut! Ça fait mal en chien de ma chienne! Il me broie les os du corps comme si c'était des sortes d'anguilles insoumises. La douleur est si intense que j'échoue à sortir un seul traître son de mon buccal orifice. Là, ça va faire! J'ai mon voyage! mon tour du monde!… Je lui donne un coup de boule, à l'autre arrondi! Je ne pouvais pas toucher autre chose que son menton, mettons… Il perdait d'avance. Le pauvre pit! Il ne s'attendait pas à ce que j'utilise des mesures radicales. Ça fait un cloc! sonore… Il lâche la marchandise, sous le choc. Si je me fie au regard qu'il m'envoie, ma basse technique a été efficace. Bien fait pour sa tronche!… Disons que ça crée un froid. Ce n'est plus très très tellement drôle à présent. Par pari refertur; on rend la pareille! J'ai fait un gros bobo sur la bouche de Justin. Il est pas content. C'est un peu fendu. On rend les armes. Un petit débordement de virile agressivité, c'est bon pour ce qu'on n'a pas. On fait la paix. On en a notre claque des beignes. Justement, Justin était venu m'obliger à me redresser pour me dire qu'il était temps de dîner. En toute honnêteté et haleineté, je dois avouer que mon malaise d'après-lendemain de beuverie ne m'a pas franchement ouvert l'appétit qui est proche de mon estomac. Les scalpels en arrachent depuis les coupures dans les hôpitaux (plaisanterie en bonus)! Justin tente quand même de m'allécher mais je le garde à une distance raisonnable.

— C'est des œufs qui se sont débrouillés et des fèves au fard! avant qu'on prenne le large! t'en veux-tu?

— Ouache! Vade retro! colle et stérol!

Non mais! C'est quoi qu'il cherche, Chose? Me faire dégobiller ma bile? Il est mieux de se lever plus de bonne heure que ça s'il veut m'enfoncer quoi que ce soit dans la panse! Aujourd'hui, je ne bois que de l'eau. Je jeûne! J'ai le foie qui se fait déjà vieux. C'est la grève officielle de la faim. Fini, les victuailles à n'en plus finir! Fini de se la manger douce! On va agir comme les pauvres moineaux des pays les plus défavorisés de la Centrale Amérique! On va leur montrer qu'on sait se serrer la ceinture, nous aussi, ici! Terminé, les abus de pouvoir sur les porcs! les dindes! et autres de la sorte! Final bâton que tout cela! Soyons civilisés une ciboire de fois pour toutes!

Je m'emballe trop. Je ne suis pas un cadeau, pourtant. Les copains n'ont pas l'allure de suiveurs convaincus. Ils me disent que je peux aller sécher avec ma mentalité de pro-végétarien extrémiste. Ils mangent le contenu dégoulinant de leurs assiettes. La rumeur court que je dégage de la bouche.

Je bois de l'eau, de l'eau, de l'eau... On plie bagage. On part.

On roule jusqu'à notre région natale... mais trop polie terne.

29. COURONNEMENT DU ROI DES FOURMIS

Dorénavant, quand on va répondre au téléphone, on va répondre «jaune». Doré navrant! Ce sont des jeux de mots! Vous vous en doutiez, mes chers concitoyens. Jaune vient de yellow... *Yellow*, c'est un magasin de protecteurs de pieds, mais ça ressemble à allô... Allô vient de à l'eau mais vous n'êtes pas de cette trempe-là, vous la connaissiez déjà, celle-là. Celle-là vient de je ne sais point où, de Nulle Part probablement. Ils ont l'esprit assez humoristiquement tourné à cet endroit-là. Endroit vient de engauche. Engauche vient de Nulle Part... C'est un cercle vicieux, un vicieux de serpent; on n'a pas le choix d'être mordu par cette sale bestiole un jour ou l'autre. Vous devez commencer à me trouver rondement halluciné, chers compatriotes. Je vous comprends. On se l'est dit. On fait la grève de quelque chose! Peu importe! De la Raison! Ce serait l'Idéal des chers poètes! Ces maudits cale-verres! Malheureusement, on a grandement entendu parler de leurs sornettes de serpentins à sonnettes. Le temps des festivités est révolu. On a assez entendu parler de révolutionnaires. Ils ont tout voulu changer. Ils ont tous achevé de s'installer sur leur fessier comme Nimportequi, maire de Nulle Part, dans les contrées de Morte-Raison. On dit (certains disent) que j'ai une dent contre le clan des Bibiboumeurs mais je ne puis deviner laquelle. Où ça dans la mâchoire? Pas loin des molaires? Tout proche des polaires? C'est fourrant en masse.

Je suis avec Rudy et David dans le salon, un soir sans importance. Enfin! Le téléphone sonne, se laisse aller, se déniaise... On peut tenter notre expérience, on a notre premier cobaye. C'est moi qui réponds.

— Jaune!

Silence à l'autre bout (on se demande où) de la ligne.

— Ultraviolette! répond une voix féminine avant de me la raccrocher au nez.

Ça fait beueueueueueu à l'autre extrémité des nouvelles communications que Bell nous vante jusqu'à nous casser les oreilles avec. Je dis aux autres qu'on a échoué sur une frustrée qui n'avait pas envie de perdre ce qu'il lui restait de vie. On ne se fait pas de mauvais sang. Ça ne sera pas long qu'on la retrouvera avec étoile 69 pour lui déclarer : «Die Lady Dial!» On se demande qui elle peut bien être cette Ultraviolette... On se coalise et se la discute ferme pour savoir de quelle nanette il s'agit. Je fais part aux autres de l'idée que j'ai là-dessus.

— C'était Nora! c'était sa voix!

Rudy tient absolument à me ramener à sa raison.

— Prends pas trop tes désirs pour de la réalité de qualité, Irénée! ça s'achète pas avec les beaux mots dont t'es capable! ça revient plus cher que ça!...

Je lui accorde raison mais son commentaire hautement pertinent me donne les bleus. Je lui accorde deux poings, un sur chacune de ses épaules. J'ai encore passé la semaine à laver prestement les vitres italiennes avec Lee. Je n'en reviens pas.

Mon porte-cash déborde de billets verts comme ça se peut pas. Faut arroser ça à toutes les sauces. J'ai encore fait des mélanges sans le vouloir: du vin pour accompagner le souper qui se sentait seul puis ensuite de la Labatt pour consoler mon état d'âme abandonnée... et pour finir, deux verres du Jack Daniel's à David pour consolider nos sensations d'étalés. Je commence à me sentir assez zen, parfaitement vling et vlang avec l'universalité. Je me suis même choisi une divinité hindoue préférée : c'est Brouhaha, déesse de la Chaotique Jeunesse! Elle se manifeste par l'avatar d'un orange cœlacanthe naissant. Rudy a zigzagué pour nous dénicher un gîte, un nouvel appartement, calepin en main, crayon à côté du front. Son entreprise a été couronnée de succès. Il nous a trouvé un fameux sept et demi rue Mont-Royal, au deuxième, juste au coin de De Lorimier, à deux pas de chez les filles.

Je suis triste. J'ai perdu Fur. Mon minou. Ça fait maintenant quatre jours qu'il n'a daigné montrer son museau. David l'avait laissé sortir lundi soir, il n'arrêtait pas de miauler, qu'il disait, il n'arrêtait pas de grimper partout. Ça l'a énervé. Il a disparu, Fur. Je l'ai cherché dans toutes les rues, toutes les ruelles. Pas de trace; même pas de cadavre. Mesure se demande ce qui se passe. Où est mon grand frère? se demande-t-elle. Il est où le sale ennemi des cabots? qu'elle se demande, aristocratiquement. On se demande si elle le trouverait si on la laissait sortir. Mais je n'y tiens pas. La stupide automobile tueuse de chats rôde peut-être encore, guettant, reniflant la présence de ses prochaines victimes. Hostie que je honnis les chars. Faiblengras ne peut les endurer, ces maudits engins-là. C'est pas des automobiles, c'est des destrotermites. Ma cause est d'avance perdue. On est fouettés, de toute façon. Presque tout le monde va finir dans un accident de char. Point.

Cette fois-ci, c'est les filles qui doivent nous rendre visite, pour nous rendre la pareille parce que c'est presque toujours nous qui allons chez elles. Elles aiment pas notre appartement. Il est trop kitsch à leur goût. C'est vrai qu'on est pas des champions de la décoration. Coudonc. Elles repasseront. Pas trop souvent, merci. Pour ce soir, on s'est quand même donné la misère de ranger un peu. Ça datait de mon dernier ménage. Des minous ont eu le temps de se former depuis ce temps-là et les cent cendriers de s'emplir abondamment sans problèmes de gars qui décident d'arrêter de faire de la fumée cancérigène. Ce qui m'agace, c'est d'avoir failli à joindre Nora au téléphone : j'ai déjà trois messages d'enregistrés sur le répondeur de Coraline; je veux pas avoir l'air du gars qui dérange. Certain que c'était elle tantôt. Elle voulait juste jouer avec mes nerfs, voir de quoi j'aurais l'air quand je me mettrais à paniquer et exiger qu'elle soit là. Coquine... Je n'hésite pas une seconde à entrer dans son jeu. Avec ce qu'il me reste, ça ne me fait rien de me lancer contre sa toile tendue. Si c'est ce qu'elle veut, elle sera gâtée. Je ferai l'innocent, le gars

172.

qui de rien ne s'aperçoit. Je m'empare de l'appareil, pitonne sur les pitons, attends tel un thon. Elle répond, Nora.

— Oui allô!

— Bonsoir! puis-je parler à mademoiselle Ultraviolette?

Elle rit. C'est elle la tannante qui coupe court aux conversations.

— Serait-ce cire Jaune?

— Lui-même! Bel tel quel!

— Ça va bien?

— Il va pas pire!... Voulez-vous venir nous voir? ce soir? faire votre petit tour? Juste pour le fun? Parce qu'au téléphone, c'est pas jouissif!

— Il y a de bonnes chances!

— Combien?

— Huit sur dix!... Si je me plante pas en bicyclette! J'en ai assez de bourgeonner d'ecchymoses!

— À bientôt, ma brume!

Excellent. Je m'en frotte les paumes. Rudy place de la musique dans notre chaîne stéréo. La musique, c'est toute sa vie. On tamise l'éclairage et allume quelques chandelles. On aime pas ça, nous, les grosses lumières flashantes. On est pas dans une salle d'attente de clinique dentaire ici, diantre! Il fait chaud, mais on a ouvert les fenêtres pour que ça fasse des courants d'air. On est bien. Que désires-tu de plus, mon gars? Prends ton mal en patience. Ça ne prendra plus trop de temps avant qu'elles arrivent en grande pompe, avec leurs bières, leurs talons sans aiguilles et leurs toisons sentant L'Oréal... pour le soin quotidien du cheveu coloré. En attendant, pour se désennuyer, avec la musique, on joue à *Mortal Kombat* sur le moniteur de Rudy. On s'amuse comme des enfants sans parents. On s'en envoie plein la fraise. Je perds presque toujours; j'ai jamais été fort fort dans les jeux de tueries... Le pro, c'est Justin. Mais il n'est pas là pour venir nous narguer avec ses petites prouesses. Il travaille. Il passe sa vie à travailler. C'est un bureau de travaux! En général, il débarque le samedi dans le creux de l'après-midi. Peut-être qu'on le verra demain. Il n'a pas donné de ses nouvelles. Comme tant d'autres.

Au secours! À l'aide! Nous sommes envahis! Un débarquement de coquines! Help!... S.O.S.! viens nous aider à récurer tout ça!... La première à s'infiltrer, toute en dents impeccables, toute de brillantes orbites, c'est Cécile, celle qui a les plus beaux cils... chargée, encombrée de sa bicyclette sur l'épaule et ses deux Fin du monde sous l'aisselle. Je l'aide à se débarrasser de tout ça; j'entrepose son véhicule dans la chambre (double) de David. Ma parole! C'est le Tour de France! Sa sœur Juliana ainsi qu'Alfréda ont aussi monté leurs vélos.

— Vous ne pouvez pas les attacher après la clôture en bas?

Alfréda fait la moue.

— Le gars, je pense que c'est le propriétaire, il est sorti pour nous dire qu'il ne voulait pas! que ça abîmerait sa peinture!

— Je sais! c'est un cave! c'est le chum de la proprio, il se prend pour le boss des bécosses!... C'est pas grave! on va faire de la place!

Dans la chambre de David, je tasse un divan et range les engins. Elles sont déjà rendues dans la cuisine à placer leurs bouteilles dans le frigidaire. Le ménage leur en bouche un coin. Elles sont impressionnées pas possible que ça brille autant.

— C'est accueillant!

— Ah, c'est autant en emporte la guenille!

On est dus pour notre séance tenante de becs. On se serre aussi un peu, quelques secondes, pour se sentir plus Russes que Français. Dans le salon, l'éclairage naturel des chandelles leur bouche le coin qui restait.

— Bel effet!

David et Rudy se donnent quand même la peine de se lever pour embrasser les copines. David, pour dire comme il dit, est «gelé ben raide» et Rudy se tape une autre de ses déprimes existentielles. Une chance que je suis là, farfelu comme je suis, à ne pas arrêter de parler comme une pie pour mettre un peu d'atmosphère dans notre ambiance funéraire. Je suis content. Les filles sont joyeuses. Voir une fille qui pétille, ça fait ma journée... des fois deux. La musique est forte, sombrement agressive; ça sape le moral de Cécile. Elle a quelque chose de mieux à nous proposer. Elle a apporté une cassette, la compilation *Bon Débarras* par Rudy compilée : quatre-vingt-dix minutes de bonnes chansons alternatives mais qui ne décapent pas trop les tympans féminins. Rudy la fout dans la chaîne stéréo, réticent. On se met à jaser des fonds vaseux de nos vies, débiter de planches marines pour l'été, discuter du disco qui revient, haranguer des poissons qu'on a tolérés au travail, bavarder de la bave qui nous coule quand on voit les vedettes du cinéma hollywoodien, converser des nouvelles Converse de Juliana, énoncer oui à tout propos entendu pour montrer à l'autre qu'on écoute ce qu'il ou elle a à dire... Les minutes passent, comme n'importe quoi, comme notre jeunesse. David a vraiment l'art de rester silencieux dans son coin, pas à se morfondre, mais à subir sa timidité. Il a un faible pour Cécile. Il ne sait jamais quoi lui dire. Il a peur de plus bafouiller que de clairement s'exprimer. Pauvre petit pas comblé. La vie l'a mal amanché. Rudy sent la pizza à plein nez à force de travailler chez *Pizzédélic*. Mais on lui dit pas, qu'il pue; on veut pas le blesser. Les trois filles fleur bleue sont assises sur le même divan vert, calées entre les coussins, tenant chacune leur bière à deux mains. Les deux sœurs jumelles, Juliana et Cécile, sont de grandes brunes agréables pour l'iris et le cactus. La première a le poil de tête court, l'autre long. Quand leurs oblongues jambes se croisent, tendant leurs jupes à motifs floraux sur le haut des cuisses, ça ne m'aide pas à refouler les douces palpitations qui m'asticotent l'entrejambe. La sœur de Justin, Alfréda, est moins élancée, légèrement plus enveloppée, comme une surprise, une confiserie salée, avec ses mielleux de cheveux et ses bleus de yeux charmants qui peuvent te faire ton affaire vite fait si t'aimes ce qui est joli, coui-coui-coui. Contrairement à nous, elles se sont donné le temps d'étinceler. Je suis pas rasé. Ma chemise est déboutonnée et pendante. Les cheveux trois couleurs de Rudy tiennent grâce à la crasse. David n'est pas plus avancé : il porte sa paire de culottes de boxe et ses pantoufles en gueules d'orignaux. On forme un trio original. On n'en connaît pas une qui nous trierait sur le volet. En tout cas. Je ne sais plus trop si je parle de moi ou des deux autres exactement. J'ai eu la mauvaise idée de me lever pour chercher une autre bière. On me charge d'en rapporter pour tout le monde. Et de les dévisser, aussi. Ça tombe bien, finalement : alors que je rase un mur dans le couloir, Nora arrive. C'est sa bicyclette que je vois en premier.

— Parbleu! (Je n'ai pas l'habitude ni la prétention de m'exprimer ainsi mais ça m'a échappé.)

— Non! Ultraviolette! qu'elle me dit en me laissant faire l'hôte avec cet autre engin à deux roues.

Je le plaque rapidement contre ses semblables, je n'ai pas que ça à fouetter. Dans l'entrée, on s'attarde. Avec son inséparable sac à dos sur le dos, elle me donne mes minouches. Ça me fait salement du bien de la voir, de la sentir, de violer la zone vitale permise, son espèce de bulle psychologique. Je vide mon sac.

— De toi j'ai rêvé il y a une semaine! Tu te déshabillais devant moi! sur un gai quai pendant la nuit! comme une banane!... Après t'as disparu dans un lac! T'étais une sorte de sirène!... de seiche!

— Oh! Oh! Phantasme pas trop, bonhomme!

— En ce qui me concerne et qui a rapport à toi, c'est tout ce qu'il me reste!

— Tu me laisses entrer, là? ou je poireaute toute la soirée ici?

— Sèche!

— Barracuda!

— Arête de travers!

— Hein?

Je m'en vais faire mes petites commissions pendant qu'elle fait ses petites salutations aux autres. Les bras pleins de bouteilles glaciales, je me ramène dans le salon. Nora ne semble pas apprécier le climat.

— Coudonc! C'est donc ben végétal ici!

Elle a l'air grognonne comme ça mais c'est juste pour dire de quoi. Madame arrive! madame s'impose! Elle veut changer la musique, et la façon dont elle s'y

175.

prend, en me regardant de ses yeux violets (à cause de l'éclairage) et en me pressant contre ses fermes extensions à caractère reproductif, me laisse pantois. Sans peser le pour et le contre, je la satisfais tout de suite : je l'insère, sa cassette de Dutronc, dans la chaîne stéréo. Qu'est-ce qu'on ne serait pas prêt à bardasser pour rendre les filles heureuses? Nager jusqu'au Japon? Japper après des barrages? Ce n'est rien pour moi! J'irais même jusqu'à m'abonner au *Lundi*.

Les boissons, la moiteur, les odeurs, l'heure finissent par nous échauffer. Les filles veulent danser. On tasse la table. Un cendrier tombe. On s'en balance. Go les jambes! Go les bras! Les filles nous veulent. Pour danser.

— Go les gars! On vous regarde!

— Pas question!

De quoi on aurait l'air? Qu'elles se débrouillent elles-mêmes avec leurs idées de s'amuser. Du divan des hommes, on a une très belle vue, on peut les observer se mouvoir comme des couleuvres ou de chauds hors-d'œuvre. On bouge pas de là, Chose. On est trop bien écrasés là où on est. Le spectacle vaut toutes les chandelles de la pièce. Ça donne des hanches qui tournent, des fesses qui se promènent, des fermes extensions à caractère reproductif qui rebondissent. Go les girls! Encore! Encore! Nescafé! C'est leur problème si elles sont faites comme ça.

Rudy ne file pas. Il sort dehors et s'assoit sur la première marche, moi sur la deuxième. On ne dit pas un mot, on reste muets comme des carpettes. À part le bruit qui sort de l'appartement, parce qu'on a laissé la porte ouverte, la rue est calme. On fait sérieux. On fait philosophes. On fait le Penseur de... Rodin? Ça doit.

— Rudy! Je te gage un cinq que David nous rejoint d'ici cinq minutes!

— Ça n'en vaut pas la peine, je perdrais!

Il aurait perdu. David se pointe. Tout souriant.

— Les gars! qu'est-ce que vous faites *quoi*?

Elle est trop bonne celle-là. On la rit. À froides larmes. Il faut qu'on fasse de la place, il veut prendre la troisième marche. On se retrouve tassés comme des sardines et pourtant il reste encore au moins une quinzaine de marches. Le temps avance, le nôtre recule. Si on poursuit ainsi, on va se réveiller sur le neutre. Ah! On voit une étoile! Ah! Un vieux en vélo! Ah! La fille d'en face ferme son store! Ah! David se roule un joint! Ah! Je crie à la fille d'en face de ne pas se défiler! Ah! David rit! Ah! Rudy râle! Ah! J'ai juste le goût de me laisser choir en bas du deuxième. Ah! Rudy pense sûrement la même chose que moi. Ah! Un chat roux vient nous voir! Ah! Salut minou! tu es tout doux! tout foufou! mais tu n'es pas mon Fur! Ah! Une fourmi sur ma main! Ah! Deux fourmis sur mon bras! Wo là! Plein de fourmis sur moi!... Elles mangent toutes une pichenette sur le bord d'une mandibule! Ah! Catastrophe! David, comme un et avec son pied, renverse sa bière! Ah! Elle roule dans l'escalier! Ah! Elle te fait un de ces vacarmes! Ah! et elle se répand! elle coule à tout vent! Ah! Sacre!

Naturellement! c'est le moment que choisit la propriétaire pour venir nous dire de baisser le volume et d'enlever la basse! La bouteille passe à moins d'un pied de son pied poilu! Ah! Oui madame Simone! oui! pas de trouble! oui! on va vous baisser ça! oui! ça ne saura tarder!... Ah! Enfin! elle décolle! Ah! Mange de la marde, grosse truie! Ah! Rudy dit chut!... Ah! David dit qu'elle a peut-être entendu! Ah! Je m'en calice! Ah! Nora vient nous voir! Ah! Qu'est-ce que vous foutez les gars? vous nous abandonnez? Ah! Mais non ma brume! je me laisse désirer!... Ah! Elle décide de retourner en dedans! Ah! Que la vie est mal faite! Ah! Qu'elle m'emmerde! Ah! Que je me fais chier! Ah! Déesse Brouhaha! viens à mon aide!

Bon! on glandera pas ici éternellement.

On retourne à l'intérieur, sauf Rudy, qui en broie un coup. Je baisse le son, dis aux filles d'arrêter de piocher, qu'il y a des enfants et des dégouttants qui essayent de dormir à l'étage d'en bas. Ça brise un peu les fessetivités mais il nous en faut plus que ça pour qu'on s'en fasse. La réserve diminue, il ne me reste plus que quatre bières. Quand je passe devant la salle de bains, la porte s'ouvre et je manque de peu de me la faire étamper dans la face. Bonifacio! Ventricule! Mon nez tombe sur celui d'Alfréda. Bonsoir, chérie! Ça a fait du bien, le pipi? T'as bien failli m'étendre raide là mais je suis disposé à te laisser une autre chance si la méthode utilisée diverge! Roule-moi une pelle que je te déterre! Agace-moi la barbe que je te gratte avec!... Alfréda! ma chère! ma chouette! Tu es faite comme une rate qui va se dilater! C'est un rapt! Regardez-moi y aller affreusement romantiquement.

— Hé! ça va?

Elle me répond qu'il n'y a pas de raison pour que ça n'aille pas. Elle ferme la lumière des toilettes, derrière elle, ainsi que la porte. On se retrouve dans la cuisine à néons au plafond; elle fouille dans le frigidaire, cherche sa dernière bière, une Raftman. Je ne l'aurais pas vue? Je ne l'aurais pas bue? Non chérie! Le coupable, c'est pas moi! Ah! Elle la déniche pas loin du ketchup. On est seuls dans la cuisine. On est tout seuls dans la cuisine. On est carrément isolés dans la cuisine. Ça sera pas éternel. Faut que je me grouille quelque chose.

— Tu travailles demain?

— Si oui, penses-tu que je serais ici? à faire le party?

— Évidemment! non!

Elle reste figée là, ne sachant quoi faire de ses deux pieds, moi de mes doigts. Une sorte d'énergie plane. Je m'appuie sur le comptoir, lui bloquant l'accès au couloir, sans faire exprès. Ses cheveux brillent, ses beaux yeux me bercent. Je ne tofferai plus très longtemps. Qu'est-ce que ça donne de jouer le dur qui n'en a rien

177.

à cirer? Rien. On parle de tout et de rien. Ça va faire quasiment dix minutes qu'on ne réussit pas à débloquer sur du concret, bon Dieu! Wo là! Hue! Ça va faire le niaisage, cocotte. On sort les violons à présent! Soyons violent!

— Je te l'ai-tu dit que je t'apprécie?

Ça, ça te rebloque une fille, les gars.

— Euh!... non!... je m'en doutais par exemple!

— Ah oui?

— Un peu!...

Lourd, très lourd instant de pesant silence. Puis, à force de me regarder, elle tourne sa tête ailleurs, en riant, en rougissant, pour éviter mes yeux qui la grignotent. Ça lui donne de belles pommettes.

— Ça te fait quoi que je te dise ça?

Visiblement, je la rends mal... à l'aise, à l'aine.

— Euh!... je ne sais pas!

— Sais-tu quelque chose?

— Euh!...

Ça va mal à shop. Je bous. J'ai le goût de la barbouiller de ma salive, de la lécher partout où ma langue peut se rendre (franchement! je ferais un bon pornographe!)... Mon courage, je le prends au moins à une main que je lui mets sur le cou, avec le bout des doigts qui caressent la pousse de ses cheveux. Ses yeux reviennent aux miens. Une bonne chose de faite.

— Je peux t'embrasser?

C'est incroyable comme je ne me passe pas de formalités.

— Euh!... oui!...

Ça finit par se faire... doucement, tendrement, puis chaotiquement. J'en ai trop d'accumulé. Ça me rend fou. Ça me fouette! En deux temps trois mouvements, je perds les pédales et ma bouche se met à déraper. On salive en masse, on ne sait plus de quel côté tourner, comme de jeunes adolescents pour la première fois embrassés. Ça nous embarrasse. Je sens qu'elle veut tout laisser tomber mais je ne la lâche pas d'une papille gustative, notre nouveau mode de perception depuis que nos pupilles se cachent timidement derrière nos paupières closes pour faire comme au cinéma ou comme tout le monde. Ça m'énerve d'être un humain, d'être un homme. Quand la passion t'empoigne, tu ne peux t'en sortir qu'avec une espèce d'enflure dans le génital. Ça te fait te trémousser, gesticuler comme une damnée bête de copulation. C'est des plans pour que l'autre s'en aperçoive alors que tout ce que tu souhaitais, c'était de paraître affreusement romantique. Pauvre fille. Comment peut-elle se concentrer à me mordiller si elle sent un louche machin co-

178.

gner contre sa cuisse? Ce qui devait finir par arriver arrive : au moment même où on sépare nos lèvres, Nora nous fait l'honneur de sa visite.

— Oh! excusez-moi!

Ses grands yeux ébahis en disent long sur ce qu'elle va conter aux autres dans le salon. Elle tourne de bord, pas mal trop ricaneuse à mon goût. Alfréda me sourit et suit l'autre. Elle n'a pas peur d'affronter l'orage, elle. La fiesta des elfes achève, se bâcle, se parachève, se discontinue. J'ai bien mérité de boire mes dernières bières le plus vite possible pour que ce soit moins douloureux quand je vais aller me frapper le front contre un mur. Une façon comme une autre de se couronner.

30. GENERAL ELECTRIC CONTESSA 70 VERT POMME

On déménage! On est le 1er juillet. C'est la Fête du Cacanada. Partout ça fume du cacannabis. Calice. Hier, in extremis, on a empaqueté le plus de choses qu'on pouvait. Pour s'y mettre à la dernière minute comme ça, il n'y a que nous qui excellions autant. Le gros problème a été celui des boîtes; sur les cinq, six épiceries qu'on a visitées, on n'a réussi qu'à en rapporter huit; les bonshommes nous disaient qu'on arrivait un peu tard, que ça faisait déjà un bail qu'ils se les avaient fait prendre. On n'a pas eu le choix de se débrouiller comme on a pu, on s'est acheté trois paquets de sacs à ordures ultra-résistants. On peut mettre presque n'importe quoi là-dedans.

On déménage! On a été chanceux parce qu'avant-hier on ne savait pas encore comment on allait transporter nos possessions. De fraterniser avec les voisins m'a permis de rencontrer une fille (une certaine Linda, ou Sophie, ou Manon, quelque chose de banal comme ça en tout cas... j'étais sur la go) dont le père a un camion... qu'à vingt piastres de l'heure ça lui ferait plaisir de nous dépanner pour les poids lourds comme le poêle et le frigidaire et notre rhinoféroce apprivoisé (c'est une farce).

On déménage! David a décidé de faire bande à part, tout seul. Il est parti de son bord. Il était tanné de la vie de colocation, il trouvait ça trop mental. Souvent, on l'empêchait de dormir. Souvent, il devait se lever pour nous dire de se la fermer. Mais ça ne marchait pas fort. Il s'est arrangé de son côté pour bouger ses affaires, deux de ses amis gaspésiens sont venus l'aider à transporter son set et ses cossins dans un deux et demi qu'il a loué rue Dézéry coin Ontario. Comme on s'est dit, à la prochaine chicane!

On déménage! Définitivement, ce n'était pas une bonne idée de boire hier soir. Rudy et moi attendions Justin qui ne survenait pas. On s'inquiétait, on commençait même à se fâcher; s'il s'imaginait qu'on ferait tout à nous seuls! Vers dix heures du soir, on a décidé qu'on était écœurés d'empaqueter, on a acheté de la bière pour relaxer ainsi qu'un surplus au cas où Justin n'aurait pas eu le temps de s'approvisionner avant d'arriver en ville. On a bu et jasé jusqu'à ce que Justin débarque, à deux heures du matin. Il avait soif, il avait eu une journée et un voyage de marde, il était content qu'on ait pensé à lui. On s'est retrouvés trois à boire et placoter comme des pies jusqu'à trois heures et demie. On exagérait. On s'en mettait trop dans le gosier. Hé! Le père de la fille devait se présenter à l'appartement à six heures avec son camion! Ça ne nous laissait pas une tonne d'heures pour dormir. On a eu la sagesse d'aller se coucher, paf.

On déménage! La tête va nous fendre en huit. À Séoul, j'avais mis le volume de mon cadran au maximum pour être certain de me réveiller à temps, cinq heures et demie. Ah! que c'est pénible pour le coco! On a tout juste eu un quart d'heure pour s'envoyer un café et une pomme. Le monsieur n'a pas été en retard d'une seule seconde. Une seconde, bonhomme! Te sens pas obligé de partir tout de suite le compteur! Relaxe, le vieux! Respire par le nez!... Il dit qu'il doit avoir fini pour dix heures; la propriétaire déclare que les nouvelles locataires vont être là à midi. Il y en a une couple qui ne batifolent pas avec le temps de nos jours. Laissez-nous la joie de dégriser! On se sent comme des pingouins en plein Sahara! Une chance que Justin est là : il a du muscle, il en a vu d'autres. Pas douchés, pas rasés, à moitié habillés, on est déjà dans l'escalier à lutter avec les électroménagers. Rudy continue de placer ce qui reste dans les sacs et des cartons de fortune. Le plus dur, c'est la laveuse : un monstre. Rendu sur le trottoir, reprenant mon souffle, en sueur, je ne sens plus mes doigts. On a pas de diable. Seigneur! on est pas équipés! On a juste nos bras pour mouvoir tout ça, même pas de gants. Le bonhomme est quand même sympathique, il ouvre lui-même les portes arrière de son camion. On le remplit, le camion. On est déjà dus pour une première livraison. Vous allez rire : Justin et moi, on a pas encore vu le nouvel appartement. Ça a pas adonné. On s'est gardé la surprise. Et quelle! Un vrai taudis! Les murs sont jaunes de saleté, les parquets tachés et craquelés datent d'environ vingt ans et il manque la moitié des portes (c'est-à-dire que deux pièces en sont dépourvues). Sans vouloir se prendre pour d'autres, on en bave un sérieux coup à monter nos archaïques appareils jusqu'au deuxième. Le temps est humide et chaud, on a des ruisseaux qui nous coulent sur les tempes, les épaules. Le frigidaire, avec lequel on termine, nous cause des problèmes. On ne réussit pas à le faire passer. On en profite pour le déposer sur une marche dans un équilibre précaire, Justin ayant le plus pesant de la charge. On se regarde comme des chiots mal traités. On fait dur à contempler. On dégouline de partout, pauvres de nous. On rit de notre piètre situation pour se reposer, s'alléger.

— Et puis, Irénée! comment tu te sens?

— Faible en christ!

— Moi avec! et puis je sue pas possible!

Savoir que Justin est déjà au bout de ses forces ne m'entraîne pas dans des dispositions de courage.

— Come on! on est pas des pas capables!

On lui règle son compte, au frigidaire. On y va avec l'énergie du désespoir des alcooliques qui veulent se repentir. On décide que pour l'instant sa place est directement dans la vaste entrée près de la porte. On est morts.

—Tiens! phoque! on te met ici, mon hostie!

S'épuiser, ça choque. On a envie de s'écrouler mais la journée ne fait que commencer. Ce qui est sûr, c'est qu'elle est mal partie. Là, on peut dire qu'on a dépaqueté vite. Le pourcentage d'alcool qu'on avait dans le sang s'est envolé en petits zéros mouillés autour de nous. Il faut redescendre, remonter dans le camion. L'autre nous attend, patiemment, avec un cure-dents qui lui sort de la bouche et une énorme casquette de base-ball blanche sur ce qu'il a de dégarni.

— Si ça fait mal, les jeunes, c'est que c'est bon!

Dans quoi je m'emmêle? Croûton! On te paye pas pour nous causer! mais nous aider à transporter nos causeuses! Ça fait que roule de là!

Il y a un trafic monstrueux sur De Lorimier. On dirait que la moitié de la ville déménage. Je ne compte plus les petits, moyens et gros camions que je vois tenter de circuler. Tassez-vous! Faites de la place! On a eu l'idée avant vous! Notre argent est prioritaire! On est sur le compte heures, nous!... Rue Chabot, on constate que des gens sont venus à la rescousse. Ma mère et sa voiture sont là, ainsi que Lee. Ça va mieux aller, là. Bonjour mamie! bonjour Lee! Ça gaze?... Comment ça, je pue la boisson? Le poisson? Ce n'est pas de ma faute! C'est les autres qui m'en ont fait avaler de force! Rudy est en train de placer son bric-à-brac dans le coffre de la voiture de Lee. Un vrai casse-tête chinois. Ma mère est gentille et attentionnée, elle a apporté de quoi manger : de la pizza froide, des bananes et de la gomme Trident. On s'y donne à cœur joie. C'est épouvantable comme il y en a à charger. J'ai le goût de chialer comme quoi c'est atroce comme il fait une de ces chaleurs mais je garde mes souffrances pour moi; on est tous dans la même marmite d'eau en ébullition. Rudy et Justin restent avec monsieur Cure-dents et son camion tandis que je fais des voyages avec ma mamma. Lee y va en solo; j'espère qu'il ne va rien casser. Chacune des voitures fait à peu près quatre allers-retours et le camion trois. Le gros de la job est fini pour dix heures. On dit à Cure-dents qu'il peut débarrasser le plancher. On l'a payé quatre-vingts piastres, c'est assez. On ne prend pas de pause pour dîner, ce qui fait qu'on achève en début d'après-midi en se laissant choir sur les divans éparpillés. Je remercie chaleureusement Lee et ma mère pour le coup de pouce. Il et elle partent. C'est plate. Ils manquent le meilleur. Le rite sacré de la bière tiède et de la pizza sans anchois. Notre nouveau salon, où presque tout le mobilier est entreposé, a des allures de capharnaüm à nous donner le cancrelat. Je pousse un profond commentaire.

— C'est fait!... le *plus* pire est passé!

Justin et Rudy partagent mon opinion.

— Mets-en!

— Je ne suis pas mieux amanché qu'un calmar!

Disons que pour une seule journée, on s'est cassés comme pas un physiquement et monétairement. Je ne sais pas ce qu'on a mais la bière passe comme ça, comme si la Séoulerie d'hier soir remontait à loin. On a traversé la caisse de vingt-quatre avant le souper; Justin s'est sacrifié pour aller en racheter. Ça baigne dans l'huile à morue, les potes! (Je n'ai pas la prétention ni l'habitude d'ainsi m'exprimer mais ça m'a filé entre les palmes.)

***

On repeint! Uppercut! Vipérins! Impromptus!... On est le lendemain d'hier! Côté surfaces, il y en a un paquet à faire. On se laisse aller le pinceau. On s'arrose de gouttes de blanc latex. C'est le propriétaire qui fournit les deux vingt litres : on ne se gêne pas pour se servir. T'en veux-tu une bonne épaisseur? En voilà une! Puis deux! On débute par la cuisine. Je suis monté sur le frigidaire à rouler le rouleau au plafond. Après un bout de temps, j'ai le bras faible, je lègue la place à Justin et m'occupe des armoires, les deux pieds dans l'évier.

On repeint! Aujourd'hui, c'est Rudy qui nous commandite. Il rachète une caisse pour tout le monde. Il s'applique sur les murs, les cadrages, sur sa bouteille comme nous. Il s'occupe aussi de faire jouer de la musique dans le système qu'on a pas langui à installer de manière fonctionnelle. Notre réputation de bruyants, ça ne sera pas long qu'elle courra par planchers et plafonds pour mettre nos concitoyens au courant. Pas vraiment de danger pour en bas; c'est un magasin, *Aux mille aubaines*, appartenant aux deux aubergines qui y travaillent. On peut piocher! tabasser! bardasser! cogner du talon comme on veut! Ça flotte. Pas un bruit ne passera. On ne pouvait pas demander mieux.

On se peinture! C'est plus comique comme ça. On se joue de vilains tours en faisant cependant attention de ne pas trop dégoutter sur l'horrible parquet. Rudy en a plein la face. Moi les bras. Justin le bout du nez. Et dire qu'on a pas encore posé le rideau de douche. Va falloir aller faire du magasinage avant que tout ne ferme. Le commerce d'en bas tombe bien, c'est l'endroit idéal pour trouver des objets essentiels à prix bas tels des couvercles de toilettes ou du papier hygiénique à sabler pour les sado-maso-boulo-dodochistes. On termine la cuisine en début de soirée. Ça a pas été de la tarte, c'était graisseux pas possible. Là, on peut être content, c'est de l'immaculé. Nos mères seraient fières. Justin doit encore partir. Il travaille demain dans son camp d'orientation dans le bois et la brousse sans se perdre... faut que les enfants apprennent ça si on veut pas en avoir plus tard qui ne sauront pas distinguer une canneberge sauvage d'un pisseux au lit. Justin doit attraper son autobus pour vingt heures; faut pas qu'il traîne de la patte. Il a ses bagages à chercher pour les préparer. Il capote. Il ne réussit pas à mettre la main sur ses sous-vêtements. Je lui dis de fouiller dans les sacs Glands qu'on a pas encore ouverts dans un coin du salon. J'ai bien fait. Il a bien tout chamboulé sens dessus dessous derrière lui pour finalement s'envoyer un slip rouge sur un genou.

184.

— Leurre et cas! Je les ai!

Trouvés dans le contenu du troisième sac qu'il vidait violemment sur un divan.

— Fais les citations, Justin! Une chance que ça n'a pas pris le bord des vidanges!... Ç'aurait pas été fameux comme organisation!

Rudy a raison. Il faut qu'on s'organise, qu'on se place un peu, qu'on trouve où le shampooing s'est caché et qu'on se fasse faire des doubles des clefs. J'ai abandonné pour les aspirines. C'était trop souffrant pour tenter de les trouver pendant plus d'une heure. Je m'en suis racheté.

Le déménagement a déboussolé Mesure. Elle a l'air perdue comme un chien qui court après sa queue, elle renifle partout, explore les moindres coins, se cache des heures entre deux boîtes ou dans le tapis roulé. C'est le traumatisme. Pauvre douce boule à moustaches. Pour la transporter, c'était le luxe *Hilton* : elle avait sa cage à poignée à air déclimatisé, en automobile diesel de ma mère. Ça vrombissait jusqu'à la cime de chacun de ses poils. Elle n'a pas encore fait de dégâts, en apparence.

— Mesuremesuremesuremesuremesuremesure Extrême!

Elle doit être écrasée sous une boîte de quinze livres de sparadraps. Elle n'arrive pas. Elle n'est pas foutue d'apprendre son nom comme vous et moi. Des fois, elle me déçoit. Des jours, il ne faut pas lui en demander trop. J'utilise l'appel universel de ralliement des chats.

— Minouminouminoumi (je reprends mon souffle) minouminou!...

— Ça va, Irénée! Ton imbécile de chat a dû t'entendre!

J'énerve Rudy. C'était mon intention. Ah! Ma gracieuse Mesure sort de sa cachette! Elle se demande ce qui se passe, elle ronronne, elle se frotte le museau contre ma jambe, elle me gravite autour, elle est heureuse de me voir, peut-être croit-elle qu'on va rentrer à la vraie maison rue Chabot, qu'on va quitter cet endroit de fous, ou qu'elle aura droit à de la nourriture *en conserve*.

Justin nous quitte, sac de sport à l'épaule, cigarette au bec, attitude résignée du gars qui fait ce qu'il a à faire. Tout mon contraire.

— Bon eh bien salut les gars! à la semaine prochaine si Dieu nous chie pas dessus!

— Ciao!

À vingt heures trente, Rudy et moi attaquons le salon avec nos pinceaux. On termine la dernière couche à deux heures du matin.

C'est fou comme on a une vie captivante.

31. SPRAY DE FINITION PRISE DEUX

Je ne sais pas ce que j'ai aujourd'hui mais en tout cas je n'ai pas l'organe central de mon appareil circulatoire à l'ouvrage. J'ai dû l'oublier en chemin entre les deux appartements. Lee et moi sommes à Montréal-Nord à tenter de nettoyer des vitres qui ont plus de graisse que de verre. Même nos meilleurs détergents n'en viennent pas à bout. On s'exténue. Lee commence à pogner les nerfs. Il aimerait mieux que ce soit le taureau par les cornes mais on bloque et la cliente hausse la rauque voix qu'elle a.

— Je veux ça im-pec-cable!

— On fait notre gros possible, madame... mais c'est taché coriace!

Un contrat d'une heure nous en prend trois. Aux regards en coin que me décoche Lee, je me dis que je suis peut-être moi aussi une des causes de notre déconfiture. Je n'arrive pas à fonctionner rapidement comme lui. Il fournit deux fois plus que moi. Il t'enlève ça, te lave ça, te replace ça dans le temps de le dire. Je traîne de tous mes membres. Une moustiquaire me semble peser comme une porte-patio, les portes-patio je n'y pense même pas, je les laisse à Lee qui ne perd pas un seul instant à cogiter et s'agite comme s'il était couvert de tiques. J'en sue et j'en arrache, tellement que tout ce qui me retape quand je reviens chez moi, c'est les deux bouteilles qui m'attendent dans le frigidaire. Je mangerai plus tard.

Il faut que je me dompte, que je me flagelle à me coucher tôt. Je n'endurerai plus grand-chose si je continue de m'endormir toutes les nuits après trois heures. Je vais avoir le système en compote. Rudy a fait du zèle. Il a presque tout placé. Il était en congé. A le salon décoré, la cuisine fait briller, la salle de bains fait sentir propre. Ça commence à avoir de l'allure, les gars. On va parvenir à tirer quelque chose de cet endroit-là. Le petit lutin punk tient à me demander de quoi qu'il ne sait pas si je vais être d'accord avec. Je lui dis de s'essayer; on verra voir, tout ouïe que je suis.

— Est-ce que ça te dérangerait si on hébergeait un gars que je connais pour quelque temps?

— Qui ça?

— Gregorio, il n'a plus d'endroit où rester...

Ah! J'avais omis de vous en parler, de lui. C'est un ami en cavale, Mexicain de provenance, que j'ai rencontré trois ou quatre fois pendant des fiestas et que je n'ai jamais compris. Il parle mal l'anglais et très peu le français. Mais il est drôle. Il a toute une paire d'oreilles. Une méchante a dû le lui dire : il se laisse pousser les cheveux.

— Et pourquoi il n'a plus de place où rester?

— La fille chez qui il était l'a mis dehors parce qu'elle est partie vivre chez son chum. C'est arrivé en fin de semaine... Gregorio est venu faire un tour cet après-midi, il est dans la dèche!

— Il a vraiment plus de place où dormir?

— Les deux nuits précédentes, il les a passées dans des parcs!... je l'ai laissé prendre une douche tantôt...

— Il est reparti où?

— J'ai plus ou moins compris... chercher un travail, je crois...

— Il a pas le droit!

— On s'en sacre!

— Hum!...

— Ça serait juste temporaire! deux ou trois semaines au max!

— Bon... Au quai!

De toute façon, c'est Rudy qui s'organise avec ça. On a un matelas de trop qu'on a placé dans sa chambre double. Gregorio sera fou comme de la selle d'avoir son coin à lui. Ça va mettre un brin d'exotisme dans la place.

— Mais qu'il apporte sa propre bouffe! C'est pas un centre d'entraide ici!

— Je lui dirai!...

32. CELLE QUI PORTE UNE ROBE BEIGE

L'été! C'est l'été! Voilà l'été! Voici l'été! On a l'été! Bonjour! Christ d'été qui a plus d'un tour dans sa valise pour toute une vie te gâcher. Lee conduit sa voiture d'une main. L'autre pend dehors. Moi, mon avant-bras au complet pend sur la carrosserie; mon autre avant-bras n'en fait pas plus que le reste de mon corps, mon inutile corps, mon corps en trop. Une autre journée de travail est terminée. Je l'ai dans le pare-brise. Mon corps sert à travailler. Mon travail me rapporte des bidous. Avec les bidous, je m'achète de la bouffe. La bouffe, quand j'ai faim, je la mange, quand le Mexicain Gregorio m'en laisse. Le lendemain d'avoir mangé, j'excrémente. Je m'écœure moi-même. Quand j'ai mon existence dans le collimateur d'une arme, je parle de dégueulasseries. L'été, il fait clair plus tard. Le soleil brûle. La chaleur est insoutenable. On voit mieux les soutiens-seins des femmes. Mon ingénieuse et inventive analyse de la saison hostivale m'a déplacé le collimateur du côté jardin des jeunes femmes. C'était irrémédiable. Riez, mes diables! Vas-y, ma greluche! Je m'emporte. Il faudrait qu'une sorte d'autorité me déporte. J'ai peur de faire des malheurs. Qu'ils s'occupent de Gregorio avant! Il travaille illégalement! en dessous de la table! et quand il s'y trouve, il en profite pour tâter les cuisses de nos femmes, il fait son tout fier d'en ramener à l'appartement des soirs pour nous baver, pour nous montrer comment ça marche, courir après les jupons par chez lui, à nous petits Kébékékois mal baisés.

Nora! Ah!

Lee! Arrête! Stoppe la voiture! Fais quelque chose, ralentis!... Sur le trottoir, en train de marcher, devant la banque, c'est elle, la beauté, la blonde citron, l'amère, celle qui porte une robe beige, qui maîtrise le vent pour que ça la moule, que ça laisse paraître des morceaux de peau qui valent leur pesant d'or... l'impitoyable Nora! Qu'elle est belle! Mais faut pas trop lui dire. Ça lui monte à la tête et quand elle a bu, sa machinerie croit pouvoir tout faire s'élever d'un coup d'œil, d'un coup de cils sur les lunettes des autres. Une minute! Une seconde! J'ai des petites nouvelles pour toi! Je ne sais pas lesquelles mais je finirai bien par en inventer. Je sors ma tête du char. Mon maigre bras lui envoie des signaux. Je crie.

— Nora!... Salut!...

Elle se demande une seconde d'où ça provient, l'éclat verbal... puis elle me voit, a juste le temps de me sourire, de faire un bye-bye. Je ne sais pas ce que j'ai; je me sens ému mais mou à cause d'une espèce de tristesse qui me tombe dessus comme un boulet.

Lee. Me. Reconduit. Chez. Moi.

C'est-à-dire nulle part.

***

Mesure et moi, on se stimule à ne plus jamais manger un seul morceau d'animal, à part les œufs et peut-être les poissons. Mais elle, ça fait un bout qu'elle a débuté: depuis qu'elle est chaton qu'elle ne mâche que sa bouffe sèche, une sorte de céréale aromatisée. C'est décrété! Je change radicalement de régime alimentaire! Je ne serai plus celui qui profite de la vie des autres formes de vies, mais seulement de la mienne. Je mordrai dans mon bras avant de m'en prendre aux muscles des autres, même d'un rat. Et je ferai de la propagande. Couché dans mon lit, Mesure ronronne sur mon ventre. Si je suis dans ma chambre, c'est parce que Gregorio est dans le salon. Ce n'est pas que je ne l'aime pas, mais je ne le comprends pas. Je ne fais pas trop d'efforts. Il regarde la télévision; un poste anglais. Rudy travaille tard; il fait des heures supplémentaires. S'il continue ainsi, il va faire un burne-hâte. Mais je me mêle de ce qui me regarde : Mesure actuellement. Cet animal-là est intelligent comme un humain. Il lui manque juste quelques facultés, dont la cruauté. Pas une seule décoration dans ma chambre, pas même un poster... Ça va rester comme ça. Blanc sale. De ma fenêtre, je vois l'intersection Mont-Royal-De Lorimier. Devant, il y a la *Banque Laurentienne*, une animalerie, un magasin de cossins. Sur le trottoir, des gens. Dans la rue, des voitures. Ah! la vie et la ville sont tellement bien faites.

J'en ai appris une bonne de David. Il a postulé un emploi aux *Peintures Denalt* et y a été engagé. Trop tanné de travailler chez un épicier, il empile maintenant des vingt litres. Ça c'est bon pour lui. Ça va lui rehausser le ventre qu'il trouvait gras. J'espère que les gars de l'usine ne vont pas trop lui en faire voir. Dehors, le bruit est pas endurable. Pas moyen de laisser la fenêtre ouverte. Trop d'autos qui roulent, de camions, d'autobus. Pas moyen de dormir en paix. Et il fait si chaud que le drap me colle sur le dos, sur toute la peau. On suffoque. Quand je fais de l'insomnie à cause du bruit et/ou de la chaleur, je lis au lit. Quand je fais de l'insomnie à cause d'images de filles vues dans les rues pendant la journée et qui restent collées comme des pieuvres dans ma mémoire, je fais ce que tout bon célibataire fait. Mesure, couchée à mes pieds, se demande toujours ce que c'est.

— Déguédine! Ce n'est pas la tienne! que je lui dis en chuchotant quand elle croit que j'ai inventé un nouveau jeu et qu'elle y donne un coup de patte pas dégriffée.

À regarder le plafond bouger et les murs respirer, ça fait des soirées longues. Je ne peux rester éternellement enfermé dans ma chambre. Je me mêle au monde. Il n'en manque pas, dans l'appartement. Les filles viennent souvent puisqu'elles habitent à moins de cent mètres... ainsi que des amis à Rudy et des connaissances à Gregorio. C'est rare qu'on ait pas de la visite le soir. C'est ce qui fait le charme de l'endroit. La bière coule à flots, cigarettes et joints s'y fument comme des cheminées, les conversations y vont bon train... les conserves s'épuisent... un vrai centre bite-nique. Puisque Justin n'est presque jamais là, on a permis à un ami de Rudy et Gregorio d'utiliser sa chambre quelque temps. Erreur! Fatale erreur! Je ne me doutais pas qu'il puait autant des pieds, qu'il consommait tant que ça de la marijuana. L'appartement empeste! Et sa blonde brune mineure qui est toujours là, à mouiller pour les insipidités qu'il lui dit, dans la chambre de Justin transformée en havre d'heureuse copulation latine et odorante.

Dans le salon, elle me dérange en pleine lecture.

— Tu lis quoi?...

— Je lis *Va savoir*...

— Ça a l'air plate...

— C'est ton problème, belette...

Qu'ils aillent jouer ailleurs! On n'a pas besoin de ça chez nous, des invités qui se pensent chez eux! qui te disent de changer la musique quand ça ne leur plaît pas! qui chialent en plus quand tu leur empruntes une bière!... Wo là! Deux minutes! Deux secondes! Rudy, si ce gars-là et sa sangsue ne décampent pas d'ici au plus fouettant, je vais m'énerver! je peux te l'assurer! Jusqu'à maintenant, parmi ceux qu'on a été assez ouverts d'héberger, il n'y a pas un maudit verrat qui a craché de l'argent comme il disait qu'il le ferait. Bande d'hypocrites! De menteurs! Attendez voir que Justin revienne! Ça va brasser!

***

J'ai visé juste. Le barbare est venu faire un tour pour trois jours. Il a considéré qu'il y avait des limites aux échanges multiethniques et a dit à l'envahisseur qu'il pouvait disposer avec un coup de pied dans le culturel. Il nous a savonnés, Rudy et moi. On s'est excusés. On voulait seulement aider un zouave, qui s'est installé. On est plus des gros parleurs que des gros faiseurs. Malgré ma frustration, je n'ai pas transmigré grand monde, je n'ai pas fait beaucoup de vent. Aussitôt arrivé, Justin a laissé sa fenêtre grande ouverte et a pulvérisé l'air de sa chambre avec un aérosol aux fruits des champs.

— Putain! il n'a jamais pensé d'aller voir un médecin?

Ça adonne bien; il est revenu en plein pour mon anniversaire. J'ai vingt-cinq ans aujourd'hui, samedi, et ce soir c'est la fête. On va tester la force de résistance de l'immeuble, on va voir ce que les fondations ont dans le ventre. Les gars font venir de la pizza pour le souper. J'en mange pas, c'est couvert de pepperoni, beurk! Je me prépare une salade de pois chiches bien vinaigrée, en solitaire, comme un homme qui tient mordicus à sa nouvelle prise de conscience. Ça ne bourre pas mais ça fait un fond. Je ne suis pas à la veille de prendre du poids. Tant pis. Ce sera pour une autre vie. On attend une bonne quantité de monde. Il n'y aura pas de mètres cubes d'espace en surplus. Gregorio a compris qu'il ne s'agençait pas avec le décor de la soirée, il est parti après le repas rejoindre d'autres Latins au centre-ville. Bon débarras. Tu reviendras quand t'auras acheté du papier hygiénique pas cheap, pas à une seule épaisseur, parasite.

La boisson se met à descendre, gratuite pour moi ce soir. La visite sonne. On tire la corde pour que la porte d'en bas se débarre. La visite monte l'escalier, donne des bisous ou une poignée de main... J'éclate de bonne humeur, de joie; j'ai l'impression que tout ce monde, tout cet espace, ces bières, ces yeux, m'appartiennent. Je suis la vis du spectacle, l'étoile polaire, le roi des animaux. En peu de temps, l'appartement se remplit; les filles monopolisent les divans, les gars se contentent du tapis, des chaises... Tous mes amis du quartier sont là, buvant, parlant, riant. Cécile m'a fait un gâteau. Je souffle les chandelles. Ma mère arrive comme une surprise et prend tout le monde en photo. C'est tellement parfait que je souhaite crever là, m'immortaliser là...

33. UNE GAME DE CRIBLE SUR UN NÉNUPHAR

C'est le temps des vacan-an-ances!... la saison du so-o-oleil!... Mois d'août! Hé oui! Ça va vite, la vie. Lee et moi avons décidé de nous la couler douce pendant une semaine dans la nature, à Chertsey, pas loin de Rawdon, au camp familial Saint-Urbain (rural). C'est notre lieu de repos spirituel; un été sans y avoir été est un été raté, comme celui de l'an passé. C'est là que j'ai rencontré Justin et Lee pour la première fois. À l'époque, j'avais vingt ans. Ça a changé ma vie. Ç'a été un phare dans ma noirceur. C'est aussi là qu'on m'a présenté Alfréda, Cécile, Coraline... et d'autres. Tous ces jeunes se connaissaient depuis l'enfance, leurs parents ayant cohabité dans la même commune avant que leurs rêves de psychédélés s'évaporent comme leurs belles idées et que tout le monde parte de son bord, pour aller divorcer. Le groupe de jeunes amis se fréquentait donc depuis des lustres et moi j'arrivais un peu tard dans le décor mais ils m'ont aimé tout de suite, même si j'étais timide et que j'avais les pieds dans le même plat. J'avais vécu un des plus beaux moments de ma vie. Tous ces gens, des créatures tombées du ciel, je les avais rencontrés juste à temps, juste au moment où je me sentais m'enfoncer dans une inévitable spirale de solitude. Ç'avait été épouvantable comme coup de foudre multiple : un béguin immédiat pour Alfréda qui me faisait de l'œil avec ses verres de contact, Cécile qui de la flûte jouait le soir au clair de lune sur le bord de l'eau, comme une fée, et puis la langoureuse Coraline avec qui je n'osais rien espérer tellement elle avait l'air parfait d'une poupée poulpeuse. On dormait dans le plus beau des chalets, le Magoshan, une vieille cabane en bois rond construite par un médecin de campagne vers 1910, située tout près du lac, avec des lits pour une dizaine de personnes et une grande véranda en avant pour regarder les gens qui se baignent, le coucher du soleil, le ciel, la lune. Le camp est complètement perdu dans le bois; le chemin en terre qui s'y rend t'endommage une suspension en moins de deux. Faut s'habituer à manquer d'eau, à prendre sa douche aux trois jours, à manger des restants à la cafétéria pendant une semaine. La vie sauvage, quoi. Pour ceux qui aiment ça, des animateurs se fendent les fesses pour t'animer une journée quand tu ne sais quoi en faire. En général, c'est les enfants qui en sont les victimes; et parfois les plus vieux, qui ne savent pas quoi faire avec cet air pur et cette parfaite liberté qui leur est léguée, qui ont l'instinct de vouloir être dirigés comme partout ailleurs. Il ne manque pas d'eau pour ceux qui veulent faire du canot, du pédalo... pas d'arbres pour ceux qui veulent aller se perdre ou forniquer, d'activités animées pour ceux qui ont la tête vide comme un coquillage. Méchant Faiblengras!

L'endroit idéal, ce camp-là. Un vrai paradis sur terre. C'est devenu une habitude sacrée d'y aller chaque été. Mais le temps nous a eus, presque tous... et le temps, c'est le maudit travail. C'est pas tout le monde qui a des deux, trois semaines de congé payées par année. Y en a qui doivent payer pour d'autres.

Ça donne que là on n'est plus un banc, mais un détachement. On part de Montréal dimanche en début d'après-midi. Lee ne veut pas changer de poste de radio, il fait partie du million ou je ne sais trop d'auditeurs imbéciles de CKOI. L'horreur. Une heure et demie de route à endurer ça. On est juste nous deux, les autres sont déjà rendus depuis quelques jours. Les fenêtres de la voiture sont grandes ouvertes, le vent souffle tel un djinn, des kilomètres de champs défilent de chaque côté de la route... un nombre incroyable de fermes, de vaches, de chevaux. Je crie après mes amies mammifères.

— Hé! Salut les vaches! Broutez-en une bouchée pour moi!

C'est le genre d'affaire qui fait rire Lee. Il meugle :

— Meuuuh!

Le ciel est bleu avec seulement quelques nuages; on ne peut rien demander de mieux. Ça pue le fumier. Quand j'étais enfant, dans la voiture de mes parents, ça me dégoûtait. Je disais : «Wouach, wouach!» en me pinçant le nez. On quitte la 145, on prend un plus petit chemin, avec moins de circulation et plus d'arbres. Une couple de kilomètres plus loin, on tombe sur le sentier cahoteux de mauvaise réputation; pas moyen de rouler à plus de dix km/h sans risquer d'abîmer le châssis. On arrive. On débarque. Attention tout le monde! Ça va festivalitiliser! On stationne la voiture dans le parking à l'entrée et on marche avec nos bagages sur le dos à travers le terrain central qui communique avec le sentier menant au Magoshan, sur la berge du lac. Qu'on est bien! Justin, qui jasait sur la véranda avec son frère Godefroy, nous accueille avec des bières.

— Hé! Oh! Si c'est pas les renforts!

Je saute sur la bouteille tiède que m'offre Justin. Ils sont en train de disputer une partie d'échecs. Godefroy a à peine levé la tête pour nous saluer, il est concentré sur le jeu; il va bientôt perdre, à ce que je vois.

La porte-moustiquaire du chalet s'ouvre et Nora en sort en maillot de bain, une serviette autour de la taille.

— Allô Irénée! Allô Lee! Vous venez d'arriver?

— Exact!... Alfréda n'est pas là?

— Oui oui! elle est à l'eau! elle est super chaude!

— L'eau ou...?

Elle rit. Elle me comprend.

— Alfréda? Tu penses! J'ai hâte de voir ça!... Tu viens te baigner?

— Euh... pas tout de suite! Je vais ranger mes affaires! et j'ai une bière à boire!

Elle descend les marches, se dirige jusqu'à la plage bétonnée. Je la suis des yeux, ébloui. Lee, qui m'observait en coin, a vu mon petit manège.

— Bon! Irénée! on déballe nos sacs?

Je me tourne vers lui d'un air coupable, comme s'il m'avait pris la main dans un sensuel de sac. Il a le sourire moqueur.

— Hé oui! C'est dur, des fois!

Je prends un lit dans un coin sombre du chalet. Lee, lui, s'installe près de la porte. Ça me fait un étrange effet de me retrouver au camp. En pas plus de cinq minutes, Lee se met en maillot et vole tel Superman vers le lac, sa serviette sur le dos.

— À l'abordage! Le dernier trempé est une tapette à mouches!

Wo là, bonhomme! Moi, la baignade, ce n'est pas mon fort! Faut que je crève de chaleur pour avoir le courage de fréquenter les algues, les poissons et les machins-choses qu'il y a là-dedans. Je prends mon temps à ordonner mon gîte. Je me sens à l'aise dans l'obscurité rafraîchissante du chalet. J'entends dehors des enfants qui jouent, qui crient, le sifflet du garde-vie, Justin qui rit et Godefroy qui grogne. Assis sur mon lit, dans une sorte de lune, je m'imagine au beau milieu d'un torrent de silence avec toutes ces vies et ces éléments qui me tournent autour, des foules entassées dans de minces embarcations, des bébés sur des nénuphars, des abeilles messagères. Je m'endors... puis, ma rêverie se brise. La porte s'ouvre, brusquement. Quelqu'un entre, suivi par la lumière et les sons amplifiés. Je vois mal. La forme va dans ma direction, vers le lit pas loin du mien. Ah! Je devine à qui j'ai affaire! Une de mon trio préféré!

— Hé, Alfréda!

Elle sursaute vivement, se tourne vers moi, replace un peu la serviette qu'elle s'apprêtait à enlever d'autour de sa taille.

— Mon doux! Irénée! Tu m'as fait peur!

— Ah ah! Tu me voyais pas?

— Non! c'est sombre ici... mes yeux ne sont pas encore habitués!

— Ça va bien?

— Oui... toi?

— Oui!

— Euh... est-ce que tu peux sortir deux minutes? Je veux me changer...

Je sors. Elle avait les cheveux mouillés, sur ses tempes et son cou collés. Ses épaules, ses beaux bras étaient clairs comme le marbre d'une sorte de statue antique. Arg! J'ai l'intuition que, finalement, c'est des sales vacances qu'on va me faire subir. Satanées filles! Ouste! Laissez-moi souffler!

Avec tout le monde qui insiste, qui me pousse dans le dos, je me décide, pour ne pas paraître ridicule, à aller me saucer. Ce n'est après tout pas si pire que ça, l'eau est bonne et mes pieds ne touchent rien de visqueux sauf une grosse pierre couverte de quelque chose de gluant. Ce qui m'achale, c'est d'être obligé de me débarrasser de mes lunettes : je suis myope comme une taupe, je ne reconnais personne à plus de trois mètres. Si j'ai l'intention de jouer des tours, va falloir que je fasse attention à qui je m'en prends. Je reste là à m'amuser avec Lee et Nora jusqu'à ce que la peau de mes doigts ratatine... Des enfants ont laissé flotter sur l'eau des espèces de nouilles géantes, de longs spaghettis en foam avec lesquels on a organisé un genre de bataille navale. Naturellement, c'est Nora qui mange le plus de coups sur le front. Elle ne s'applique pas assez au jeu. Elle ne fait que rire et crier qu'elle ne veut plus jouer. Quand on décide de grimper sur le quai en T, Lee fait semblant de perdre son maillot avec un «Oups!»; on voit la moitié de ses fesses. Nora, ça la rend tout excitée.

— Wow-wow-wow!

On s'allonge sur les planches pour retrouver notre calme et contempler le ciel. Nora se grouille pour retourner au chalet en s'emmitouflant dans sa serviette, claquant un peu des dents. Je ne sais pas ce qu'elles ont toutes à vouloir cacher leurs œuvres d'art. Je philosophe avec Lee.

— Ah! Ça c'est la vie!

—Tu peux le dire!

Le lac est comme un miroir quand on le regarde couché. Les nuages filent lentement. Là-bas, à la cime de quelques conifères, on voit un quartier du satellite naturel sur fond bleu, en avance. La lune n'est qu'une sorte d'erreur. Au bout d'une demi-heure à se prélasser, on frissonne, on ramasse nos serviettes. Le soleil est caché par un gros nuage. C'est comme si la température avait chuté de dix degrés. On se ramène vers le chalet pour parler avec Godefroy qui bronzait sur le gazon. On sèche vite. Les deux filles sont déjà en route pour la croûte. Elles s'en vont par le sentier de garnotte en direction de la cafétéria. Elles ont faim à force de se faire aller les reins à rien. Les gars et moi, on prend le temps de boire une autre bière, pour nous ouvrir l'appétit. Je me rhabille.

Geling geling!

C'est la cloche. L'heure de la boustifaille des campeurs. Faut pas niaiser si on veut qu'il nous en reste. Allez les gars! On court! On fait de la poussière derrière comme le road runner! On monte par trois les marches de l'escalier de la cafétéria! C'est moi le plus essoufflé! La salle est bondée! Elle est où notre table? Ah! Là-bas! À droite au fond! Hé! les filles! Laissez-nous-en! Cochonnes! Dévoreuses!

Vive les vacan-an-ances! Ce n'est plus ce que c'était mais c'est préférable à être bloqué sur le boulevard Métropolitain à l'heure de pointe dans le gros de la canicule. Maintenant, amenez-en des coups de soleil! Des piqûres de maringouins! Des roches entre les orteils! On a pas peur! On a connu l'enfer de la cité, nous! Il n'y a plus rien pour nous effrayer à cette heure!... Je m'empiffre de salade : quatre bols.

196.

J'y vais aussi fort sur le dessert : je m'adresse à Alfréda, question de tâter le terrain pour voir s'il est encore un peu sur les hautes.

— Hé! On a toute une semaine devant nous! Faudrait pas qu'on risque de s'ennuyer!... T'as des idées d'activités, Alfréda?

— Euh!... ça dépend s'il continue à faire beau!

— On peut aller se prendre!... dans le bois!... un soir!

— Tu peux aller t'y pendre si ça te chante, coco!

Le sens de la répartie en plus de ça! Elle est vraiment adorable! J'en veux des dizaines comme ça! On jase on jase mais il y a de la vaisselle à laver. Justin se porte volontaire et moi essuyeur avec Lee. Les filles partent digérer, la clope au bec et la démarche pas piquée des vers, vers le chalet. Après la corvée, Lee et moi on revisite le site. On va faire un tour au Tamagoshi, la longue bâtisse qui abrite une salle pour les loisirs, les spectacles de soirée. On y rencontre quelques animateurs, surtout des nouveaux et des nouvelles, des ados en majeure partie, qui ont de la misère avec les petits. Il y a une couple de récalcitrants, à ce que j'entends dire, cette année. Godefroy vient nous voir, déguisé en Peter Pan.

— Hé les gars! Vous venez nous rejoindre au chalet des animateurs ce soir?

— Pars pas des rumeurs! dit Lee.

Lee, il aime ça faire du social. Je sens qu'il va s'éterniser là. Il a déjà fait de l'animation à l'auberge où travaille Justin; il a un paquet de sujets à partager avec Godefroy et les autres. Je m'en vais de là. Je m'impressionne. Ça n'a pas été long pour que je me retrouve seul. Ça doit être dans ma nature de taciturne. Je marche au milieu du terrain central sans trop savoir où aller. Deux gars de l'entretien jouent au basket-ball autour d'un panier accroché à un poteau, des enfants jouent avec le feu en essayant d'aller le plus haut possible sur les balançoires, des femmes sans mari circulent par-ci, par-là dans les environs, cherchant leur progéniture ou un amant. Palpitant. Je retourne au Magoshan. Alfréda et Nora sont sur la véranda. La première, les yeux dans le vide, est assise sur un des vieux divans défoncés; la deuxième fait des patiences, installée à la table, avec des cartes qui ont dû connaître la guerre. Naturellement, je dois faire mon imbécile des profondeurs.

— Quoi de neuf, les filles? Combien de huit, Nora?

Va falloir que je reprenne mes cours d'approche par correspondance.

— Rien de plus que toi, en tout cas! me lance Alfréda.

— Irénée! tu veux jouer une game de crible avec moi? s'il te plaît?

— Euh...

— Envoye donc! juste une!

Quand on te fait de ces yeux-là, t'es pas mieux parti qu'un gueux, mes aïeux. Ça ne prend pas une seconde que je suis assis sur une chaise devant elle.

— D'accord!... Pourquoi pas!... Si t'insistes! mon incestueuse!

— Quoi?...

— Rien!... Je m'amuse avec les mots! pour avoir moins mal...

— De quoi tu parles?

— Rien!... Rien rien...

— Allez! Dis-le!

— Étouffe!... Je dis n'importe quoi!

— Tu nous perds vite avec tes poésies!

— Bon!... Tu me brasses ça, ce paquet-là?

Elles ne l'ont pas enregistrée, celle-là. La perversité a des degrés de subtilité qui ne peuvent atteindre les chastes oreilles. Elles doivent posséder une sorte de protection innée contre ça. Si seulement elles devinaient le moindrement les pensées vicieuses et dépravées qui rôdent dans le fond des boîtes crâniennes des mâles, elles nous feraient la guerre raide là sans discussion, sans tergiversation, telles des Amazones en furie.

Alfréda a un problème de lentilles cornéennes. Elle part pour les toilettes. Je l'aiderais bien mais mes mains sont pleines de pouces sauvages. Nora me plante pas à peu près. Les cartes, ce n'est pas ma spécialité.

— Une autre?

— Non merci! tu es trop bonne pour moi!

— Ça a pas rapport! c'est une question de hasard!

— Hasard ou pas, je suis pied!

— Pissou! pissou! t'as peur de te faire encore battre!

— On va dire...

Je la laisse avec ses valets et ses carreaux; je reprends mon cœur et entre dans le chalet. J'enfile une chemise de coton; je commençais à avoir froid aux bras. Lee se pointe. Il s'en va faire des achats au marché de Chertsey et a pensé à moi.

— T'as-tu besoin de quelque chose?

— Euh... oui!... Tu peux me rapporter une caisse de douze de... 50?

Je lui donne l'argent. Nora décide de l'accompagner; sa commande étant trop compliquée, il lui dit qu'il y aura moins de risques d'erreur si elle règle elle-même ses affaires de cigarettes, de bière, de gomme balloune et de magazines d'hommes tout nus.

L'ennui surgit sans se faire attendre. Que ce soit à la campagne, en ville, sur une autre planète... le monde est plate, la vie donne envie de bayer aux corneilles; toutes les journées se ressemblent, toutes les années se rassemblent pour former un tas compact de langueur continuelle saupoudrée de malheur et de tristesse. Je ne dis pas ça pour m'apitoyer sur mon sort, mais pour me sortir du marasme en me disant que je ne dois m'attendre à rien de l'existence, sinon à avoir mal, pour être prêt. Je dois surtout m'attendre à ce que le bonheur ne provienne pas des autres. Les autres ne pensent qu'à leurs fesses, qu'à leurs payes, qu'à leurs études.

Ouf! Plus tard, on va au chalet des animateurs. Il y a une petite fête en honneur du néant, encore. Tous les animateurs s'y entassent. C'est dégueulasse, cet endroit-là, pire que tous mes appartements réunis. Ça traîne, ça s'accumule. Il y a si peu de meubles pour s'asseoir que les gens s'installent par terre ou l'un par-dessus l'autre, partagent leurs bières, leurs drogues, leurs vêtements, leurs odeurs. Lee se laisse aller, le pauvre Japonais, il boit une bière! Nora ne lâche pas Justin d'un poil. Ah! Qu'elle le trouve drôle! spirituel! sexy! Elle ne le laisse pas respirer, elle ne le laisse pas reprendre sa salive. Godefroy fait le fou avec Lee et d'autres, ils chantent des chansons à boire, «et glou, et glou, igloo». Je ne sais pas si Alfréda s'en aperçoit mais je ne la quitte pas d'une semelle, toujours en train de m'accroupir à ses pieds comme un chien, à ne pas la quitter des yeux. Elle ne semble pas plus intéressée que moi à ce qui se passe autour, elle écoute d'une oreille, regarde entre les gens. Si elle continue comme ça, elle va finir par me faire penser à moi.

— Tu n'as pas l'air dans ton assiette, Fraisinette!

— Bof... je suis fatiguée...

Bon, bon... n'importe quoi pour cacher derrière ses yeux la tristesse qu'elle a. Ça ne marche pas avec moi, sa tristesse. Qu'elle sèche avec car ce que j'ai, moi, maintenant, dorénavant, à cette heure, c'est de l'atrocité. Car mon physique est atroce, ma face est atroce... mes vêtements, mes idées, mes projets génitaux. Atroce jusqu'à l'os! Est-ce que j'ai bientôt fini de me plaindre? Est-ce que j'achève bientôt de me lamenter?

Si je poursuis ainsi la distribution de mes bières, je ne serai pas à la veille de me rendre à Séoul. Tant pis. J'aurai toute la semaine pour. De plus en plus, les animateurs, surtout les trices, se défilent. C'est l'heure du dodo. Ça se lève tôt, demain. Y a juste les plus toffes qui toffent. Je n'en reviens pas de voir Justin baratiner si longuement. Comment il fait? Elle ne se tanne pas des fois, Nora, de ses envolées? De quoi parle Lee avec Godefroy? D'animation, d'histoires croustillantes de camps, d'activités de plein air, comme d'habitude. Damnation. Alfréda cogne des clous. J'essaie de lui faire croire que je me débrouille moi aussi dans le domaine de la construction.

— Tu t'endors, toi avec?

— Oui, je commence...

Elle se lève pour aller se coucher. J'y vais avec elle. On dit bonsoir au reste du monde. Dehors, c'est noir, avec des étoiles, quelques lumières pour qu'on puisse voir sur quel type de cailloux on trébuche. En chemin, Alfréda déclare qu'elle a faim, qu'elle croit qu'elle va se rendre à la cafétéria pour manger un petit quelque chose. Ça change mes plans. Moi qui croyais m'essayer au chalet avec des caresses. Elle part direct vers la cafétéria, ne me demande même pas si je veux grignoter avec elle, se fout d'où je mets les pieds, se fout de moi. Elle monte devant moi les escaliers de la café sans se soucier si je suis toujours derrière elle. Je reste là. Je ne bouge plus, stoïque comme un héros déchu, déchiré, décapité. Je ne sais que faire. Si c'est pour contempler un air bête qui mange ses toasts à la confiture, je préfère aller voir ailleurs si une plus sociable y est. Hé! Cocotte! De toute façon, je n'ai pas besoin de toi. Nora est plus parlable quand on lui parle de tu sais quoi. Je reviens sur mes pas jusqu'au chalet des animateurs, croise en route Lee qui s'en va s'allonger. Je lui demande comment s'enroule la soirée.

— Godefroy a été se coucher... Les autres jasent...
— Ils veillent encore un peu?
— Je ne sais pas... Ça doit achever... Bonne nuit!
— Bonne nuit...

J'entre. Je ne vois que Justin qui rigole avec Nora. Je bouscule tendrement celle-ci pour me faire une place sur le sofa. L'agitateur d'ovaires m'offre une bière. Je lui dis merci, très hypocritement. Au bout d'une vingtaine de minutes de conversation, je me rends compte que mon rôle dans cette situation est d'être de trop. Tout se passe entre eux dans leur simulacre d'échange verbal. En vérité, il et elle ne font que se regarder, avec une attitude crasse, pour que quelque chose se fasse, pour que je débarrasse. Nora a porté son attention sur moi pas plus de vingt secondes. J'ai compté. J'ai l'impression qu'ils ont l'intention de faire des cochonneries. Non? Faut que je parte de là avant de ressentir la douleur. Je termine ma bière, me décolle du sofa, pars en titubant un peu, ce qui me surprend. Avant d'ouvrir la porte et de sortir, je lance un «Bonne nuit!» mais c'est tout comme si je les avais entretenus des instruments formés d'une hélice de métal et d'un manche, qu'on enfonce en tournant dans le bouchon d'une bouteille pour le tirer, l'enlever...

Je marche sur le chemin de terre, entre les arbres, tout près des arbres, comme si j'étais l'un d'eux. Ça va faire, là! Je me laisserai pas abattre! exclure! Je me ferai pas avoir comme un perdant! Plus il ne se passera rien, plus j'agirai! Plus je serai devant le vide, plus je me remplirai de force! Plus on fera comme si je n'existais pas, plus je leur en mettrai sur le facial! Ils vont voir, les verrats! Ils ne pourront dire qu'ils n'ont pas connu Faiblengras! Je vais rester gravé dans leur mémoire pour toujours! En bien ou en mal! Ce n'est pas ça qui importe.

Qu'est-ce qui ne survient pas dans les environs?... Les gens, les enfants, le bruit, le vent... Personne ne marche près ou loin de moi... Personne ne se dissimule dans mon ombre sous le faisceau du phare fixé en haut d'un mât. Je suis arrêté, stoppé net, immobilisé au milieu du terrain central. Si je penche la tête, je vois du sable foulé par des centaines de pieds, mes bottes usées par les milles marchés, mes bas blancs, mes maigres jambes poilues. Si je lève la tête, je vois la noirceur étoilée... Si j'insiste tant que ça à parler des étoiles, c'est parce que je les aime, elles sont si nombreuses, comme des fourmis lumineuses. Je tousse. J'ai trop fumé aujourd'hui, hier, avant-hier, avant-avant-hier. Ça va faire quasiment un quart d'heure que je reste là et rien ne se produit, ne se passe, ne trépasse sauf les insectes qui s'approchent trop du phare. Ma chère mère me dirait : «Tu es dû pour aller te coucher!...» Et elle aurait raison. Elles ont toujours raison, les mères! Je retourne au Magoshan la tête basse, préférant les grains de sable aux graines étoilées. Lee a laissé l'ampoule allumée au plafond de la véranda pour pas qu'on s'assomme partout. Qu'il est consciencieux! Faudrait surtout pas qu'on le réveille. Je ne m'endors pas. Je me faufile dans le chalet sans faire de bruit. Ça dort. Ça ronfle, même. Avec une chaufferette rougissante contre le froid de la nuit... Je prends mon sac militaire. Je fouille dedans. Je reviens sur la véranda avec mon homme qui marche (baladeur/walkman) jaune fluo. Le divan ancestral m'accueille avec insolence, crouic-crac grrr-trik... Je place les mini-écouteurs dans mes fonds d'oreilles, appuie sur play, écoute une cassette de Françoise Hardy. Elle réussit à faire couler une larme salée le long de ma joue. Hé! Que voulez-vous. Je suis aussi sensible qu'un détecteur de mensonges.

Quand Nora se ramène à je ne sais quelle heure du matin et me trouve sanglotant sur le divan, elle ne sait trop quoi faire avec moi.

— Qu'est-ce que t'as, Irénée?

— Ah!... rien...

— Ça ne va pas?

— Devine...

— Je... je peux faire quelque chose pour toi?

— Ah... rien...

— Ça va aller?

— Oui oui...

— Bon, au quai, parce que moi faut que j'aille me coucher tout de suite... je tombe raide... bye...

— C'est ça... bonne nuit, bon matin... Norasthénia.

***

J'ai dormi à la laide étoile. Pas comme un grand, pas comme un qui connaît ça la nature, qui n'a pas froid aux yeux... mais, au contraire, comme un que l'alcool a affaibli, a glacé là où il était. J'ai dû m'endormir dans mes larmes et ma bave. Mes lunettes ont glissé dans une fente du divan. Quand les cris des enfants m'ont réveillé, j'étais encore lié à ma boîte à musique. L'éclat du soleil m'a frappé de plein fouet dans le creux des yeux. C'était catastrophique. J'ai été me réfugier rapidement à l'intérieur du chalet; comme un vampire, dans mon sac de couchage. Je m'y suis inséré sans flâner.

C'est les cris des enfants, les coui-couis des oiseaux, les grincements et les claquements de la porte qui me ramènent dans le monde des vivants, dans l'univers des macchabées souriants, des volatiles de deux cents tonnes. Geling-geling. Ça sonne. Ça me fait mal aux oreilles, aux tympans, au crâne, etc. Je n'en mène pas fort, large. Je n'en mènerai pas loin, aujourd'hui. Je suis bon pour le peloton d'exécution. Trêve de chialage! Je me ramasse encore avec une sorte, espèce, de genre de gueule de pin. Si c'est la faute de quelqu'un, ce n'est surtout pas la mienne. C'est eux qui se sont arrangés pour que je me retrouve là! Que ça m'accule dans mon coin de profondeur, de noirceur, que ça m'écrase exactement là où il le fallait pour que ça fasse leur affaire, à ces hosties! Ce n'est pas l'alcool qui m'a descendu autant que ça, mais l'absence de prise sur quelque chose. La sensation de mes mains et de mon regard qui se referment sur du vide. Je ne vois pas ce que les corps étrangers peuvent me rapporter pour que je puisse leur pardonner de m'avoir laissé me morfondre là, dans la molle moiteur, dans la douce décadence de mon esprit qui reprend vie parce qu'il n'a rien à perdre. Sauf encore ce jour, à jamais perdu dans le bois au bord du lac sur lequel miroitent les visages de dix mille insectes légers qui sont les réincarnations d'âmes d'hommes perdues qui croient redécouvrir et deviner et désirer la vie mais constatent qu'au néant elles sont soumises si elles se retournent et regardent le ciel. Tout cela a été dit un millier de fois. Ça va mal. Ça va bien. Ça n'a pas d'importance. Qu'est-ce que ça peut fouetter? de la crème glacée?... Je ne dis pas ça pour me décourager, mais pour m'enrager contre ce qui reste de moi. On se blase vite dans la vie. Dans la vie, on ne se blaire pas bien longtemps. Ça ne prend pas un bail qu'on finit par s'exaspérer de ce qui n'est même pas avancé, de ce qui vient tout juste de débuter, comme une journée, un journal, un jouet, un joualeur ou un jovial jouvenceau. On sait déjà ce qui va arriver. On sait déjà ce qui va survenir. Pendant une semaine, je vais rôder autour d'Alfréda, de Nora. Pour en arriver à rien. C'est trop prévisible, trop champ visible. Je vais trop perdre mon temps. Je ferais mieux de me concentrer sur autre chose, comme la nature, la Voie lactée, les affreuses, les grosses. Ça serait plus facile. Ça va mal finir, si je continue ainsi. Je vais mal finir, si je reste là ainsi. Il faut lever l'ancre et se retrousser les manches pour ne pas qu'on flanche avant l'avalanche qui nous aura. Je ne sais plus où j'en suis. Je ne sais plus ce que je pense. Ce que je veux dire. On va se faire avoir, de toute façon. Lucide ou pas.

Je suis le dernier levé. Le dernier à me réveiller dans le chalet. Je suis un hostie de paresseux. Je m'agite. Je bouge. Je vacille. On a un gros soleil cet été. Ça fait mal quand je sors. Je me rends jusqu'au bâtiment des latrines pieds nus, en bedaine, pour m'occuper de mes petits besoins naturels.

Le Magoshan est le chalet le plus proche de la plage. À dix heures ça fourmille, ça veut se mouiller et se faire griller et ça te réveille un gars assez vite. Nora et Alfréda discutent sur la véranda. Je passe devant elles comme si je n'entendais rien, comme si elles ne m'intéressaient pas. J'ai décidé que ce matin j'étais pour être de mauvaise humeur; je n'ai plus grand-chose à cirer des menus lendemains de l'humanité. Cela ne me fait plus rien.

34. L'EFFET BOOMERANG

Où on va avec nos skis dans le bain?

De retour en ville, je suis entré dans un bar, un soir, pour voir. Seul. Ça s'appelait le *Vertigo*, l'endroit. Je tenais à peine debout avec ce que je m'étais envoyé avant, dans ma chambre. C'était des vagues dans quoi je nageais; j'étais pas loin de m'échouer sur un rude de sable. Il manquait pas de monde, de fumée, de bruit, dans la place. Tout vivait, virevoltait. La seule idée que j'avais en tête était de m'en attraper une, une fille. J'ai choisi la plus belle. Une jeune beauté. Blonde. Pulpeuse à souhait. Qui jouait au billard avec des espèces d'amis. De Murielle elle avait la peau, la façon de fumer la cigarette; de Coraline les cheveux, de Cécile les jambes, d'Alfréda les yeux, de Rébecca la bouche, de Juliana les sourcils, de Fabienne les seins, de Nora les épaules, l'air crasse, visqueux... et ainsi de suite. Je me suis approché, je lui ai parlé. Elle m'a écouté, avec une sorte de sourire sadique. Je ne sais plus ce que je lui ai dit. Ça l'a dégoûtée, en tout cas. Elle m'a dit d'aller me masturber dans les toilettes. Je suis resté, elle m'a repoussé. J'avais le poil mauvais. J'ai versé mon verre de bière, subitement inspiré par le souvenir d'un singe un soir au *Central*, sur sa belle robe écarlate et sa veste en jean bleu... Ça n'a pas été long pour que ses amis viennent la défendre mais elle n'a pas eu besoin d'eux, elle a réglé son affaire et la mienne seule comme une grande d'un coup de poing à trois ou quatre bagues sur mon nez, paf!... Ça s'est mis à pisser le sang. Avec le vertige, la honte, l'accablement, la rage, tous ces beaux sentiments-là, je suis ressorti du bar, les deux mains dans la face, les lunettes endommagées, du rouge plein les doigts, des gouttes tombant sur le trottoir, des étoiles filantes, œuvre d'art spontanée...

J'ai eu ma leçon : on ne niaise pas avec les karatékas de Frankenstein.

35. TERMITES

On s'est calmé. On est retourné à nos petites affaires, à notre moyenne business. On s'est laissé avoir par l'inexistence, cette plaie, cette garce. On s'est remis au boulot des vitres, Lee et moi... lui pour entretenir sa nouvelle situation de couple nipponne, rue Machinchose, moi pour décupler mes coupes de vin et mes brunes bouteilles. L'été part mais la chaleur reste. C'est intéressant de parler de température. Tout le monde s'entend là-dessus. C'est un sujet qui nous passionne. Si tous les peuples s'entendaient pour parler exclusivement du temps, il n'y aurait plus de guerres sur terre, sur l'eau, au ciel. L'islamique dirait au dynamique :

— Regardez-moi ce ciel, mon cher! N'est-il pas assez beau à votre goût?

Et l'autre de lui répondre :

— Si! si! Merveilleux mon cher! Magnifique!

En vérité, je vous le dis, rien ne bat le fer plus que les éléments. On est tout léger, tout minuscule, comparé aux vents, aux astres, aux pluies, aux tremblotements d'éther, aux désastres... J'aime les catastrophes. J'aime les histoires de déluges, de volcans en éjaculation, de météores qui tapent fort. Plus ça en tue, mieux c'est. Plus ça en élimine de la mappemonde, plus je palpite. Périssez! Disparaissez! Dépérissez! Racaille! Rats qui caillent! Laissez la nature reprendre son droit! Tremblez, frères! En sueur, mes sœurs! Si la couche d'ozone fait de la calvitie, ce n'est pas grave! Les termites, quand elles besognent sur une cabane en bois, n'ont pas le choix, elle ne peuvent pas se dire entre elles : «Oh là! Qu'est-ce qu'on fait là?» Non... elles sont là pour ça, le travail de destruction. Quand la cabane s'écroule, elles ne meurent pas, les termites... Elles vont jouer, grignoter ailleurs.

Justin, il a raison de me traiter d'humoriste.

Ça grouille de viande dans l'appartement. Ça suinte de partout. Ça empeste. Il y a trop d'humains, de corps. C'est rendu qu'il faut prendre un numéro pour prendre une douche. On a la visite de ses copains mexicains, à Gregorio. De la visite-surprise. Deux gars qui sont partis sur le pouce, qui ont traversé l'Amérique du Nord : Texas, Virginie, New York, pour venir le voir. Il paraît qu'il leur a dit qu'il y avait de la place, ici, à Montréal, pour eux, chez nous. Deux beaux bronzés étudiants. Ça fait une semaine qu'ils sont là, à sortir, à dormir sur les divans. Ils puent le parfum cheap. Au visage qu'affiche Gregorio, on voit bien qu'il se sent mal de nous les imposer. Mais il ne peut rien y faire, ses amis ont plus de présence que lui, il est dépassé par les événements; c'est pour ça qu'il nous ment : «Just for four days! Just for four days!» Rudy, il se fait tout discret, invisible, comme si ce n'était pas lui, qu'il n'avait rien à voir là-dedans. Dans la vie, on se pense lâche. Mais les autres, ils sont pires que nous. Moi, je suis trop gentil. Je les endure avec la face pleine de mon sourire disgracieux, j'essaye de les comprendre, je sors mon anglais, mon espagnol, je me débrouille avec. Des fois, ça donne des gros soupers, des casseroles qui débordent de chili avec des chaises de chambre qu'il faut ajouter à la table de la cuisine, et le lendemain ça bloque les toilettes tellement il y en a qui vont se vider. Pas drôle. Vraiment pas. Quelque chose doit briser, quelque chose doit aboutir, se fracasser, et ce sera peut-être moi. C'est épouvantable comme je ne me sens plus chez moi. Dans ma chambre, même la porte fermée, j'entends tout leur charabia, leur délire de bons vivants. Pas supportable. Mesure en a marre, elle aussi. Elle reste avec moi. Quand j'arrive du travail, elle me saute dessus. Ils la traumatisent. Elle ne les aime pas. Les chats, faut pas les prendre pour des valises. Ils sont sincères dans leurs émotions; ils ont ça de plus que nous.

***

Justin et moi, on avance, à grands pas, sur le trottoir, avenue du Mont-Royal, avenue des Dépossédés; voitures circulant d'un bord et de l'autre, le soir, un soir de pluie; les phares, les lampadaires, les gens, la viande, l'alcool qui coule dans nos veines... Quelle ambiance! Quel décor! Un vrai film noir! Il s'est passé des choses. Il est arrivé de drôles de choses. Devinez quoi? Imaginez quoi? Justin s'est fait une blonde, une copine, une partenaire, un amour, une anticélibataire. Il s'agit de sa Corinne. Elle est revenue. Plus personne ne veut vivre à Vancouver. Ils ont repris ensemble. Et Rudy aussi s'est casé. Presque simultanément. C'est merveilleux. C'est l'euphorie. La copulation à l'état pur. Avec, en plus, plein de bons sentiments d'affection là-dedans, de la sincérité d'amour dévoilé, déshabillé. L'extase, mes chers. Aidez-moi, je vais vomir. C'est survenu vite. Justin, sa Corinne, il l'a retrouvée au travail, à son Auberge du pas gros Bonheur. Elle est garde de vie sur le bord de l'eau; quand les campeurs la voient, ils ont subitement de la mousse à la bouche, à ce qu'on m'a dit. C'est vrai, c'est une bien belle fille. Elle en lit des livres! Des tonnes! Et de tout; pas difficile pour une miette, la beauté aux yeux verts. Non! n'importe quoi, je vous dis, même du Barbara Cartlangue, ma préférée. Bon. Suivante. Léna, celle de Rudy, elle est plus jeune celle-là : rencontrée au *Café Central* lors d'une fiesta qui a débordé jusqu'à une pizzeria; une grande aux cheveux châtains un peu trop sereine, avec de grandes jambes minces qu'on ne saurait trop quoi faire avec, où les placer; il doit avoir son idée là-dessus, Rudy. Elle est un peu jeune celle-là : dix-sept ans. Le genre de détail qui a mis Rudy dans une autre de ses crises d'existence au début de sa relation avec Léna : «Ah! eurg! dix-sept! dix-sept ans, Irénée! arg! je fais quoi?» En se roulant par terre, en rejoignant les débris du tapis, désirant à tout prix qu'on partage son insupportable indécision, pauvre petit! S'il avait été assez paqueté, il l'aurait crié sur tous les toits.

Ça devient sens dessus dessous : la confusion, la proximité des gens, les partys tout le temps. On a quand même réussi à balancer dehors le trio mexicain, ces pestes. C'est-à-dire que le mandat d'un expiré (Gregorio) l'a obligé à retourner dans sa patrie d'origine avec les autres zoizeaux. Tant mieux! Bon débarras! Que le soleil vous sèche, vous achève, fous cheveux! Depuis le meurtre de Murielle, je ne peux pas soufier les Mexicains.

Je suis toujours à marcher avec Justin sur un côté de la rue. On va où? On s'en va se louer des films, puis se racheter de la bière, puis du tabac Drum, des chips; tout ce qui fait le bonheur d'un homme, quoi. Le gars du Vidéo-étron ne nous trouve pas comiques. On s'en fouette. C'est pas lui qu'on veut faire rire avec nos farces plates mais les deux femmes à peine pas fraîches qui attendent à la caisse devant nous : belles cuisses, belles narines. Elles sont deux. À la queue leu leu. À quasiment se tenir par la main et se chuchoter des petits aveux dans le cou. Nous regardant de travers, par en arrière. Que voulez-vous! Les lesbiennes, elles nous exaspèrent. Ce serait si le fun d'être entre les deux, nous deux. On ne tient plus en place. Faut qu'on cabotine, qu'on se fasse voir pour se faire rapidement descendre et penser qu'on a plus rien à perdre. Mais si seulement elles savaient tout ce qui nous passe quinze pieds par-dessus la tête, elles en reviendraient pas. On a la moelle dure, Justin et moi. Il en faut beaucoup avant qu'on en bave, chéries.

On remarche jusqu'à l'appartement. On n'a pas envie de remâcher de vieilles histoires, comme celle de Nora, par exemple. On veut être sur du neuf. Il me parle de Corinne. Je lui parle de moi.

— J'ai le cœur qui tremble! autre chose qui me démange!

— J'ai le cœur qui flanche devant tant d'avalanches!

On s'entend bien. Tout coule entre nous. On est d'accord sur tout. On se connaît tellement qu'on n'a qu'à s'envoyer un coup d'œil pour se comprendre, se détendre, se payer la gueule des autres, surtout. On n'est pas foncièrement méchants mais faut en avoir l'air pour ne pas qu'on nous retrouve écorchés, démantibulés par l'inexistence, par le souffle fétide de la folie des autres. On se défend comme on peut.

On rentre. On était attendus : Rudy sur un jeu de son Nintendo 64, Léna et Corinne faisant semblant d'avoir un sujet de conversation intéressant, dans le salon... Corinne se décolle du sofa et vient minoucher son chum tout en me lançant un «Salut, Irénée!». Elle est là depuis une demi-heure, à ce qu'on apprend.

— T'as loué quoi, Justin? qu'elle lui lance, toute mignonne, genre bien élevée, bien baisée. Il sort les trois boîtiers à cassettes du sac, les dépose sur la table.

— *Un, deux, trois, go! 1; Un, deux, trois, go! 2; et Un, deux, trois, go! 3.*

Les bières, on s'y met sans qu'elles chialent trop. Elles rouspéteront plus tard quand il sera temps qu'elles leur mettent la corde au cou. On fait diversion, on a des cochonneries pour leur appétit : chocolat, chips. Elles plongent dedans.

Elles ne veulent pas se coucher trop tard, insistent pour qu'on regarde les films tout de suite. Rudy lâche son jeu de farfadets sanguinaires... Baisse d'éclairage... Hausse du volume de la télévision... Ça se dorlote. Ça s'installe dans le creux des divans avec des rires presque silencieux, vicieux. Ils et elles ne dureront pas deux présentations avant de disparaître dans les chambres pour partager leur excès d'animale affection, certain. Vraiment, c'est à vomir de rire.

Avant de manger les pissenlits par la racine, regarde bien si c'est des pissenlits, abruti (vieux dicton). Il y a loin de la coupe aux lèvres quand ce n'est pas encore le temps d'ouvrir ton calorifère, saint Pierre (plaisanterie). Si jeunesse savait, si vieillesse pouvait, si allégresse j'avais, ça ferait dur.

À force de fêter, de boire avec mes amis, mes cœlacanthes, un peu n'importe où, à l'appartement, à celui de Cécile et d'Alfréda, dans les bars, les parcs, partout, je me suis rendu sérieusement malade. À force de ne plus dormir, de me coucher à des deux, trois heures du matin, à mal manger — je ne suis plus végétarien —, à n'ingurgiter que des mets pas mieux qu'avariés, sclérosés, cutanés, je me suis salement endommagé le système digestif. Je suis sorti ce lundi matin de mon lit avec une profonde nausée et l'estomac, les tripes en feu. J'ai des haut-le-cœur; j'ai vomi à trois reprises; j'ai excrémenté plus de cinq fois une sorte de diarrhée sulfurique et noire. C'est le foie, je crois. Il n'en veut plus, il n'en peut plus. Il a hérissé son blanc drapeau, horrifié. Il ne veut plus rien savoir. Lee n'en a pas fait un plat, il m'a dit qu'il s'arrangerait tout seul avec les contrats. Ça fait rigoler Rudy, ma maladie. Il trouve que je monopolise la salle de bains, que je m'y incruste comme un dégueulasse de mollusque. Ce n'est pas moi mais l'intérieur de moi qui fait ça! De plus, j'ai des étourdissements, des pertes d'équilibre, je vois pas bien, tout ça. Je peux pas manger. Tout ce que j'avale ressort. Je suis mal en point. Je n'ai pas d'autre choix que de rester couché. Mon corps a décidé d'éclater, de me signifier que c'est assez, qu'il y a des maudites limites à lever le coude, à s'en envoyer dans le gosier comme un frais-né. Fini, les bruns biberons! Le rouge Caballero! Fini, poutines, résines de synthèse, cappuccinos! J'ai été faire des courses. J'ai rapporté de la fruiterie du coin des bananes et des avocats. Que ça que je peux digérer sans penser m'évanouir à cause des crampes. Avec de l'eau minérale, du repos, je devrais me replacer. Quand Mesure s'endort sur mon ventre, ça me soulage. Quand je commence à être fatigué d'être allongé, j'erre dans le couloir, le salon, la cuisine, et j'observe par les fenêtres... Rien de particulièrement intéressant dehors, en haut comme en bas, d'un côté ou de l'autre de la rue, de la ruelle, sur tel ou tel mur, vitrine, arrêt d'autobus, cabine téléphonique. Regarder dehors, c'est comme se repasser un film vu mille fois. Rien pour nous affecter, se saisir de nous. Ça donne juste envie de bâiller pour que ça forme de la buée sur la vitre dans laquelle on va dessiner du bout du doigt des tic-tac-toe ou des cœurs de flèches traversés.

Décidément, on n'aura jamais la paix, même à moitié mort d'abus.

Avant, c'était les Mexicains. Maintenant, c'est du sexe féminin. Alors d'accord, on va dire que ça va aller. Ça met des femmes dans la place, ça se met des femmes dans la place, dans à peu près soixante-neuf positions, si je me fie au son. Passons. Je reste enfermé dans ma chambre avec ma compagne poilue à moi, ma Mesure, écoutant de la musique. Mes murs sont sales, jaunis, genre pauvre... On est pauvres, de toute manière. On ne fait pas des gros salaires, nous; presque le strict minimum. Pas de quoi vivre fort fort. Personne ne veut nous laisser les grosses jobs payantes. Ça fait qu'on attend. Qu'on fait nos prières le soir pour qu'on puisse mieux respirer dans leur monde d'étouffeurs, d'étrangleurs branleurs.

Léna vient me voir. Qu'est-ce que tu veux, greluche! Elle me trouve gentil, il paraît, intéressant, profond, sensible, tout plein d'attention. Oh! Elle trouve que je fais une piètre figure assis là tout seul dans ma bulle, mon île; que ça fait triste, qu'on dirait que je le suis... Si! Si! Je le suis, triste, chérie! Mais je ne le montrerai pas! Je ne laisserai rien paraître! Allez, va en prendre un autre en pitié! Va t'apitoyer sur le cas, sur le sort d'un autre que le cher Faiblengras! Ouste! Dégage! Fais de l'air, calvaire! Serfouette! Locomotive à batterie!... Je flatte ma chatte, joue avec les moustaches, l'agace, la taquine. Elle bouge la queue, va perdre patience, son sang-froid.

Léna s'installe au pied de mon lit, tout près de Mesure.

— Comme ça, tu fais une crise de foie?

— Hé oui! à mon âge! à peine admissible!

— Va falloir que tu prennes un break!

— Un break de quoi? un break de steak? un brake à bras?

— Devine...

De vin, de bière, de pot, pas besoin d'être devin pour deviner ça. Je la renvoie, Léna. Je lui dis qu'un mal de bloc vient de me prendre, qu'elle serait bien fine de s'éclipser pour me rapporter des aspirines. Ah que j'en donnerais un bon paquebot pour me retrouver seul, sans âmes-moustiques autour de moi, d'avaleuses de mes paroles. Si j'étais seul, réellement seul, je ferais quoi? Je me masturberais? Me flagellerais? Me floconnerais?

Léna se ramène avec mes comprimés et un verre d'eau. Elle est à marier, celle-là.

— Merci... Là, laisse-moi...

— De rien! qu'elle me relance en tournant les talons avec un faux air boudeur, en fermant la porte derrière elle. Boude tant que tu voudras, Haut Perchée! Ce ne sera pas la mer à boire question remords! J'aime ça quand elles se fâchent. Ça met du piquant.

En résumé, c'est en gros ça. Je passe une semaine sur le carreau.

— Une semaine!

Comme j'ai dit. Une. À traîner, alité, phoqué comme il faut qu'on le soit dans ces situations-là. Seulement sur les bananes et les avocats, la méditation zen et les livres cochons. Rien de rêvassant.

Cinq jours après, je ne sais plus que faire de mon cœur, comment le faire battre. Ça fait que, encore, à nouveau, je plonge.

***

Mesure a été écrasée par une voiture dans la ruelle. C'est Rudy qui m'a rapporté son petit corps aplati dans la mort.

Sans commentaire. No comment.

37. DES CAROTTES CUITES OU DES CREVETTES, POUR MIEUX CREVER?

Rébecca a appelé. Rébecca a téléphoné. Rébecca m'a lâché un call. Pas pour garder Zoé. Pas pour surveiller Zoé. Pas pour torcher sa petite morveuse. Mais pour sortir...

— J'ai deux billets pour Beck!

Elle me surprend presque en début de fête, canette à la main, vendredi après souper, avec Rudy qui me suit dans les prémices d'une beuverie. Je ne m'attendais pas à ce qu'elle me donne de ses nouvelles, Rébecca. Ça va bien ou ça va mal pour elle, elle ne sait plus au juste, c'est cacophonique comme pensées dans sa tête.

— J'ai laissé Isaac!

— Sacre!... Ciel!... si ça se sait trop, tu es faite! Et qui va garder Zoé?

— Elle est chez son père!

Au moins cinq fois déjà qu'ils se chicanent sérieusement, elle et son chum, qu'ils se séparent, depuis que je la connais. Je m'y habitue. Il ne fait pas vraiment son affaire mais elle a de la misère à s'en défaire. À la longue, on finit par s'attacher, d'une manière ou d'une autre, par esprit de sécurité, de couardise de redevenir seul. Et là, elle est prise avec un problème d'un billet en surplus pour le spectacle. Elle a pensé à moi. Je ne sais pas si je dois me sentir honoré ou bouche-trou. Ça reste à voir. Cependant, je ne serais pas fier de moi de refuser son invitation, de lui dire non. Je saute sur l'occasion.

— À quelle heure, ma fleur?

— À huit heures, mon leurre!

— Viens, viens-t'en!... Arrive!

Elle va débarquer à l'appartement d'ici trente minutes. Je trouve qu'elle s'y prend un peu à la dernière seconde pour me mettre au courant de ses plans machiavéliques, la belle, son histoire de rupture avec Isaac doit venir à peine de se produire. Elle n'a pas lésiné sur le temps. J'achève vite ma canette tiède. On attendait du monde pour célébrer l'exultation de Mesure mais Rudy devra se passer de moi pour les accueillir; ça va lui laisser un moment supplémentaire d'intimité avec Léna, il en profitera pour essayer ça debout et partout, comme il disait qu'il le ferait. Je ne me change pas. Je reste tel quel, en short-jean effiloché, chemise déboutonnée tachée. Il est pas à la veille de venir, le jour où j'irai parader, j'irai faire mon frais aux yeux des masses. Je tiens à mon intégrité d'attardé, de gars qui n'a pas à se vanter de ce qu'il n'a de toute façon pas.

Elle se pointe finalement trois quarts d'heure plus tard, essoufflée, énervée, à moitié déshabillée, dans une courte robe noire moulante, des bas résine (ou quelque chose comme ça) et des talons pour tuer. Ça m'estomaque.

— Christ! Vampée comme ça, c'est-tu l'ADISQ?

On n'est pas sûr si c'est le commentaire ou l'essoufflement qui lui donne une expression d'embarras. Elle n'est pas née d'hier, elle voit bien que j'ai l'œil plongé sur ses deux atouts génitaux provocateurs : on en voit plus de la moitié. Ça m'émeut. Elle manque de confiance pour ce qui est de sa tenue. Je me demande comment, puisqu'on en parle, un si mince tissu peut tenir sur tant de dermodynamisme sans fendre, se déchirer en lambeaux et glisser jusqu'aux pieds.

— Ça me va?...

Sa scie d'éternelle soucieuse. Je la contemple de haut en bas en tentant de ne pas m'éterniser au milieu. Pauvre de moi! Quel pétrin!

— Ça te va si bien que je sais pas si je vais être capable de les garder toute la soirée dans mes poches, mes mains... pour pas qu'elles décident d'aller se promener un bout sur du mou... question de savoir si ça réagit au contact!

Elle m'a parfaitement suivi mais affiche l'air de celle qui pensait à autre chose. Comme je la connais, elle déniche le truc pour que je grimace de malaise.

— En tout cas, j'espère que tu vas être fier de sortir une fille comme moi!... Tu vas faire des jaloux!

Si elle le dit, si ça peut lui redonner de l'estime de soi, sa robe en soie. Je la devance :

— T'es certaine que tes cheveux sont corrects?

J'ai droit à un regard de travers. Elle a passé quasiment une demi-heure à les peigner, les brosser, les labourer, les geler, les fixer, qu'elle m'annonce, et si ça me plaît pas, ça ne lui fait pas un pli. Bien envoyé, Bec à Ré!

— Bon! t'es-tu prêt?

— Plus que ça, je serais rendu!

— Alors... on pique ou on pique pas?

Une de ses vieilles blagues d'ancienne junkie.

— On se seringue!... ma jonquille!...

Badabamta-flam! on descend l'escalier en criant à Rudy : «Bonne soirée». Claclaclac! (elle) et Tacktocktack! (moi) on marche à toute allure jusqu'au métro Mont-Royal. Il fait absolument un temps à flâner et à vous en parler dehors mais on est pressés. Fiouch! gling! tactac! on court et on attrape le train à la dernière seconde, tout juste avant que les portes se ferment, son sac passant proche d'y rester. On a le souffle qui manque. On n'a plus vingt ans. Il n'y a plus une place pour s'asseoir dans la vague sur roues électrique, le wagon qu'on prend à Berri. On reste debout à se tenir à un poteau chromé et graisseux, à plus ou moins se parler parce qu'on se sent observés, à lorgner la très sommaire actualité qui défile sur un écran Média-machin, à faire comme si on s'y intéressait. Elle opte pour de petites confidences, qu'elle me communique en approchant subrepticement ses lèvres d'une de mes oreilles.

— Y a des bonshommes qui défixent pas leurs deux yeux de mes fesses... J'aurais pas dû m'habiller de même, maudine!

Elle se colle sur moi. Peut-être pour se donner l'impression qu'elle m'appartient à la vue des passagers masculins, ou vice-versa. Mon orgueil d'homme me monte au visage; je rougis. Ça doit m'exhiber une gueule de digne même si ce n'est pas dans mon intention. Et ça me fait me morfondre, cette sensation-là. Tant qu'elle ne sera pas à moi, je me refuserai d'accepter cette fausse figure de celui qui se la farcit, cette fille-là. C'est les autres qui me forcent à le mal placer, mon orgueil. Anyway.

— C'était pas une bonne idée, le métro avec ma robe... vraiment pas... des plans pour me faire écarter, ouvrir, violer, écarteler, sodomiser, par des fous obsédés!

—Tu exagères!

— On aurait été mieux en taxi... en limousine même!

— Non!... non! En hélicoptère! C'est un cas grave, là!... ton minois et le reste!... tout ça pas loin de moi!... un vrai brasier!

— C'est dans le genre compliment, ça, ou sur le terrain des avances?

— Fais ton choix!... Bon, relaxe, là, Rébecca, on arrive...

On débarque à Place-des-Arts. En sortant du wagon, on pile dans une flaque de vomi qu'une faible nature a répandu. J'interprète ça comme un mauvais signe du destin. Pour Rébecca, c'est du plus concret.

— Wouach! wouach! ah là là, ça, ça m'écœure en chien ces affaires-là!

Ça la dégoûte tellement que j'ai soudain peur qu'elle en fasse autant. On s'essuie le dessous des pieds du mieux qu'on peut sur le plancher, plus loin, en dehors de la zone sinistrée. Elle se concentre à ne pas être malade : inspiration... expiration... inspiration... Son truc pour se replacer. Ça presse de s'envoyer une bouffée d'air pur du centre-ville. Deux marches à la fois, dans l'escalier mécanique, ça monte vite; on s'extirpe des catacombes nauséabondes dans le temps de le dire. Son début de soirée est gâché, qu'elle lance. Trop facile! Faut que je l'agace!

—T'as vu les drôles de mottons orange qu'il y avait?... C'était des carottes, des crevettes?

— Ah wark arrête!... On en parle plus!

Il y a foule devant le *Spectrum*. Une masse grouillante de boutonneux aux cheveux longs qui gesticulent et s'égosillent autour de l'autobus de luxe dans lequel la vedette se terre. Un barbu insistant s'arrache les poils du crâne à vainement tenter de me vendre un billet à soixante piastres. Désolé, mon vieux! J'ai eu le mien pour pas un rectangle! On passe à travers, on tasse le monde, on se fraie un chemin jusqu'à une porte. Le gars nous laisse entrer après avoir examiné nos bouts de carton. Elle est médusée, Rébecca. Elle en revient pas.

— Je n'en crois pas mes yeux!... Tu vois?... tu vois tous ces jeunes?

— Oui?... et?...

— Ça a quel âge? ça a quatorze, seize ans?

— En moyenne...

— Ah! Seigneur!... Ça se peut pas!

— Ah Seigneur quoi? Ça se peut pas quoi?

— Le coup de vieux!... Le coup de vieille que ça me fait!

Encore, elle exagère; je ne m'en fais pas. On s'y habitue.

— Je me sens comme une chienne dans un jeu de chiots!

— Mais non, mais non!

— Ah! putain!... Ah! la vache!

— C'est quoi, ça, là?... Tu te donnes le style petite midinette chiante à cette heure?

— Ah! c'est pas croyable le bizarre de feeling que ça me fait!

— Ah, oh, uh, hé!... Ah là là là! Plus d'allure! De maudit bon sens! Ah! le veau! Ah! la putasse! la pouffiasse! la mélasse d'effets que ça me fait! Ça alors! Zut et rezut! Chut, chut, chut! Le coup! Le coup de chien! Ah merde!...

— Coudonc, tu me niaises-tu?...

Tant qu'à pénétrer dans son versatile d'univers, on va y mettre le paquet, que je me suis dit.

On erre dans la salle. On se cherche une place bien située. Ça se remplit peu à peu, puis de plus en plus rapidement. En bas, c'est moins évident; on ne voit pas une seule table de libre et pas question de se taper le parterre, j'y ai déjà perdu mes lunettes d'un coup de coude. On se décide à monter à l'étage même si on sait que le son y est moins bon. Bonne idée. On tombe sur une petite table ronde et deux chaises, dans un coin, qu'on dirait situées là exprès pour nous, avec un projecteur de faible luminosité éclairant, au-dessus, un cendrier qui étincelle; le tout aménagé sur un piédestal en retrait de la cohue, avec quand même une vue pas si mal sur la scène. Ça nous satisfait. Puisqu'elle m'affranchit du prix du billet, c'est moi qui se charge des désaltérants. Je rapporte deux verres de bière en fût du bar en espérant que ça remonte son moral que je sens dégringoler. Ça marche, ça lui fait apparaître une ligne de broue en haut du sourire, sur le fin duvet. On est mal à l'aise, un peu, d'être assis là. Trop romantique, trop quétaine, l'emplacement... Les gens vont nous percevoir comme un couple si on continue à se scruter des pupilles comme ça. Si ça ne la perturbe pas, ça ne me fait rien. Si ça la confond, j'aimerais qu'elle croie qu'il n'y a rien de croche dans ma caboche. Si ça la laisse baigner dans son jus, je voudrais bien qu'elle me propose d'y goûter. Faudrait savoir.

— On a l'air de deux amoureux!

— Oui...

Pas plus comme réplique, à la poupée. Sauf le nébuleux sourire en coin qu'elle fait et la main à vernis noir qu'elle dépose sur la mienne. Je fige. À cause du frisson qui remonte tout le long de mon bras. Je ne suis plus habitué à ces infimes signes de cochonneries en développement. On se montre tel un gars qui en a vu d'autres, qui reste de bois, comment on dit déjà? Cool? Ça doit. Mais ça ne marche pas, je crois; mon autre main, chers concitoyens, me fait boire deux fois plus vite, avec la tremblote de surcroît. L'idée du coït, moi, ça me met dans tous mes états. Sforzando émotionnel! sensuel! sensationnel! Qu'est-ce que j'en pense? J'en conclus quoi? À de vraies avances ou à une farce plate à laquelle elle s'adonne? Dilemme! dilemme!... Dis l'aime, dis que tu l'aimes.

— Dis-moi, ton abri Tempo sur mes cinq doigts, c'est de la frime ou du toc?...

— Allons... tu sais bien...

— Je ne suis plus sûr, sûr, là!

Elle me caresse la jointure de l'auriculaire avec la pointe de son majeur. On ne rit plus! Je suis censé comprendre quelque chose à ce débordement de tendresse.

— Voyons... Irénée...

— Je ne joue pas l'innocent! Je veux juste savoir si c'est pour les doux renards, ton piège, ou les rats!

— Devine!...

Devine, devine! Elles savent juste dire ça, quoi? Sois plus claire, ma chère! Sois plus nette! Plus propre! Ça me met hors de moi, les subtilités sales! Ça me fait me déphaser! Me phoquer plus! Aboutis! Mets le point sur le i qu'on en rie! Ou que je t'enlace! Sinon ça me lasse! Je m'aigris si j'ai envie et que tu fuis! Te défiles! Taciturne et pas beau à voir, si je bois, je deviens à la longue! à courte durée d'attente d'un baiser! Antéchrist!...

Elle enlève sa main, prend une cigarette dans son paquet, allume la cigarette avec le Zippo dans l'autre main. Boucane (fumée)... Ma main s'avère soudain seule sur la table, ma main fait dur, en arrache sur la table. Je la fous ailleurs, ma main. Le sujet n'est pas clos mais on fait comme si. Le show débute. Grosses lumières! Gros son! Gros smog! Gros groove! Grosse prestation! Grosse ovation! Gros rappel!... On sait ce que c'est. Ça fait que je ne m'y éterniserai pas. N'empêche, on s'est payé un gros fun multicolore domaine divertissement. Rébecca arrêtait pas de sautiller sur place, de crier, de siffler, de se foutre deux doigts dans le nez. Tout ça juste pour m'impressionner, pour me montrer comment elle peut encore être une fille de party. Ah! je la crois! je la crois! J'ai bien vu! Bien mise à poil du regard! Quand c'est fini, il ne commence même pas à être tard... vingt-trois heures, et on a encore soif, soif, soif! Et les dépanneurs sont fermés, fermés, fermés! Et pas question de s'assagir! On est rendus trop loin dans notre consommation qui nous rapproche! Qu'on en profite le temps que ça dure avant d'être mou! Lançons-nous à l'assaut d'autres temples, d'autres hauts lieux, de débits, saturés d'apôtres alcooliques! Marde alors!

Rébecca Bec à Ré et Irénée Faiblengras débarrassent la place.

On s'enfonce dans la foule qui sort. On prend l'air, on en dépose dans notre bouche, dans nos poumons, mais c'est pas facile, ça nous glisse le long du corps comme de l'indomptable vapeur de fin d'été. On se fait une raison. Ce sera à entre-prendre une autre fois. Maintenant, allons nous asphyxier, nous faire suffoquer, nous paqueter la tronche. Une bonne tranche de vie en perspective. Faudra inscrire ça dans les annales du plaisir. L'ambiance est excellente rue Sainte-Catherine. On prend un gros bain de peuple. Ça ne sera pas long qu'on va se mettre à puer, que je lui assure. Ce n'est pas grave, c'était dans ses projets de se rallier à la crasse. Elle est indécise sur notre destination.

— Où c'est qu'on va?...

— Je le sais-tu plus que toi, moi?... On va par là!

Coin Saint-Laurent. Pour une fois qu'il n'y a pas une file d'attente d'un kilomètre au *Loft*, autant en profiter avant que ça se remplisse. Il y a une sérieuse quantité de marches à monter à l'intérieur du bâtiment, faut qu'on soit décidés ferme d'aller s'y introniser, angéliques qu'on est. Une mauvaise surprise nous guettait. Das Gedränge! Der Misthaufen! Das Schwein! Le porc nous charge cinq piastres pour entrer! Et tout ce beau monde qui se fait berner, avoir, fourrer. Ah! ça danse pour son argent! Ça se trémousse! Ça sort ses moues de blasés! D'horripilés! De fraîchement épilées! Cohue-bohu de fumier! La folla! Il primitivi! Il letame! Il cortile rustico! Et c'est dans ça qu'il faut qu'on se noie? Au quai! On y va, Rébecca! Allons-y, je paye tout! Je vais nous chercher des petites Black au bar. Faut jouer des coudes pour les tasser, ces énervés-là. Pas de place, à peine un espace où s'accoter au bord d'un comptoir, où on se met à les caler goulûment, nos bouteilles. C'est le genre d'endroit où on s'entend pas parler; faut se le crier dans les tympans, ce qu'on en pense de la place.

— Pas terrible! qu'elle dit, ce n'est plus ce que c'était!

— Je sais!

— Avant, ça s'appelait *La Nausée*! D'une fourberie plus intègre! Plus déca-pante! À cette heure, c'est juste du clonage! De la bassesse pour les gosses de ban-lieue!

220.

— Je sais!

— Comme les nouvelles *Foufs*! Le pâle reflet d'une autre époque!

— Oui!

— Début eggtizz, manne! Ça, c'était quelque chose!

— Ah!... Quoi?...

— Elle était moins coupée dans ce temps-là!...

Ah! Si c'est elle qui le dit, j'ai rien à en redire. On s'envoie trois bières chacun derrière la cravate puis on s'écœure de l'endroit. Elle veut aller ailleurs. J'hésite. C'est moi qui m'étais tapé le kauvercharj pour les deux. Mon portefeuille devient de plus en plus plat dans ma poche.

— Irénée... les gens ici... ils sont insipides!

— I know!... Tout cela est périssable!

On reste pas plus d'une heure au *Loft*. On retourne à l'extérieur. Le peuple nous ennuie, nous casse les pieds. Les punks, les mendiants, les sorteux, les pleins de cash, les putes, les étudiants, les couples, les Anglais, les skatteurs, tout ça, tout eux, ils nous tapent sur la rate! On en marche une trotte. Des hommes qu'on croise se retournent pour contempler Rébecca; même un clochard, qui était en train de s'évanouir sur un banc public, s'est ressaisi en la voyant et l'a sifflée. Pauvre Rébecca! Elle se sent toute petite dans ses petites culottes! Je l'encourage! Je lui conseille de ne pas y faire attention, à ces malotrus! Une femme a bien le droit de se mettre en beauté, des fois, de temps en temps! Maintenant, endure! C'est ça que tu voulais? Te faire voir? Alors toffe! Fais-la, ta Barbie! Fais-en saliver, halluciner, érecter!... Équille!

On aboutit rue Saint-Denis. On a envie de faire pipi, ça presse! Et on a encore soif. Je lui propose une adresse qui me plaît.

— Partante pour le *Café Chaos*?

— Pourquoi pas?...

Là au moins on ne s'y sent pas trop en trop. Tigalop. Là aussi un show vient de se terminer: Les Lesbiennes d'Acid, un nom dans le genre, dont les membres remballent instruments et filage. L'ambiance s'est refroidie. Ça nous dit. Ce n'est pas vaste comme place mais ça nous remplit de la sensation d'être situés au beau milieu d'une aréna tellement ça s'est vidé. On se choisit une table au hasard. On y va pour de la rousse. La serveuse est si jolie qu'un étrange spasme ou frisson me parcourt la face d'un coup, une sorte de tressaillement dû à la gêne ou au désir. Je regarde le plancher. Je dois me reconcentrer sur mon affaire! Rébecca! et lâcher les blondes étudiantes sirupeuses! On constate qu'on a les oreilles qui bourdonnent. Elles ont reçu pas mal de décibels. Le presque silence du *Chaos* — il y a de la musique mais ce n'est rien comparé à tout à l'heure — nous flatte l'ouïe. On reste là un moment

avant que ça devienne ennuyant. On a de la misère à se trouver des sujets de conversation. Puis :

— On va voir de quoi ça a l'air sur la terrasse, Rébecca?

— Waïnoth?...

Eh bien, eh bien! C'est là qu'elle se cachait, la jeune génération! Elle en dé-
borde, la terrasse; de nouveau, on est chanceux : on détecte une table sans viande.
On en prend possession tels des entrefilets, en se faufilant. Serveur! Tavernier!
Aubergiste! Aubergine! Grouille-toi le cul, calice!

On boit un pichet. Puis deux. Et puis là ça commence à faire. La table est à veille
de nous rouler dessus. Il y en a qui se mettent à nous épier sardoniquement,
sadiquement en ce qui concerne mon amie. Et j'ai à peu près plus d'argent. On rentre, cocotte! J'en ai plus une tonne dans le compte en banque, là! C'est dans l'autre
que j'économise, que j'en accumule, et dis-toi bien que ce n'est pas pour la retraite,
alouette! Ça me revient. Je m'en souviens : chez moi, il reste de la broue! Oh que la
mémoire est une faculté qui faiblit. Ah que la boisson a le tour de nous affaiblir.

— Rébecca! Rébecca! Viens chez nous! J'ai deux canettes au frette!

— Sérieux?... Super!...

On sort du bar; dehors on calle, on claque des doigts, on siffle, on fixe un taxi.
C'est Rébecca la pro!... «Fiïïuuut!» En moins de trente secondes, on est embarqués
dans une Oldsmobile qui en a vu. On s'assoit, s'assied, étale nos carcasses en
arrière en riant pour rien, en se chatouillant pour bien montrer comme on s'amuse.
Le chauffeur n'en mène pas large avec sa question repassée cent mille fois.

— Où c'est qu'on va, la jeunesse?

On se consulte, Rébecca et moi. On ne s'entend pas s'il faut le niaiser ou pas.
Bah! Celui-là, on peut bien l'épargner! «Il a l'air sympa», qu'elle me chuchote... et
puis il a un petit quelque chose qui lui met le poux au pavillon. Elle s'insinue entre
les deux sièges d'en avant, pas attachée.

— On s'en va en enfer, mon cher!

— Et c'est dans quelle rue, ça?

— Mont-Royal, coin De Lorimier, cocher!

— Pas de problème...

Je lui dis de s'attacher. Elle me fait signe qu'elle a mieux que ça à faire. J'insiste
pour lui expliquer qu'un accident est si vite arrivé.

— Ah oui, colibri?... me répond-elle tout en glissant sa main sur ma cuisse.
Christ.

Si ça c'est pas assez clair, je ne comprends pas comment tu as pu devenir
laveur de vitres, espèce de pas vite. Elle a une question-piège pour notre conducteur.

— Vous avez un nom?

222.

— Non, juste un numéro...

— Ça serait pas Réjean Charmant? comme ça? au cas où?...

— Non, pas du tout...

Une fille s'essaye. Manque de pot. Elle demande ça à tous les chauffeurs qui ont des traits de cinquante ans et plus.

Il nous dépose. On partage le coût du voyage. Elle en est arrivée à son petit change. Ça la désespère.

— Otarie! (Phoque!)

Deux heures du matin, ce n'est pas une heure trop tardive pour rentrer un vendredi soir, sauf quand ça réveille les cœlacanthes, me dit Rudy. À force de piocher dans l'escalier et de parler, rire fortement, on les a fait sursauter sur leurs springs, lui et sa Léna. Il ne travaille pas demain mais, quand même, il ne voit pas pourquoi c'est une raison d'ameuter tout le quartier de viandes. Je tiens à m'expliquer. Rébecca prend la défense des sorteux.

— Va donc te recoucher, si t'es pas content, l'onguent!

L'alcool ne lui va pas comme un gant. Il ne lui en faut pas tellement pour qu'elle sorte des sentiers battus de la bienséance. Tenter de la raisonner est vain. Mes doigts dans les siens, je l'entraîne jusqu'à la cuisine. Les grosses canettes frétillent, suintent, ont hâte de se faire boire.

— Tiens, Rébecca! Calme-toi avec ça!

Finalement, après mûre réflexion d'endormis sortis du lit, Rudy et Léna prennent sur eux, se résolvent à s'habiller et à venir nous rejoindre dans le salon. Sage décision. Parce qu'avec le vacarme qu'on fait, moi et ma mie, ce n'est pas dans les minutes prochaines qu'ils se rendormiront. On tombe dans les gros sujets de conversation. Rébecca nous en fait voir de toutes les couleurs avec sa palette culturelle; elle parle d'auteurs en passant par la linguistique, la botanique, la nicotine, la musique punk du bon vieux temps; elle se transforme littéralement en déesse Kali avec toutes ses facéties et gesticulations pour que ça donne une sorte de valeur communicante à son auditoire. À la longue, c'est le genre de fille qui devient exténuante à écouter, regarder, confronter sur le plan des idées. Après vingt minutes, Rudy et Léna n'en peuvent plus et vont se réfugier, silencieux mais avec un air qui en dit large, dans leur chambre. Je me retrouve seul avec la chérie. La fatigue commence à rentrer par le trou que nous laisse la sensation qu'on a de boire la dernière gorgée de notre dernière bière. On reçoit le manque comme une claque en pleine figure. C'est définitif. Va falloir s'y faire. Il n'y a plus une seule goutte d'alcool nulle part dans la place... et il est trop tard pour le bar du coin. Pénurie de fin du monde, de soif. Je me demande si mon manque ne va pas me faire sauter le système. Elle ramasse sa sacoche sur le divan et me lance un regard concupiscent.

223.

— Bon! je pense que je vais y aller!

— Aller où?... Chez vous?...

Pour les questions niaiseuses, je m'en sors pas mal. Au fond, elle n'est pas si déniaisée que ça, elle non plus; elle fait semblant de prendre son temps, feuillette un livre qui traîne, un bout de papier; ce n'est pas de son bord que la grande phrase va sortir. Des premiers pas, ça ne se fait pas si facilement que ça, paqueté ou pas. Après un raclement de gorge ridicule, je m'y mets, comme un homme. Faut prendre le buffle par les deux cornes, la vache par ses deux trompes de salope.

— Veux-tu... tu veux que j'aille avec toi chez vous?

— Au quai! J'attendais que tu me le proposes...

— Les hommes roses sont pas toujours vite vite sur leurs patins, ils prennent des heures à les shiner!

— C'est correct... J'aime ça comme ça!

On ressort dehors. Elle ne veut plus marcher, elle en a assez, elle veut prendre un taxi, encore. On monte De Lorimier, on fait signe à un véhicule de s'arrêter, coin Gilford. Je constate que je commence sérieusement à être dans le cirage. Et la course, c'est qui qui la paye? Votre ami Faiblengras, naturellement. Elle tient à payer moitié-moitié mais ne trouve aucun billet à face de fessier dans son appartement. Elle me remettra ça, qu'elle me dit. Tant que ce sera pas trop long pour que je l'oublie. Bon!

Bon bon bon!

Dans sa cuisine, on grignote des toasts au camembert. On se regarde timidement. On sait ce qui va se passer et ça installe un malaise entre nous. Ça nous prend au dépourvu. On se pensait tellement décontractés. Pourtant, le rouge nous saute aux joues. Et devinez quoi? J'y vais avec une autre insanité.

— Je couche où?...

Elle devrait me répondre : «Dans le bain» mais elle est fine avec moi.

— Où tu voudras...

Ça fait qu'après notre collation, je m'installe sur son plumard juste à côté d'elle avec quasiment un mètre entre nous. Elle rit. Elle a raison de rire. Ça devient de plus en plus maniéré, notre affaire. Ça ne marchera jamais. Elle a un truc.

— Je vais fermer la lumière...

C'est plus facile comme ça. On ne se reconnaît pas. Elle se transforme en vulgaire et quelconque corps dans le noir; ses cheveux s'attrapent comme un balai-brosse. Elle n'est plus qu'un amas de chair.

La suite, on la devine. Du génital jusqu'aux premières lueurs de l'aube, du génital jusqu'à ce que l'envie de pisser me prenne et me gaspille un préservatif. Du génital jusqu'à la nausée, quand tu constates que tu n'es pas entre les jambes de la fille que tu aimes vraiment. En tout cas, phoque, quand même, ça fait du bien, un peu de génital; surtout que ça remontait à loin pour Faiblengras, les histoires de zoin-zoins et zines.

C'est dans la nature, comme la marde des malades et les cadavres des suicidés.

***

Je n'ai même pas réussi à venir, alors j'ai décidé de partir. Elle insistait pour que je reste auprès d'elle, afin qu'elle ait quelque chose à enlacer pendant son sommeil, mais je n'arrivais pas à m'endormir. Je me suis habillé et l'ai laissée là sous sa couverture blanche qui lui donnait l'air d'une momie.

Marcher vers huit heures le matin dans des rues sinistres, sous un ciel gris, quand tu es encore chaud, c'est pas la joie. De retour à mon appartement, dans mon lit, pas moyen de trouver le sommeil tellement je me sens mal, en faute, coupable. Ça m'est tombé dessus comme la foudre, je me suis remis à penser à la chère et gracieuse Alfréda. J'ai l'impression de l'avoir trompée, trahie, comme un mauvais mari. Qu'est-ce que c'était que cette espèce de débandade avec Rébecca? Qu'est-il arrivé? Ça a tout gâché, j'ai tout saboté. Elle m'a fourvoyé.

Rudy se lève et me voit fumant dans le salon, devant le téléviseur allumé mais sans son.

— Oh boy, Irénée!... la nuit a été longue?

— Écœure-moi pas!

Il insiste pas. Il s'occupe de préparer du café. Finalement, installés à la table autour de nos tasses, après lui avoir parlé de mon découchage, je lui demande de taire l'affaire. Il me répond que je n'ai pas à m'en faire. Mais il a sa petite goutte de poison à ajouter.

— Tu trouves pas par exemple que c'est un peu cheap ce que tu as fait?... Tu m'avais pas dit l'autre jour que t'étais prêt à tout pour Alfréda?... que tu irais jusqu'au bout pour son amour?...

Exactement le genre de propos que je désirais entendre.

Mais j'ai compris quelque chose ce matin-là : il me sera toujours impossible de n'apprécier qu'une seule fille à la fois, dans ma vie.

Il y en a trop.

38. ALFRÉDA / CONFESSIONS DE SAINT JUSTIN PRISE DEUX

On continue. Même si on a pas particulièrement l'intention, la prétention, de vouloir vraiment poursuivre ces journées, ces semaines insipides. Mes pensées sont bloquées, confuses, empaillées, phoquées, poquées. Il n'y a pas de meilleures personnes au monde que les femmes, les filles, pour m'arranger comme ça, pauvre de moi. Qu'on m'efface! Qu'elles m'effacent! Me lavent! Me fassent sécher une bonne fois pour toutes! Qu'on me sorte du monde! À tout prix! Contre toute emprise! Contre toute impératrice qui me laboure l'intérieur! Quel malheur! Horreur! Mauvaise chaleur!... Mais pas de pleurs! On est fait fort! On en a dedans!

Hostie.

Lee et moi, on n'en pouvait plus. On a abandonné notre travail de laveurs de vitres. Le problème, c'était pas la paye, qui quand même m'enrichissait assez bien pour la bière et le tabac et le Kraft Dinner; non, c'était plutôt les genoux qui avaient des revendications de congé, ainsi que les doigts brûlés par les produits, ainsi que nos poings qu'on passait pas loin d'envoyer explorer la surface lunaire des affreuses figures des mammas italiennes propres comme des sous neufs. On en perdait patience, au fil des jours, de leur chialage de pas satisfaites. On a travaillé lundi et mardi; mercredi on en parlait et jeudi c'était fini. Là, on est vendredi. Et je sors. Au *Café Central*. Une idée d'Alfréda. C'est son anniversaire demain et moi, ce soir, j'ai l'intention de lui faire sa fête, à ma manière. On sera pas beaucoup mais on va se débrouiller avec ça, tenter de se donner l'impression de s'amuser comme ça. On doit se retrouver là-bas, à ce que me dit Justin qui est revenu parmi les vivants, avenue des Dépossédés, dans la cité de la Désolation (je fais mon petit Kerouac). Comme deux frères hyènes, on marche jusqu'à Saint-Denis, dans la chaleur, à travers le peuple, ou dans la fraîcheur du soir et des dessous de bras désodorisés; c'est comme vous voulez; je m'en balance, moi, de l'ambiance. Pour une fois, Justin et moi, on a une conversation intelligente, intéressante, captivante.

— Je suis même pas certain que... que... que ça me branche de festoyer à soir... Notre arbre a l'air malade! que je lui dis.

— Comment ça?... Hé, ta chérie va être là! Faut que tu sortes de ton trou pour lui faire les yeux doux!

— Quoi?... Comment ça se fait que tu es au courant de ça?

— Au courant de quoi?

— De mon histoire avec ta sœur?

— Est-ce que j'ai l'air d'un épais?

— Non.

— Irénée, sérieusement, je dois te dire de quoi.

— Oui?

— Je veux pas te voir toucher à ma sœur.

— Pourquoi?

— Y a pas de pourquoi. Si tu t'essayes avec ma sœur, je t'arrache la tête. Compris?

C'est trop merveilleux, la vie. Ça a un quelque chose de franchement intrigant, la vie. On en revient pas de constater comment elle peut être effondrante. On arrive pas à croire que c'est juste ça, la vie. Alors, on en rit. C'est féerique. Si c'est juste ça, alors pourquoi qu'on s'en fait tant que ça? Pourquoi qu'on râle, qu'on piaffe, qu'on se désastre? Elle ne demande qu'à ce qu'on se moque d'elle, la salope, la mise en trotte. Faut pas vouloir galoper plus loin. Tout ce que tu désires est illusoire. Tout ce que tu auras passera dans une passoire. Nous ne sommes qu'une bande de damnés.

39. LE CRÉPUSCULE, C'EST BIN BIN BEAU

Ça n'a pas pu durer. Ça ne devait pas finir. On s'est retrouvés, Nora et moi. On s'est retéléphoné. On a repris contact et on s'est redonné nos claques. On a la face à ça. Ça n'a pas été long pour qu'on se remette à copuler comme des copeaux de métal en fusion, qu'on se re-amourache mu-mu-tu-tu-elle-elle-ment. Nos vies sont aussi plates que ça. Ça fait dur mais on est des durs, nous. On est pas des flancs mous de l'affection comme les autres. Il nous en faut plus pour que ça finisse, nous. Ce ne sont pas ses yeux ni sa personnalité qui m'ont réabonné à elle. Non. C'est moins que ça. Juste son espèce de détresse, compulsive, de fille en manque. Elle m'énervait. Je ne savais pas quoi faire avec, comme d'habitude. Je l'ai rembarquée dans mon Arche de Détresse. Quand tu t'embarques avec Naurapas, faut que tu t'attendes à tout. Si elle embarque avec toi, c'est normal qu'elle ne s'attende à rien. Elle s'ennuyait trop elle aussi. Justin ne voulait plus lui foutre de temps en temps deux doigts entre les deux jambes. Elle ne voulait pas se prendre pour une autre, mais ça allait mal dans sa shop interne... Elle était en train d'attraper toutes sortes de maladies honteuses... dont une qu'elle nommait Hépatite Tueuse de Viande. Pauvre petite! Tanpite pour elle! Il ne lui restait plus que moi. Quand elle rencontrait d'autres gars dans des bars, elle était toujours trop à Séoul. Elle leur dégueulait dessus dans le lit, qu'elle m'a dit. Ils se sauvaient en la traitant de folle, qu'elle m'a avoué. Il lui restait juste moi. En désespoir de cause. Comme dernier choix de génital assuré. Juste moi. Pas Justin. Quelle exultation! Je suis tout exalté!

Tuez-nous avant qu'on vous pourrisse l'inexistence. Nora, elle est névrosée. Moi, je suis tout simplement pas récupérable. On voit trop. On voit trop bien où ils veulent en venir, les autres. C'est flagrant, c'est facile, quoi. Ils souhaitent nous avoir avec leurs histoires de respect de soi-même alors que ça nous cause aucun esthiomène de remords. Je sais qu'ils finiront par nous avoir, un jour ou l'autre. Ce qui compte, c'est ce que ça donne pour l'instant, le résultat. Ils désirent tous nous en faire baver, barfer, nous étouffer, quoi. On verra bien où ils nous amèneront avec leurs grands chevaux.

On a pas toujours ce que l'on désire. Ah! Nora, je te mérite pas. Tu es trop ange pour moi. Moi je suis bon qu'à donner aux poissons du Saint-Laurent. Je suis bien content. Parce qu'après, il n'y aura plus rien. C'est tout ce que je souhaite. Où ça va aller, on le devine sans peine. On en a plus que là. On n'en fera plus. Le monde est exaspérant. Pas d'échappatoire.

Je veux juste rester tranquille, avec ma Nora. M'installer confortablement en attendant le vide, en exigeant le vide... sinon quelque brise dans nos cheveux... quelque verre entre nos lèvres. Pas d'excédent, de surpassant. On va s'y faire. On va se débrouiller avec tout ça, si peu. Ils diront ce qu'ils voudront. Que c'était le fruit du hasard, la viande des événements. Voilà. C'est assez.

Là, je ne m'en fais plus. Bien confortablement installé avec ma douce et rude chrysalide, dans son appartement noir, nous nous fragmentons comme des grenades. On se démène avec ce qu'on a. Il ne se passe rien. C'est tout. Nous sommes las. Nous, on mange beaucoup de poulet pressé... qui n'a pas couru assez vite, à constater ce qu'il en reste. Ah! sacrolisthésis!

***

Hier, de la fenêtre, je vois Coraline, la coloc de Nora, revenir de son travail ou de ses études. Peu importe. Elle a des yeux terrifiants... de ceux que l'on peut apercevoir sur un lit gémissant. Une Gorgone comme dans les fameuses images. J'observe ses lèvres de détresse, brillantes. Je suis le tueur pendant le smog des songes. À mes côtés, une photo en noir et blanc de Nora au mur. Elle a un visage redoutable elle aussi. Manteaux et chapeaux sur le sol empoussiéré. Le temps s'arrête. Le jour est macabre. La rue est comme une couleuvre. La ville est sous les flots d'un ciel rassurant. À quoi bon désirer plus. Nous sommes en hibernation. Tout va si vite de nos jours qu'on a même plus le temps de de de.

Ah! Je n'ai pas le choix. Je serai satisfait. Nous ne sentirons plus rien. Nous sommes une erreur en ce monde. Je crois cela. Nous ne dormirons plus. Nous resterons avec Murielle et Frantz et Mesure, dans leur monde de lumière. Nous verrons clairement et calmement notre vécu, le jeu sera clos, toutes les cartes retournées. La réalité apparente. Il faut s'avaler dans l'ombre, voilà. J'ai les yeux d'une maison hantée. Ah, ah! Quand je pense que plusieurs vieux sages bavent pour les affres d'une telle jeunesse! Aujourd'hui, plus de sentiments. C'est fini tout ça. Y a que les strip-teaseuses qui possèdent une sorte de vérité ancestrale. C'est bien de vivre ainsi. Je mange, je digère ce qui passe sous mon regard. À ce jour, j'ai excrémenté environ un bon milliard d'humains. Le reste, je vais le vomir. Moi, je me dévore depuis l'enfance. Ça continue toujours. Où va-t-on aller?

La voix basse de Nora, tout près.

— Que fais-tu Irénée? Qu'est-ce qui mijote dans ta jugeote?

Je la serre contre moi. J'entrevois l'heure avec mes mauvais yeux. Dans sa chambre, à côté, Coraline se fait faire le grand jeu pas mal pas pire par son chum, à ce qu'on entend. Elle pousse un cri perçant. Un moment de paupières figées. Une scène sans gros espoir. Je me comprends.

Je cogne, je frappe contre le mur. Je crie.

— Nul n'a asservi sa propre liberté! Faudra connaître le néant tôt ou tard! le sommaire du néant! Il faudra courir avide de rêves! de mondes qui sont toutes nos âmes! sucer la fleur de l'inquiétude! Car l'avenir que nous entretenions expire! Les draps sur nos corps ne tarderont pas à fondre! La huée! les feuilles de l'automne s'inclineront à nos funérailles! Nous contemplerons notre ruine blanche et fumante!... les vapeurs de l'avenir s'évaporant!... un ancien feu indien volant en néons morts!... On sent l'inflexible horreur du lendemain! On veut dompter les fers d'une prison n'appartenant à personne! sauf à la nuit! au soir!... et le matin! ah! le matin!... on entendra le murmure de nos ossements!... car la prudence ne sera pas mêlée à notre sang! ni à aucun de nos gestes ni à rien de notre personne!... Désormais, il faudra reconstruire! et puis tout redétruire!

De quoi lui gâcher son orgasme.

Ça m'amuse, moi, de créer un voile. Ça m'amuse de le défaire et de me dire : voilà, c'est moi ou ce l'était. Ouvert aux souvenirs. Me perdre et m'étonner dans mon décor. Là, des écrins; là, des plantes... squelettes en croix. Ça m'amuse de jouer la mort, l'épouvante. Craquements dans l'horloge. Ne me voilez plus rien, ni nébuleuses ou ombres, ni les poisons ni les tortures de tous les abîmes, dans l'obscurité et mon éblouissement; je ne veux pas y aller au hasard, ma langue sur l'absence criarde de mon reflet sur la glace. Chambre tordue, et moi sa victime, les bras sous l'horloge, son temps glacé. Je n'accueille que mon univers féerique avec des fleurs entre mes doigts de pieds... Je me masturberai dans du mazout, avalerai des clous rouillés pour la postérité. Un repas de cannibale post-moderne, quoi.

Nora est un peu comme un crâne traînant sur de la neige fraîche. On broie paroles et émotions aux portes du naufrage; tous les gens retournent chez eux avant minuit; nous, on balaye le silence de gauche à droite, on régresse, quoi. Ne plus nier l'absence. Avoir un autre visage. Ignorer l'isolement, avec ma sauvage, scruter la pénombre, sortir du lit tordu de toutes parts et frissonner dans le couloir. Nora est éclaboussée d'une lampe que j'allume. Elle disparaît, va à la salle de bains.

Je dois me ramener à ma condition, me ramener au dégagement de mon corps pour prolonger la détonation de tous mes sens; idéaliser tous les imaginaires possibles de mon malstrom. Mon union avec Nora en tant que simple prélude. Cette fille-là a toujours une apparence étrange. Par exemple, présentement, elle porte une vieille robe de veuve empoussiérée, des cheveux courts argentés, chromés, un teint phosphorescent. C'est son nouveau look crépusculaire. Elle ne marche pas, elle flotte. Elle est le riche foisonnement d'un organisme complexe, une Walkyrie chatte...

C'est bien moi, ça. Toujours en train de la grignoter des yeux, allongée sur le tapis, entre la lucidité et l'évanouissement, son corps affaibli par les abus du mien sur le sien. Je fais comme bon me semble. Du plafond, dégoutte une goutte.

— Le plafond fuit! qu'elle dit. Et puis elle tournoie sur elle-même dans sa robe usée, se met du rouge à lèvres devant la glace, m'accroche un sourire à l'aide du fil de ses idées qu'elle tire comme une ligne à pêche... et puis à nouveau ses éclats de rire dans lesquels nous tentons de vivre pleinement, un rire primordial ou un rien que l'aube enfermera sous clef. On a tout annihilé ce qu'il nous restait. Avec sa voix d'outre-tombe, elle guette les cités du lendemain, pointe son visage elfique en avant du temps; sa chair s'ouvre et laisse un amas de feux follets cribler le ciel infernal. Notre colère a voulu brûler le cauchemar du monde dans ses antres les plus terribles. On nous a pris pour des voyous; mais nous ne sommes que des enfants, une blessure dans la vie des gens, une vierge éclatant ses sourires sur les terres antiques (je fais mon petit mystique). Plus qu'une question de souvenirs avant qu'on nous livre à la mort. On n'en demande pas tant. L'obsession qu'elle a, Nora, d'enregistrer sa voix, le son d'un arc-en-ciel, le cri d'une veine saignant à onze mètres. Glisser vers elle... un coup d'œil sous la robe, puis vers ses yeux écarquillés trop maquillés. Ce n'est peut-être pas correct. Elle ne me sert plus à grand-chose, sinon à me distraire de mes angoisses quand il le faut.

On ne s'en remettra pas. Tout cela est si lourd maintenant. L'éclat n'est plus là. Le sort nous a eus. Notre état a empiré. On a bien failli y laisser notre peau et tout le reste. C'est à recommencer.

***

Chère page, dois-je t'entretenir à nouveau un peu de moi? Que désires-tu de plus de ton pauvre maître? Que demandes-tu de lui? Je peux te dire une chose : meurs, crève, sèche. Voilà. Ce que j'écris sur toi n'aura pas de conséquences. Ce que je grave sur toi retournera à la tombe. Nous n'en sommes que là, dans notre tête. Je ne fais pas de littérature, grand Diable merci! Les Lettres n'existent pas. Ça ne vaut pas plus que les vidéoclips et le génital.

Faut que ça sorte, que ça gicle, explose. Il faut partir. Nous sommes devenus indésirables. Ils ne veulent plus de nous. On s'est trop fait sentir; comme une sale chipie et un maudit matamore qu'ils nous considèrent, à cette heure. Ah! À foutre au bûcher! À brûler vifs! vivement! Qu'on débarrasse! Qu'on fasse de l'air! Qu'on disparaisse dans la stratosphère! Qu'on ne marche plus sur leurs ombres! Qu'on n'erre plus dans leurs plates-bandes! Qu'on leur fouette patience, nous et nos histoires de ne pas en revenir, d'aller jusqu'au bout pour aboutir quelque part, n'importe où, à l'hôpital s'il le faut, à la morgue entre les mains des croque-morts. Peu s'en est fallu qu'on réussisse, qu'on finisse ivres morts. On était pas loin. On saccageait tout; on dégueulait, criait partout. On la gâchait pas à peu près, leur sale fête, la petite soirée qu'ils avaient organisée pour nos retrouvailles à Nora et moi. Une fête juste pour nous deux! Avec gâteau et tout! bière, vin et fort à volonté! Avec plein d'invités! une trentaine! et un disque-jockey! pour la musique! la danse! les trémoussements! Ah! le cher Justin, il s'était défoncé à tout préparer, il y avait mis du sien, du cœur, ainsi que les autres, ses valets. C'était parfaitement exultant, cette soirée-là! Vraiment! Mais il a fallu qu'on massacre tout, qu'on défonce quasiment les murs à se jeter n'importe comment dans notre crise de fille chaude et de gars éthéré! Ah! C'est bien de valeur, mais nous on supporte pas ça, le Jack Daniel's mélangé au rouge et à la bière. Ça nous surchauffe, nous terrasse, nous balconne. On en voit de toutes les couleurs, on en vomit de toutes les saveurs; on devient pas gentils, on devient pas fin-fine, on devient exécrables à souhait, pas supportables, de vrais suppôts sataniques; et vite on se met à casser le mobilier, le vaisselier, à boucher les toilettes, à les traiter de lavettes. On les a écœurés pour de bon : «Hé, Justin! Espèce de grande larve! Je t'emmerde, toi et ta sœur! Hé, Rudy! Sale gale! Ta Léna, c'est la pire des grues!... David le bègue! David le bègue! Ho ho ho!... Lee le ouistiti! Lee le ouistiti! Ha ha ha!... Hé, les jumelles! Hé Cécile! Hé Juliana! Quand est-ce que vous vous broutez la toison?...» Etc.

Hé! Comment ça se fait que tout à coup ils veulent plus rien savoir de nous? Pourtant, ça nous cajolait et caressait en début de festivités, quand on venait juste d'arriver! Et là ça nous sort à coups de poings! de pieds! oui! tout à fait! à coups de souliers au cul!... vlang!

— Allez-vous-en, saletés! Déguerpissez, atrocités! Allez faire vos scandales ailleurs! Allez voir s'il y en a des meilleurs que nous, quelque part, pour vous endurer, vous tolérer, duo de malheur!... On vous a tout donné et maintenant vous nous chiez dessus! Espèces de mal nés!

Mal nés. C'est le mot. Depuis cette soirée-là, moi et Nora, on ne parle plus à Justin et aux autres. Depuis cette fête-là, Nora et moi, on n'a plus d'amis.

Qu'ils mangent un char de marde!

On a décidé d'entreprendre un petit voyage pour célébrer à notre façon notre déconfiture sociale et faciale; une sorte de lune de miel, si on peut dire. Destination : Percé. Sur le pouce. Un peu de positivisme, c'est ce qu'il y a de mieux pour me donner la force de creuser mon trou, comme un sale cabot. Je dois dire une chose : ça va mal tourner. Aussi : on est méchants quand on a bu, tassez-vous de notre chemin quand on a bu. C'est tout. Juste ça. Juste triste en calice. Les alcooliques s'entendent de mieux en mieux, de nos jours. Je n'ai rien à ajouter sur les autres, les drogués puis les gais lurons. Le reste de l'humanité ne vaut rien; sinon le divertissement.

À onze heures du matin, on est dans la voiture de mon père. Après à peu près trois heures de route, il nous débarque à Québec, rue Sainte-Ursule, devant l'auberge, le Centre international de séjour. Tout le temps du voyage, Nora a écouté de la musique dans son baladeur, assise sur le siège arrière, pendant qu'en avant je discutais avec mon père de tristes sujets : les modèles des voitures qui nous dépassaient, leur année de fabrication, leur consommation d'essence au kilomètre...

Il nous aide à sortir nos bagages du coffre. Il se demande comment on va faire pour transporter tout ça sur de longues distances. Il nous trouve bien fous. Il a raison. Le gars de la réception nous dit que c'est quinze piastres la nuit chacun. Ça fait notre affaire. Mon père est déjà prêt à repartir. Il ne tient pas à s'éterniser plus qu'il ne faut dans la capitale.

— Tout est correct, mes oiseaux? Vous n'avez plus besoin de moi?

On le remercie. Grâce à lui, on a un bon bout de fait.

— Il est trop fin avec nous, ton père, me confie Nora.

Elle a raison. On paye le gars de la réception et puis on monte l'escalier jusqu'au troisième étage. Notre chambre, la 315, est au bout du couloir, pas loin des toilettes. On déballe nos sacs, on s'installe; on a tout l'après-midi, toute la journée devant nous pour visiter la ville, l'explorer. Je ne suis jamais allé à Québec.

— On va se promener? me demande Nora.

— Pourquoi pas?

On entrepose nos sacs à dos dans une garde-robe, on verrouille derrière nous, puis on sort prendre l'air dans le Vieux. On ne sait pas par où la commencer, notre petite balade de touristes. On marche dans la rue Saint-Jean, avec le vent. On a froid. Je boutonne ma veste de corduroy, Nora dissimule son cou et son menton sous son doux foulard hindou multicolore de soixante-deux mètres. On s'achète à la SAQ une bouteille de cognac, pour se réchauffer. Ça marche. Au bout d'une demi-heure et de la moitié de la bouteille, il fait chaud. Et les pierres enracinées des anciennes rues deviennent molles comme des marshmallows. On va faire comme tout le monde, comme tous les gens : on va aller visiter le Château, puis les bâtiments autour du Château, puis les pièges à châteauistes. Le ciel se dégage, les nuages se défilent; on profite de l'éclaircie, opportunistes comme on est, pour grimper voir du côté des Plaines. C'est plate, les Plaines : quelques vieilles tours à touristes, des sites historiques, des canons de décoration, des couples de vieillards penchés sur des plaques commémoratives, explicatives, digestives. On leur lance des roches dans le dos, à ces vieux-là, pour qu'ils arrêtent de réfléchir à tout ça, tout ce passé-là, ces histoires de batailles contre les Anglais, d'Amérindiens, d'humiliation, de castration territoriale. Rien à fouetter. On se torche avec le passé, Nora et moi; on s'en moque, on garde les pieds sur terre, nous, on regarde en avant, nous, on ne pense qu'à nous, nous. Les misères du peuple kébékékois, ça nous fait bâiller autant que les jokes de gars de shop, le bulletin sportif, le nombre de morts et de blessés dans un accident de la route en Nouvelle-Zélande. Y a que notre inexistence qui compte. Celle des autres, on l'envoie loin, loin derrière nos épaules, derrière nous. Nora partage mon idée des Plaines.

— Beau ring! C'est d'un ennui! Ce n'est pas ça qui me débarrassera de l'hépatite qui me tue!...

Ce soir, on va aller se trouver un bar. On va aller faire dur, pour voir.

Dé châle note passe! À la guerre comme à la guerre.

Fin du journal.